S0-CFP-371

LAS TUMBAS Y YO

Rafael Loret de Mola

LAS TUMBAS Y YO

Rafael Loret de Mola

Grijalbo

Las tumbas y yo

Primera edición: julio, 2008

D. R. © 2008, Rafael Loret de Mola

D. R. © 2008, derechos mundiales de edición en lengua castellana, excepto España
Random House Mondadori, S. A. de C. V.
Av. Homero No. 544, Col. Chapultepec Morales,
Del. Miguel Hidalgo, C. P. 11570, México, D. F.

www.randomhousemondadori.com.mx

Comentarios sobre la edición y contenido de este libro a:
literaria@randomhousemondadori.com.mx

Queda rigurosamente prohibida, sin autorización escrita de los titulares del *copyright*, bajo las sanciones establecidas por las leyes, la reproducción total o parcial de esta obra por cualquier medio o procedimiento, comprendidos la reprografía, el tratamiento informático, así como la distribución de ejemplares de la misma mediante alquiler o préstamo públicos.

ISBN 978-970-810-459-3

Impreso en México / *Printed in Mexico*

A quienes no claudican

Índice

Los personajes

Por orden de aparición

JULIÁN RIVERA AVELLANEDA, periodista enfrentado al dilema de la vida y la muerte.

JESÚS, amigo desahuciado de Julián.

ESTEFANÍA, una mujer que pasó por el mundo para sufrir enfermedades.

MARÍA (Tía), bibliotecaria y erudita que anda en busca de su tumba.

MAXIMILIANO (Max) AVELLANEDA, abuelo materno de Julián y masón.

FRANCISCO LEDESMA, informante secreto.

REMIGIO (Padre), sacerdote confesor en el Valle de los Caídos.

CANDELA RODRÍGUEZ, vigorosa luchadora social que, en Madrid, es furtiva pero intensa amante de Julián.

SAÚL RODRÍGUEZ, hermano de Candela, sodomizado durante sus días de seminarista en la orden de los Legionarios de Cristo.

ÁLVARO BUENO (Padre), sacerdote jesuita con apostolado en el templo de San Francisco de Borja, en Madrid.

MIGUEL ÁNGEL CORREA, periodista gráfico y miembro destacado del "Manto Sagrado".

Tomás González, viejo combatiente antifranquista.

ALMA y MARICARMEN, dos chicas de la era del "destape" en España.

TINO y LUPO, guías rumanos al servicio del Ministerio del Interior en el régimen de Nicolae Ceaucescu.

VANESA MEDINA, informadora argentina y contacto entre el gobierno rumano y la mafia georgiana.

DEMETRIO, testaferro de la misma mafia.

ZAKHAR, "El Sakro", capo del cártel georgiano.

MAGDALENA ZAMBRANO, esposa de Miguel Ángel Correa y después amante de Amado Carrillo Fuentes.

Tony Flores, socio de Miguel Ángel Correa y operador del Manto Sagrado.

Domingo Cañadillas (Padre), sacerdote jesuita en la diócesis de la ciudad de México.

Diego Castañeda, médico de Ciudad Juárez, Chihuahua.

Don Severo, cacique poderoso en el litoral del Golfo de México.

Iñaki Azpiziarte, colega y compañero de viaje de Julián con raíces vascas.

Esteban Maldonado, informante confidencial.

Felipe Castro Martínez, empresario del Bajío mexicano con conexiones en la cúpula patronal.

Beatriz Garza, esposa de Iñaki Azpiziarte.

Iñaki, Javier y Juan, hijos de Iñaki y Beatriz.

Paloma Moreno, compañera de Julián.

Comandante Flores, oficial de la policía mexicana.

Elena Medina, hija de Vanesa Medina y amante de "Bob" Nava.

Roberto "Bob" Nava, disfraz del célebre Amado Carrillo Fuentes.

Ralph Power, poderoso "padrino" de los cárteles en Norteamérica.

Teniente Coronel Melquíades Morales, miembro del ejército mexicano.

María José, esposa de un amigo de Julián Rivera, atrapado por los veneros del poder.

I

Yo

He sido testigo de la muerte tantas veces que hace tiempo no me preocupa la mía. La frialdad con que observo los dramas cotidianos endurece el alma y, al mismo tiempo, permite matizar las amenazas. Como esta mañana.

Por costumbre, luego de levantarme, abro mi correo electrónico. Se habla tanto de la dinámica social y, sin embargo, lo que estimo acelerados son los estímulos para quedarse en casa. Además, el ocio va ganándole la partida al trabajo. Por ahí leí, en una de mis tantas depresiones vespertinas, que quienes no retornan a sus deberes por la tarde son más efectivos durante las labores matutinas. Una grata justificación para el permanente reposo de la conciencia.

Soy periodista. Y como tal escucho los noticieros radiofónicas desde las siete en punto del amanecer, cuando todavía no hay sombras alargando las figuras de los transeúntes que pasan por mi ventana correteando al ánimo, como si quisieran huir de ellos mismos. Simultáneamente, la televisión no cesa de intercambiar mensajes publicitarios con el repaso de los hechos del día, incluidos los titulares de los cotidianos ya en circulación. Vulnerado hasta el aire por las ondas electromagnéticas, ni siquiera hay espacio para meter la cabeza en la tierra, como dicen que hacen los avestruces cuando tienen necesidad de aislarse.

Luego de cuatro décadas de brega —mi primera nota, una crónica taurina, la redacté a los catorce, a larga distancia, refiriendo el sol radiante que caía a plomo sobre el pequeño coso de Ciudad Guzmán, Jalisco, cuando en realidad llovía a cántaros–, no tengo tiempo para el asombro y me molesta sorprenderme porque así reconozco que carecía de información suficiente sobre la noticia divulgada. La lucha más devastadora del informador nato es consigo mismo. Y no cesa ni en los periodos estivales, cuando alrededor los demás disfrutan mientras nuestras miradas se pierden... en algún periódico recién impreso.

Siempre digo que tengo dos balcones. Uno, mira hacia el exterior en donde, muy lentamente, todos van y vienen con el frenesí automatizado de la era moderna; al otro lo encuentro bajando la mirada y oteando hacia la computadora, para atestiguar las convulsiones, también las alegrías hijas de la frivolidad, todas ellas globales. Me aterra la idea de que, en unos años más, la tecnología permita que todo ciudadano pueda hacer las tareas propias del reportero. De hecho esto ya empieza a suceder: hasta los noticieros exitosos claman para que el público mande a las redacciones las imágenes tomadas con el teléfono celular y obtener así primicias espléndidas. Mientras, los periodistas tenemos que pasarnos horas sobre el teclado.

Cuando desperté –¡hace tanto que no duermo profundamente!–, ya era septiembre. El verano agoniza mientras miles mueren sobre el asfalto de las carreteras y muchos más desesperan al enfrentarse a la realidad de las hipotecas, las tarjetas de crédito sobregiradas y las estadísticas gubernamentales que siempre señalan mejorías imposibles de percibir a simple vista. El retorno forzado a la supuesta productividad termina por enfadar a los asalariados, incluso hasta en lo más habitual: atascos viales, fallas del transporte subterráneo y gastos escolares inaplazables.

En fin, llega el momento de ubicarme en mi sitio. Todavía recuerdo aquellos años en que para mí no había mayor horror que el ineludible duelo con la primera hoja en blanco ya atrapada en la máquina de escribir. Hoy basta ingresar a internet para que la pantalla se impregne de ventanas hacia el mundo. Y, sin embargo, la angustia se acrecienta porque no basta con el encendido para resolver el apremio de la creatividad. Peor aún: ¿cómo hacer algo nuevo sobre el rastro de los acontecimientos de sobra conocidos? Ahora caigo en la cuenta que mi temor atávico nada tenía que ver con el papel libre de tinta sino con la angustia de sentirme vacío por dentro y no poder mantener el fervor por comunicar cuanto he atestiguado.

En fin, estoy conectado con el correo electrónico. Algunos amigos jóvenes, quienes nacieron treinta años después que yo y me dan la impresión de que tienen dentro un chip, como si se tratara de otro órgano vital desconocido para mí, me sugirieron armarme con un e-mail invencible, esto es alternando letras, espacios, números y guiones bajos, para hacer imposible, dijeron, la permanente intromisión de los hackers, esa moderna plaga cuya capacidad le otorga el privilegio de alterar el orden cibernético, vulnerando así la exigua privacidad de los demás. Nada es infalible, desde luego. Y mucho menos cuando el mundo retorna a la autocracia que vigila, norma y censura bajo el alegato de preservar la seguridad de cada Estado en aparente construcción democrática. Quizá por ello me han robado mis cuentas hasta en cinco ocasiones y quienes lo hacen se ufanan de sus habilidades, al grado de desafiarme a denunciarlos ante la "policía" que da seguimiento a las redes del ciberespacio. No lo he hecho para no ser motivo de burla. Sin vanidad estaríamos vencidos.

Tres mensajes provenientes de mi propia dirección, de nuevo vulnerada, dan en el blanco: me molestan y hacen que tense las mandíbulas a falta de un receptor a quien dirigirle las injurias en cascada. Otra vez la ironía de creernos libres y estar sometidos, sin remedio, al acecho implacable de cuantos entienden el éxito a partir de la degradación ajena. Cada vez son más.

El subject —voz inglesa que en el mundo electrónico designa la simbiosis de sujeto y asignatura— es suficientemente ilustrativo: "Advertencia". Decido leer y no arrojar a la basura el contenido sin siquiera verlo, como en tantas otras ocasiones:

"Proverbio: cada vez estás más cerca y cuanto más te acerques estarás más cerca de tu muerte".

Sonrío, incrédulo, claro. Pero algo detiene el índice —jamás aprendí a teclear con los diez dedos— que se impulsa para borrar la insolencia. Adjunta al texto aparece una fotografía familiar... que debió tomarse anoche mismo, en el umbral de mi departamento. No quiero detenerme en ello hasta que pueda atar cabos.

Uno de mis editores, acostumbrado a lidiar con el vedetismo de los intelectuales mexicanos, siempre tan acomodaticios, se anima a extenderme una sentencia con rigor de inapelable:

—Recuerda que la muerte no es lo peor que puede pasarte.

El dardo da en el blanco y, desde luego, sacude todo mi interior. El valor no es ausencia de miedo sino fuerza espiritual para superarlo. Alguna vez, en el preámbulo de una tarde magnífica de toros, el mejor de los diestros mexicanos de cuantos he visto desafiar a la parca y su guadaña, Manolo Martínez, respondió, con el semblante descompuesto antes de iniciar el paseíllo en la Plaza México y su habitual sequedad, a mi insolente pregunta sobre si en tal trance sentía el aguijón del miedo, a pesar de su larga experiencia en los redondeles:

—Sí, por supuesto; pero lo importante es poder dar un paso hacia el ruedo y no quedarnos paralizados por el horror.

Aquella sentencia, sencilla y rotunda, entraña la síntesis del valor auténtico. En contraposición, la cobardía no produce necesariamente desasosiego interno. Al felón que asesina a sangre fría, por ejemplo, no le tiembla siquiera la mano, sin permitirle al contrario, y he allí su villanía cobarde, defensa alguna.

Pero, ¿qué puede ser peor que la muerte cuando se ama a la vida? Pienso que el fin de la existencia constituye también una fuga o hasta un alivio. El suicido, para unos, la eutanasia para otros. ¿Valor o cobardía? Hay tantos matices y son tantas las circunstancias. Siempre he pensado que el temor a la muerte es uno de los grandes nutrientes de las religiones y su idílica versión del paraíso, una especie de gran finca sólo para los justos.

Cuando era joven, rebelde claro y con la piel sensible ante los cantos fervorosos del socialismo que nos arropan cuando no hay conformismo en el espíritu, plantee a mi padre la permanente duda sobre la presencia de un Creador supremo, señor de la justicia, en un mundo rebosante de infamias. Y él, con la sabiduría de la madurez intelectual, respondió sin dar lugar a los matices:

—Mira, hijo, si Dios no existe... por algo lo inventamos los hombres.

¿Por miedo a la muerte? Él no pudo darme la respuesta porque fue asesinado en febrero de 1986. La versión oficial se condujo hacia otros propósitos con la armazón de una burda escenografía en la sierra de Guerrero para aparentar un accidente común de tránsito. Como prueba me entregaron un cuerpo infamado, enterrado semidesnudo y como desconocido... con todas sus identificaciones personales dentro. Luego me dijeron que, al exigir justicia, sólo pretendía darme importancia pretendiendo "pasear" su cadáver en los medios de comunicación. La verdad tuvo otro sesgo. Peor que la muerte fue para él, sin duda, la grave, paulatina, insultante indiferencia de los empresarios de la información a quienes sirvió lealmente y no se atrevieron a sostener denuncia alguna, aislando las mías, para evitar confrontaciones con el poder político. Aquel vergonzoso silencio fue la última mordaza sobre su espíritu rebelde. Ojalá que Dios exista.

Soy periodista y no tengo todas las respuestas. Por vocación sé que para armar una historia es necesario contar con los auténticos hilos conductores y algo más; esto es, no sólo el perfil de los protagonistas sino también la radiografía de sus intenciones. Cuando se escribe, el mayor temor es hacia la irrelevancia y el vacío. La angustia carcome y nos va destruyendo por dentro. Los rencores también se acumulan. Si en vida pudiera hacerse la autopsia a quienes ejercen el periodismo sin diatribas y con pasión, se encontrarían los vasos comunicantes atrofiados por los rastros inciertos. Pero lo peor, naturalmente, no radica en la materia sino en el espíritu que acumula las vivencias terribles aun cuando creamos superarlas con el frenesí de la cotidianidad; para nuestro infortunio los episodios felices sí se apartan de nosotros demasiado pronto.

De niño, ansioso por afrontar peligros, mis ilusiones se concentraron en el centelleo incesante del traje de luces. Bebí en las fuentes de la tauromaquia para aprender que el encuentro entre el instinto del toro, amalgama de bravura y nobleza, claroscuros en fin de la misma existencia, y el carácter del hombre, insuperable cuando inmola sus propio sentido de la conservación en aras del deber, es reflejo fiel de cuanto sucede a través de la vida. Los pitones encarnan los riesgos y el torero plantea la habilidad, también la tenacidad, para imponer el intelecto a los desafíos, violencia incluida. De todo esto surgió igualmente otro de los consejos paternales que me marcaron:

—Cuando sientas que tu amargura es tanta como para desear la muerte, ponte el traje de luces y sal al ruedo a enfrentarla. Así podrás obtenerla y partir con gloria.

Porque lo único fatal es la intrascendencia, el ofrecer sólo la hoja en blanco a la hora de cerrar el fugaz capítulo de nuestra vida. Siempre me ha parecido que el oasis de la inmortalidad espiritual sólo se alcanza cuando nuestro nombre suena más allá de nuestro propio ciclo vital. Infortunadamente, las tumbas, aun las de los célebres, van quedándose solas, abandonadas, distantes, ajenas, cubiertas de rastrojos y hojas secas, dentro de un inmenso mar de lápidas frías. ¿Hace cuánto que no visito la cripta que guarda las cenizas de mi padre? Ni quiero hacerlo por temor a que mi ánimo se doblegue ante lo irreparable. Quizá otro sería mi temple de haber ganado justicia.

¿El miedo o el deber? La lucha se libra, desde luego, en nuestro fuero interno porque, ante los demás, únicamente vencidos nos atreveríamos a aceptar nuestras inhibiciones medrosas, que si no podemos superarlas nos conducen, sin remedio, al camposanto interior de la claudicación. Peor que la muerte es la muerte en vida. No ser nada y, sobre todo, no hacer nada. Conocí a una mujer, sobreprotegida hasta el extremo durante su infancia a grado tal que los mimos y cuidados excesivos le restaron todas las defensas corporales; durante toda su vida no hizo más que padecer enfermedades. Nació millonaria, hija de un magnate hotelero, y acabó desposeída, con pensiones apenas suficientes para solventar las necesidades básicas, mutilada y sobre una silla de ruedas de la que apenas podía desprenderse. Murió a los cincuenta, aunque sin perder su coquetería innata, pero ausente todo el rubor de sus mejillas que durante el breve lapso de la juventud incendiaron pasiones. Cerca de su agonía me dijo:

—Cuando me reciba el Creador nada más podré decirle que durante toda mi vida sólo estuve muriéndome.

Se llamaba Estefanía, pero yo siempre le decía "epifanía" porque su sufrimiento significaba una nueva revelación de la divinidad a la que nos asimos para vadearnos de la efímera condición mortal. Y la festejaba, claro, cada seis de enero con el arrebato lúdico de los Reyes Magos.

Pero, ¿no es idéntico el destino de cada habitante de este entorno nuestro tan desperdiciado? Recuerdo el ejemplo de mi amigo Jesús, sentenciado por un cáncer terminal que acaso le generó su propio dolor, terrible, al observar a su hija postrada por la polio. Durante años llevó a cuestas, literalmente, a la amadísima niña que fue convirtiéndose en mujer sin despegarse del tormento de la inercia. Todavía hay tantas incógnitas para la ciencia. Una tarde, luego de escuchar la sentencia definitiva emitida por la voz escrupulosa del médico que muerde sus propios sentimientos como garantía de profesionalismo, me dijo:

—Sí, ya sé. Me llega la hora. La única diferencia es que ahora tengo fecha de caducidad real. Al fin y al cabo, todos nacimos desahuciados.

Y agregó, con acento grandilocuente, como si intentara sobrellevar su aflicción interior:

—Mis hijos dicen que me necesitan. Y yo les contesto que son unos egoístas empedernidos, unos cabrones. ¿Necesitarme? Por favor, yo los formé, les di todo cuanto pude y también más. He ganado a pulso mi descanso y nadie debe lamentarlo.

Sonrió, satisfecho de haberse desahogado. Y yo asimilé la tremenda afirmación. Murió un año justo después. No le lloré porque casi hubiera sido situarme a contracorriente de su filosofía. Sólo el vacío quedó por dentro, una vez más. Como él me anunció:

—Al fin de cuentas, la vida es una permanente sucesión de adioses... hasta que llega el definitivo.

Quizá sea éste uno de mis mayores agobios: ir cerrando episodios, incluso amistades y cercanías, como si quemara, una y otra vez, mis propias naves. Esto es, tratando de no dejar más huella que las de la memoria porque de otra manera no podría desprenderme nunca del sedimento que aprisiona a cada instante nuestros andares. Es necesario despedirse y atesorar lo vivido y lo sentido.

Un gran director de diarios en el sureste mexicano, don Abel Menéndez Romero, quiso hacerme una recomendación cuando iniciaba mi despegue vocacional:

–No olvides –expresó con dulcificado gesto de patriarca– que el periodista no puede tener amigos, porque cada uno de estos implica un compromiso y limita, aunque no lo percibas, el ejercicio pleno de tu libertad. Cada afecto es un interés más que te obliga a perder la objetividad cuando te piden dar la cara por él.

Pero la soledad asfixia, y a veces destruye. No sirvo para simular la amistad; tampoco podré ser nunca un ermitaño. Como comunicador no puedo estar aislado; y en mi condición de ser humano no sería capaz de privarme del calor de las querencias. Los animales racionales, que nos suponemos reyes de la Creación, no somos sino un gran compendio de debilidades; y en ellas radica, como paradoja inmutable, nuestra fortaleza. No crean que me he enredado en un galimatías a golpes de teclas. Pensemos en la familia por la que es noble abandonarse, al mismo tiempo que impulsa hacia la conquista de cada mañana. Debilidad y fuerza. Miedo y deber.

¿Tengo miedo? Pasado mi cumpleaños treinta y cinco, hace ya veinte, uno de los más célebres personajes de la política mexicana, Carlos Hank González, siempre bajo sospecha y nunca indagado judicialmente por sus presuntos nexos con las bandas delincuenciales de gran alcurnia social –las comunidades más conservadoras se abren, como por encanto, a los nuevos ricos que deslumbran por su ilimitado glamour sin cuestionar jamás, pues sería de mal gusto, el origen de sus haberes–, calificó uno de los trabajos con los que me inicié en el mundo editorial, lacónico:

–Me parece que es temerario más que peligroso. Apunta usted cosas que van a pisar muchos callos pero no lo comprometen. Le quedan todavía muchos espacios para moverse entre ellos; no los dilapide.

¿Quién marca los límites? No los lectores, desde luego, ávidos de primicias y revelaciones que justifiquen lo invertido en tiempo y especie; tampoco los informadores, cuya forma de ser les impulsa a dar un paso de más, siempre. En contraposición, las fuentes oficiales más bien pretenden desviar la atención: si por ellas fuera no habría, de ninguna manera, "filtraciones" a la prensa ni medios indiscretos; ni contrapesos. En principio los autócratas –quienes ejercen el poder, sin importar tendencias, tienen rasgos similares primero ocultan y sólo después reprimen.

El forcejeo incesante entre periodistas y políticos puede explicarse, incluso razonarse, si se tiene conocimiento cabal de donde comienza el punto de no retorno, como dicen los navegantes. Éste es el límite invisible que si se trastoca pone en jaque al denunciante y explica, si tal puede estimarse, al represor. Me estremezco aún con la brutal sentencia de un mandamás de la costa del Golfo de México, sabio y viejo, curtido en los desafíos extremos por la conquista y la conservación del poder, don Severo, cuyos murmullos se ahogan en una estudiada afonía, dentro de él mismo, para no dar más explicaciones. En tono muy bajito, apenas audible, con los ojos superando apenas la barrera de los bifocales mientras agriaba el gesto, me dijo:

–Para gobernar es necesario tener disposición para matar. Porque muchas veces la vida de un solo ser pernicioso, ponzoñoso, puede poner en riesgo las de millones. Y hay que actuar con firmeza para salvaguardar los valores superiores, digamos colectivos, asumiendo las consecuencias.

Una alegoría de la represión, nada menos. Francisco Franco, el "caudillo" español ahora maldecido pero a cuyo espectro se sigue temiendo –quizá por ello sus familiares gozan de un régimen de excepción, favorecidos y jamás auditados–, tiempo atrás, tuvo una visión más amplia sobre el presunto "derecho" a ejecutar enemigos:

–Si para que haya paz es necesario liquidar a la mitad de los españoles, ¡lo haremos!

Una recreación, más cercana, de aquella "paz de los sepulcros" del imperturbable general Porfirio Díaz, en el México prerrevolucionario, que justificaba el silencio de los abatidos, de las voces críticas y los disidentes políticos, como tributo a la estabilidad. España también tiene su Valle de los Caídos, un escaparate sangrante en el que hoy ya nadie quiere detenerse.

El delgado hilo que separa a la temeridad permisible del "abuso" de las libertades –la de expresión en primer lugar– es apenas perceptible en la inmediatez del presente y acaso sólo será visible cuando el apretado recuento de hoy sea historia. No se trata de desafiarlo, ignorándolo, sino de tener suerte para no tropezar con él.

Al paso de las décadas los candados no ceden. En la de los ochenta, cuando el registro de asesinatos contra periodistas alcanzó su cota más alta, el desarrollo del narcotráfico en la nación azteca, su primer boom, carcomió el andamiaje del gobierno e infectó a los cuadros militares. Como en Colombia años atrás, en una escalada que acaso culminó en 1989 con el asesinato de Luis Carlos Galán, el candidato presidencial del Partido Laborista. Cinco años más tarde, en 1994, la misma suerte corrió Luis Donaldo Colosio, del PRI, en el México de los valores entendidos. Bajo ese ámbito, seriamente contaminado, una de las figuras centrales del régimen en funciones, jefe nada menos que del Departamento del Distrito Federal, Ramón Aguirre Velázquez, me advirtió:

–Cuídese de quienes quieran hacernos un favor... agrediéndole.

O sea que: a partir de ese momento, debería estar al pendiente de cuantos intentaran vender mi cabeza en el gran tianguis de la represión. Una elegante manera de amenazar sin apenas dejar huella. Sofisticaciones de la modernidad política tan extendida entre los falsos redentores. Y además tenía que mostrarme agradecido por tan benevolente advertencia.

La utilización del terror como fórmula para inhibir a los críticos poco a poco ha ido ganando terreno. Lo compruebo a cada momento. Digamos cuando el espionaje telefónico se torna un suceso normal, igual que los asaltos callejeros cuya cotidianidad matiza otras perversas intenciones. Dos veces, a las puertas de mi domicilio en una colonia clasemediera del Distrito Federal, fui atracado a mano armada. Lo curioso, y así lo denuncié, fue que en los dos asaltos el agresor era el mismo, reincidente gracias a la impunidad o a la protección policíaca, cortado con la misma tijera de los jóvenes militares medio rapados: chaqueta de cuero, moreno, alto, fuerte y ostensiblemente irrespetuoso:

—A ver, hijo de puta, dame lo que tengas o aquí te mueres –gritó, encañonándome, en sendas ocasiones.

Ni siquiera se molestó en llevarse mi automóvil, a pesar de que no tuve oportunidad de retirar las llaves del motor encendido. Tomó unos cuantos billetes y las tarjetas de crédito que no usó. Al marcharse, exhibió sus verdaderas intenciones:

—Si le sigues, te va ir peor.

Cooperé con la policía en la elaboración del retrato hablado. Pero la mofa fue tremenda: durante varios días el delincuente se paseó frente de mi casa y en una ocasión me pareció verlo a bordo de una patrulla, oteando hacia el sitio escogido para sus estudiadas fechorías. No ocurrió ningún otro incidente, salvo las molestias implícitas para la reposición de los documentos habituales, entre ellos las credenciales de identidad, incluyendo el registro fiscal y el plástico indispensable para poder votar. No hubo seguimiento ni conclusión judicial alguna. Y, por supuesto, me aseguraron que se trataba de un hurto simple "como los de todos los días". La inseguridad pública es también un perfecto camuflaje para extender la represión contra los disconformes y más en tiempos de crisis.

Cuando pienso en el miedo no puedo sustraerme de las imágenes que conforman mi entorno íntimo. Peor que la muerte es cuanto pueda pasarle a quienes amamos. Igualmente concibo a la tortura, incluyendo la mental claro, como un agobio superior al de la misma muerte. Al célebre coronel José García Valseca, a quien no se conoció en el fragor de los campos de batalla sino en la desbordada brega por acumular periódicos –llegó a sumar cuarenta y dos en la extensa geografía mexicana, desde la década de los cincuenta y hasta bien entrada la de los setenta–, lo convirtieron en una piltrafa, enloquecido entre las cuatro paredes del vestidor de su piscina, en una de las residencias ostentosas de mayor calado entre la aristocracia, rodeado de gatos de angora. En su enajenado aislamiento percibía que, en cualquier instante, irían a acribillarlo los enviados del poder.

Todo comenzó cuando invitó a cenar a Luis Echeverría, jefe del Estado entre 1970 y 1976. El mandatario, escrutador, se detuvo ante los armeros repletos de reliquias de la Revolución, la Guerra Mundial y las subsecuentes odiseas castrenses:

–Hermosa colección –apuntó Echeverría.

–Pues está a sus órdenes –respondió el anfitrión con un dejo de elemental cortesía.

Unas horas después, pasada la medianoche, dos vehículos militares llegaron a la mansión del coronel para trasladar los "obsequios", es decir todas las armas, a los salones de la residencia presidencial de Los Pinos. Y éste no fue el final. Presionado para vender su cadena de periódicos a los prestanombres de Echeverría, el coronel buscó aliarse con dos prósperos empresarios, el norteño Eugenio Garza Sada y el jalisciense Fernando Aranguren Castiello. Meses después, el primero fue asesinado por un comando de la Liga 23 de Septiembre, la guerrilla urbana de la época, y el segundo, desaparecido durante varios días; finalmente fue encontrado en una cajuela, muerto y mutilado, castrado, con el miembro colocado a manera de mordaza entre los labios.

El coronel se derrumbó. Su hijo, Eduardo, me confió cuan terrible y lastimoso fue atestiguar la degradación personal del otrora omnipotente empresario de la letra impresa, inescrutable, vencido por un poder superior acaso inalcanzable para él.

–Desconfiaba de todos –me contó su hijo–. Al grado de que ni siquiera permitía asear el sitio en donde se recluyó, asfixiado entre miasmas y excrementos de gatos en cada rincón. La peste era insoportable.

Hace unos días me enteré que Eduardo fue secuestrado en San Miguel de Allende cuando se dirigía, por una vereda, a dejar a sus hijos en un colegio fundado por él en medio del campo y a escasos dos kilómetros de su rancho. Iba con su mujer, a quien los raptores liberaron veinte minutos después. Lo golpearon al intentar defenderla, dejándole aturdido, sangrante. No sabemos nada más. Por ahora. Igual ayer que hoy, en un lapso de medio siglo.

La muerte, desde luego, no es lo peor que puede pasarnos.

El archivo de la memoria está bien resguardado pero puede perderse en un instante, con la muerte. Para infortunio nuestro, si la mente no se ejercita, el olvido va dejando los anaqueles vacíos con escasas posibilidades de recuperar los contenidos. El mayor desafío que podemos lanzar a los grandes predadores, acostumbrados a tomar aliento en las emboscadas, es no perdernos en la amnesia; y, por supuesto, no permitir que las bombas nos estallen en las manos.

Ninguna amenaza es tan grave como aquella sentencia con doble filo que siempre retumba en mis oídos:

—Usted sabe mucho, mi amigo. Y no podemos fiarnos.

La información, claro, es una vacuna contra la manipulación orquestada por los grupos dominantes; y también un serio peligro para sus intereses. Cuando me cuestionan sobre el "amarillismo" de los informadores, seducidos por las exclusivas escandalosas y los acontecimientos brutales —me vienen a la cabeza los "paparazzis" que emboscaron a la princesa Diana, inmisericordes, hasta provocar el accidente fatal en el parisino Puente del Alma, en 1997—, defiendo un valor superior:

—¿Cuántos expedientes estarían perdidos, abandonados, de no haber sido rescatados y aireados por el periodismo de investigación? El magnicidio de Colosio, por ejemplo, en marzo de 1994, habría sido olvidado, vejado por el polvo que nutre los archivos muertos, de no haber sido por la insistencia de todos aquellos que en los medios de comunicación no olvidamos el suceso porque observamos que a partir de ese momento se dieron los reacomodos de los grupos dominantes, modificándose el perfil histórico y político de México. Es obvio que el caso sigue vivo porque no dejamos de poner el dedo en el renglón.

Cuando abrevo en las constantes y cada vez más exaltadas quejas de los gobernantes por las denuncias periodísticas, recuerdo que, a la larga, los funcionarios pasan y los señalamientos quedan, aun cuando no sean suficientemente revisados.

Al inicio de cada régimen, cualquiera que sea su signo y su territorio, la preocupación mayor de quienes conservan el poder es desprenderse del pasado para construir un liderazgo propio. Es entonces cuando surgen las evidencias que antes fueron insolentes y acaban siendo indispensables para reconstruir hechos y desfogar conclusiones. Obsérvese el tratamiento que se da en la actualidad a la dictadura franquista, incluso por aquellos que fueron incapaces de levantar la voz, mucho menos la mano, en presencia del tortuoso gallego. Los perseguidos del pasado son los héroes del presente. Desde luego queda el derecho a la réplica.

Bueno, intento justificarme, convencerme de que debo dar el paso adelante. En el dilema permanente de escribir y no hacerlo quizá para vadear ciertos riesgos, tengo conciencia plena de que no podría soportar mi derrota interior. Sería una especie de suicidio sin expiación posible. Porque quienes se privan de la existencia abren un enorme abanico entre la cobardía de los que optan por evadirse de sus propias amarguras y el valor de cuantos defienden su honra y el derecho a una muerte digna. ¿Qué expiación tendría yo al convertir mi conciencia en un cadáver arrastrado por un cuerpo vencido?

Tengo por allí una cinta magnetofónica, hoy día anticuada, que contiene la grabación de una reunión de altos personajes negociando mi muerte. Un informante anónimo me citó para entregármela y no volví a verlo. Llegó, con la mirada sobre el hombro para darse importancia y contoneando, con aires de vencedor, su regordeta figura un tanto prosaica y descuidada por los vicios que en la edad madura cobran su factura dejando huellas inocultables; colocó la cinta sobre una mesa de la cafetería Sanborns que da vida a la antigua Casa de los Azulejos, emblema de la vieja calle Plateros, hoy llamada Madero, en el primer cuadro de la ciudad de México.

—Escúchela —ordenó— y no me pregunte cómo la obtuve.

Por supuesto que intuía el origen, como también sabía para quien trabajaba aquel sujeto. Una de las estrategias para sobrevivir, cuando tantos desean imponerte la ley del silencio definitivo, es mantener abierto algún puente. Le toleraba, claro, porque casi siempre traía consigo jugosa información procedente de las fuentes mismas del poder y como parte de las consignas palaciegas.

Cuando retorné a casa encendí la grabadora y pude reconocer algunas voces:

—Bueno, ¿lo matamos o no lo matamos? —decía el más impaciente con un acento inconfundible del sureste.

Supe de quien se trataba: nada menos que de uno de los secretarios particulares del presidente, Miguel de la Madrid.

—Lo convertiríamos en un mártir y ya hay muchos. ¿Para qué hacerle el caldo gordo? —replicó otro, más ponderado, con cierto aire de socarronería—. Si lo madreamos va a hablar y sería peor. Tampoco funciona ofrecerle dinero. Ya lo hemos medido.

—Entonces, ¿lo dejamos vivo? —insistió el secretario presidencial—. ¿Así nada más?

—Sugiero que se quede solo hablando en el desierto —terció un personaje de pausada conversación que me hizo recordar el timbre del profesor Hank González, político insondable—. Que se quede sin tribunas ni espacios ni aliados. A ver cuánto aguanta.

Y así procedieron, naturalmente. Fue aquella una etapa especialmente dura. Reaccioné con rabia y esa fue mi coraza.

Pero, desde esta tarde, el nuevo mensaje me inquieta. Lo repaso, una y otra vez. ¿De qué carajos estoy tan cerca que me aproxima a mi propia muerte? Las denuncias sobre el narcotráfico ya no alarman a nadie. Y los capos ejecutores jamás avisan. Cuando actúan es, la más de las veces, porque se sienten traicionados... o intentan comprometer a la banda contraria. Hay excepciones, claro.

Entonces, ¿cuál es la clave? ¿Quizá tiene que ver con las interconexiones entre la clase política y los nuevos dueños de la geografía del mal? ¿O con todo aquello que he averiguado sobre las alianzas transcontinentales que van extendiéndose entre los gobiernos de un lado y otro del Atlántico?

Cavilo sobre ello hasta bien entrada la noche. Es hora de cerrar el episodio del día escuchando los densos noticiarios de la televisión. Al fin, soy periodista. ¡Ah! Y me llamo Julián Rivera, por si no lo habían deducido.

II

Tumbas

Las tumbas alivian la memoria. Permanecen allí, entre rastrojos y flores secas, aunque pretendamos olvidarlas. La vida en sí no es más que una sucesión de adioses, como decía mi amigo Jesús; nos acerca al último aliento soportable únicamente por el legado de afectos, o la siembra de ellos contra los malos vientos del egoísmo; sólo eso es lo que da calor al moribundo. En cada despedida nos vamos desprendiendo de cuanto conforma el mundo material para concentrarnos, poco a poco, en el espíritu. Viajamos hacia dentro de cada uno de nosotros cuando percibimos que el entorno ya nos es ajeno, por los ineludibles finiquitos generacionales, aunque nos arraiguemos a la tierra.

El dolor que nos agobia cuando andamos hacia la salida del camposanto, luego de dejar a un ser querido atrapado entre las lápidas heladas, va acercándonos, sin remedio, a nuestro propio invierno. Por eso es fría la muerte, aunque no siempre sea amarga. Quienes tienen fe y creen la consideran como un nuevo despertar, pero le siguen temiendo a causa de la flaqueza humana. Aunque debe ser magnífica si llega como cancelación de una larga agonía flagelada por el sufrimiento.

Desde siempre he pensado que si somos observadores las tumbas nos revelan el misterio de la existencia. Son presagio material de lo que depara el destino y, al mismo tiempo, constancia de los breves episodios personales que nos resguardan y extienden; sólo se pierden cuando no hay nadie para recordarlos ni atesorarlos. Al fin y al cabo la eternidad es únicamente el suspiro de la memoria histórica.

Era un día cualquiera cuando mi tía María, espigada y casi esquelética, ejercitada en los andares cotidianos entre su casa, de la calle Doctor Lucio, en la ciudad de México, y la Biblioteca Nacional, en donde cuidaba celosamente las reliquias literarias y las clasificaba con increíble paciencia, me pidió que le acompañara al panteón. A ella no le gustaba viajar en automóvil porque sencillamente no entendía como una sola persona podía maniobrar las manos y los pies al mismo tiempo, controlando el volante y el acelerador, sin perder la atención hacia el frente del vehículo. "Manejar, solía recalcar, debe ser algo tremendamente difícil". Y no había forma de hacerla entender que sólo se trataba de una rutina más de la dinámica moderna.

Nos encaramamos a un autobús en donde, por fortuna, había sitio para ella. De haberle cedido alguien el asiento le habría respondido con impaciencia que todavía no se sentía vieja a pesar de sus setenta largos años. Guardar el equilibrio, y de paso la dignidad, en un transporte urbano del Distrito Federal es tarea de romanos. No hay manera de evitar los tumbos ni los malos olores, mezcla extraña de sudores, calzoncillos mal lavados y alimentos descompuestos, en tanto el conductor juega a las carreras con sus colegas y les gana el paso a los automóviles de lujo que festinan la diferencia de clases pero se igualan a los de la plebe con el agudo chillido de los cláxones que entonan mensajes siempre altisonantes. ¡Ah! Sin esos desahogos mundanos sería insoportable encarar, desde las carencias, a los ricos pletóricos.

Mi tía mantenía la mirada perdida hacia la inexpugnable masificación de piernas y brazos entrecruzados a lo largo de la cabina. Hasta que, al fin, me explicó la razón de su ansiedad:

—Hoy voy a escoger la que será mi tumba...

Percibí un extraño escozor interno como si no quisiera, precisamente aquel mediodía de cielo entoldado, presentir el final. Quería quejarme pero ella lo impidió, casi dulcemente:

—De repente, casi a hurtadillas, llegas a una edad en la que no le temes al final sino lo percibes como un alivio necesario. La vida no es otra cosa que un largo lapso para acostumbrarte a la idea de la muerte. Hasta que de pronto te das cuenta que ya no te angustia.

Me encantaba conversar con ella porque su buen decir siempre confluía hacia la narración de una interminable serie de aventuras. Usaba palabras y frases que sólo encontraba en las novelas de Salgari que devoraba en mi adolescencia. Luego quedaba en silencio como si de esta manera quisiera detener sus propias vivencias.

Llegamos a los Jardines del Recuerdo, una suntuosa cima desde la cual puede captarse y hasta palparse el frenesí de la metrópoli. Horizonte abajo, las avenidas atascadas; y más allá la carretera que une a la inmensa urbe con la colonial Querétaro, en donde se firmó la Constitución de 1917 y antes se inició la conjura independista en la primavera del siglo XIX. Caminamos, bordeamos, miramos. Los túmulos marmóreos gobernaban el ámbito. Bajo el sol, el frío camposanto. Mi tía tomó mi mano entre la suya y me pidió, susurrando:

—Fíjate bien. Quiero que desde mi tumba tenga yo una buena vista.

El espacio le esperaba. Siempre estuvo allí para ella. Entre dos cipreses, una especie de floreada terraza se abría al contaminado entorno de una capital deshumanizada por su gigantismo pero entrañable por los vínculos que nos atrapan a todos. Por encima de las chimeneas industriales y el repelente gris del asfalto sucio, aguijoneado por los baches descuidados, que inhibe cualquier intento creativo ante el agobio de lo cotidianamente detestable. Y como si buscara un apartamento a la orilla del mar encontró el remanso anhelado. Límites de por medio, en los bordes y los abismos, la vejez nos coloca también en el umbral de lo intangible e inescrutable, de lo que no conocemos pero sabemos llegará. Sí, aquel era un espléndido emplazamiento, con perspectiva magnífica hacia la frontera entre la materia y el espíritu. Con la musicalidad del viento y sin el implacable estruendo de los automóviles.

—Me la venden por noventa y nueve años —expresó como si se tratara de una confidencia—. Pero la muerte dura bastante más que eso.

Miré alrededor. Las hojas secas sobre las lápidas y los senderos señalaban la misma ruta, la del olvido. Descendimos apresuradamente, con ella aferrada a mi brazo derecho como si así quisiera enlazarse a lo tangible... todavía.

Me han dicho que la partida final es una liberación de nuestro mundo interior ante lo mundano y pueril. No puedo evitar un agudo estremecimiento cada vez que descargo mis angustias ante la cotidianidad que nos avasalla. Para mí, la crítica ha sido una especie de terapia para alcanzar la estabilidad emocional en un entorno rebosante de desigualdades extremas. Aquella tarde, en el cementerio, volví a estremecerme con el pensamiento que acompaña, permanentemente, cada intento de investigar con el propósito de responder los porqués de los agobios sociales, escudriñando la realidad. ¿Acaso el bien, como se plantea, no es un amortiguador para detenernos cuando queremos explorar en el espejismo del mal triunfador? Si no hubiera infiernos para frenar nuestros impulsos todos seríamos pecadores.

Volví a observar a la tía María camino al centro de la urbe incontrolable. Ella quería ir de compras a los grandes almacenes de la avenida 20 de noviembre que confluye hacia el zócalo —esa gran explanada de cemento que sustituyó a la hermosa plaza cuyos árboles centenarios fueron talados para poder concentrar dentro de sus límites y frente al Palacio Nacional, a cientos de miles de seres humanos, acarreados con el propósito de alabar masivamente a cada mandatario al más vigoroso estilo fascista. Era el mediodía que remarcaban las campanadas de la Catedral. Siempre, frente a frente, la iglesia y el gobierno.

—Sólo Juárez pudo con el clero —musitó ella, formada en la tradición liberal pero sin perder el aliento de la fe cristiana.

—¿Qué dices? —pretendí no haber escuchado—. Ya estás, otra vez, pensando en el pasado.

—Nada de eso, niño —el calificativo tenía el ligero acento del reproche—. No hay nada más presente que la lucha por el poder. Y debieras saber que México es el resultado de un permanente enfrentamiento entre fanatismos exaltados, jamás conciliados.

–Suena tremendo –ironicé, impertinente–. Como si, de verdad, a alguien le importara. Lo que les preocupa a todos esos –y señalé a los transeúntes–, es el día a día, el cómo van a pagar sus deudas y cubrir sus necesidades. Si les preguntaras si prefieren una dictadura que les resuelva sus apremios o una democracia que fomente inquietudes y comprometa sus comodidades, optarían por lo primero. Lo apuesto.

–Los mexicanos no son tan predecibles como supones. De serlo, Juárez habría sucumbido ante las presiones del exterior, la invasión francesa y la instalación del enajenado ese de Miramar como emperador espurio.

–También tuvo sus debilidades. ¿O ya te olvidaste que fue él quien abrió las puertas al expansionismo estadunidense con tal de consolidarse en el poder rechazando a los europeos? Con el tratado McLane-Ocampo, avalado por Juárez, se concedió a los norteamericanos el derecho para establecer y medrar por siempre a través de tres rutas sobre territorio mexicano: una entre Matamoros y Mazatlán, desde el Golfo al Pacífico, otra, de Nogales a Guaymas para ampliar las fronteras con una nueva salida al mar, y la más espectacular, a través del Istmo de Tehuantepec con la ilusión de abrir un canal entre dos océanos.

Me escuchó sin perder la sonrisa y sentenció, con toda la emoción de su viejo apostolado como maestra:

–La historia recoge los hechos consumados. Y el tratado al que te refieres jamás tuvo vigencia ni fue ratificado. Podría decirse lo mismo de la muerte oportuna del Benemérito: de no haberse ido a tiempo la revolución armada, encabezada por el general Porfirio Díaz, habría sido para derribarlo a él. Y don Porfirio, el viejo ladino, habría sido el héroe de la revuelta y no el sátrapa que empapó sus manos con la sangre de los revolucionarios. Son los hubiera que no cuentan.

Entramos, al fin, a la galería comercial. El vestíbulo, con el sello del art noveau afrancesado impuesto por el viejo dictador que saludó el advenimiento del siglo XX en la cúspide presidencial, era un hervidero que desembocaba hacia las dos amplias escaleras, con balaustradas de mármol, que remataban dos pisos arriba.

–No podrás negarme –deslicé, provocativo–, que aquí el porfiriato está vivo. Me parece que así imaginó Díaz que sería México cuando él faltara. Demasiado oropel para enmarcar a millones de mexicanos sin poder adquisitivo pero siempre deslumbrados por el consumismo.

Asintió. La blanca cabellera, recortada sobre la nuca, se agitó con la energía de sus setenta largos años atesorados, "uno por uno", aunque ella decía tener más para que todos se admiraran de su temple. Como respuesta, una invitación:

–¿Has visitado alguna vez la tumba de Juárez? Hoy que ya has visto la mía te vendría bien voltear hacia el pasado. ¿Te animas?

Acepté. Pocos mexicanos saben en donde reposa su mayor prócer. Algunos se confunden y apuntan hacia el hemiciclo que perfila la heroicidad del hijo bienamado de la patria cuya imagen monumental, aferrado a la silla del poder con el escudo nacional en el respaldo, sigue motivando polémicas. Allí está, coronando la Alameda central, sobre la avenida que lleva su nombre, la esfinge de don Benito, el pastorcito humilde de Oaxaca que decidió, sin reparar en los desafíos, cultivarse en el derecho para defender a los suyos. Habría de comprender después que para dejarles un legado era necesario mandar por encima de los prejuicios atávicos.

"¿Un indio en la presidencia?", preguntaban las beatas, al pie de los templos y con acento demencial, durante las misas matutinas en plena eclosión de hipocresías. Y aquel cobrizo personaje, inmutable al paso de los siglos, habría de darles, hasta a aquellos que lo persiguieron, la viabilidad política para creer en la patria.

El nombrado en vida Benemérito de las Américas no reposa bajo la estatua que lo enaltece sino a seiscientos metros de allí, en el Panteón de San Fernando, al que se accede dejando la avenida Juárez hacia la glorieta del "caballito" –en donde por décadas estuvo la escultura del hispano Carlos IV, labrada por Manuel Tolsá, y a la que el pueblo bautizó honrando al equino por encima del monarca–, siguiendo por la calle de Balderas y continuando por la de Zarco hasta alcanzar la plazoleta de la que emergen la iglesia y el camposanto. Los mármoles también hablan.

En mi ánimo, aquel día, el mar inagotable de sepulturas. Pienso en las ordinarias, las de tantos que se fueron abrevando tan solo en la cotidianidad, si bien algunos con legados familiares enaltecedores, y contemplo las monumentales que acogen a los personajes históricos. Francisco Zarco, emblema de la libertad de opinión en el siglo XIX, yace casi al lado del mausoleo juarista. Y más atrás, sin librarse del oprobio de la traición, Miguel Miramón, el general conservador a quien el austriaco Maximiliano de Habsburgo cedió el lugar de honor en el Cerro de las Campanas, lugar de los fusilamientos, acaso para compensarle de la fatídica sentencia definitiva premiando su lealtad hacia el imperio de facto. En el cementerio, al fin, ya no le da la espalda el héroe de la resistencia republicana.

Los extranjeros, en cualquier latitud, suelen observar con simplismo los complejos legados de las naciones que los acogen. Así lo aprecié en el extremeño Justo Mullor García, designado Nuncio Apostólico para México en 1998, impulsado acaso por la relevancia de su antecesor, el piamontés Girolamo Prigione Pozzi —más político que arzobispo y quien fue capaz de trocar el rencor del gobierno laico hacia las intromisiones de las jerarquías católicas en el pasado convulso hasta recuperar el pulso diplomático, con el reconocimiento a la personalidad jurídica de las iglesias y la reanudación de relaciones entre México y El Vaticano. Mullor, con el inocultable propósito de sacudirse la sombra de Prigione, me confió, en el remanso de la sede apostólica en donde sólo se escuchan los trinos de los cardenales —las avecillas carmesí que también parecen llevar capelo—, cuál era el propósito fundamental de su misión:

—Pretendo conciliar —expresó sin aspavientos, seguro de la importancia de sus palabras—, el alma religiosa de los mexicanos con el alma pagana de su historia.

Así pues, un diferendo de dos siglos, desde la guerra de Independencia hasta nuestros días, podría resolverse con la intervención bonachona de un prelado entusiasta. Como si bastara sentar a la mesa a las partes enfebrecidas para asegurar amistades a la hora de los postres. Cuando se pierde la percepción de las propias limitaciones, con la soberbia de una influencia perentoria –Mullor, al fin, duró sólo dos años al frente de la Nunciatura–, se extravía igualmente la percepción de la realidad y, más tarde, el equilibrio mental. Así le ocurrió, ciento cuarenta años antes, al iluso archiduque Maximiliano, hermano del emperador austrohúngaro Francisco José y condenado por su propia estirpe a ser parte de la corte sin corona, cuando creyó factible sentarse en el inexistente "trono" mexicano invitado para ello por un grupo de conservadores asfixiados por el rencor hacia el liberalismo juarista que pretendía poner en orden, nada menos, los bienes de la jerarquía eclesiástica, "de manos muertas" como les llamó don Benito porque no producían, ni crecían, ni servían para nada en una sociedad hambrienta y desgarrada por los enfrentamientos fratricidas.

Ante la tumba de Juárez me estremecí. La exaltación al prócer con la grandilocuencia de su monumento funerario chocaba con la indiferencia del entorno. ¡Cuántos sepulcros vacíos de recuerdos! Sin una flor siquiera para suavizar el olvido. Los restos de tantos que no fueron sino mujeres y hombres comunes permanecen en las fosas mientras duran los títulos "a perpetuidad" con los que sus familiares pretendieron liberarse de las ataduras de la gratitud, cuando la hubo, o del vínculo inescrutable de la sangre. En medio de todos ellos, de los parias y los célebres, se yergue el blanco mausoleo juarista que abraza el ángel de la patria con las alas abiertas como si se tratara de una versión republicana de "La Piedad" de Miguel Ángel. El Benemérito inerte descansa en su regazo, envuelto en el aura de la divinidad intangible. Otra vez la paradoja entre el espíritu inmortal, arropado por la religiosidad, y la exaltación de la conciencia liberal que eleva la grandeza intelectual y la reciedumbre del carácter sustentándolos como las grandes victorias de cuantos trascienden a la existencia pasajera.

No hay cruces pero sí aureolas. Y es esto lo que conmueve. Juárez, nombrado el mayor de los mexicanos por su legado inmenso, agnóstico y recio, inalterable en la defensa de la razón jurídica y de la cohesión nacional, puro como su raza zapoteca, yace en mármol entre los brazos de un ángel que le premia con la inmortalidad. ¿Es razonable reconocer en cualquier ser humano la posibilidad de trascender hacia lo divino sin arrebatos teológicos, incluso desdeñando las excomuniones de los fariseos con sotanas, a golpes tan solo de voluntad política?¿O es quizá el conjuro de la muerte lo que hace expiar el espíritu atormentado para acceder a las deidades intangibles?

Juárez, maestro de la Gran Logia del Valle de México, hermanado en la masonería que le segregó del catolicismo que clama por la exclusividad de las almas, no perdonó a Maximiliano, el arribista que se acogió a la invasión bajo las botas del ejército francés, el más poderoso y disciplinado de su época, fue liberal y masón también a contracorriente de cuantos le rodearon y exaltaron como emperador.

Nada hizo variar de opinión al presidente republicano, ni la encendida prosa de Víctor Hugo quien cantó a la grandeza moral de cuantos no disponen de las vidas ajenas para construir mañanas, ni el arrebato impúdico de la princesa Agnes de Salm Salm –nacida Leclerq Joy en Vermont, Estados Unidos, y casada con el príncipe prusiano Félix de Salm Salm, de tormentosa y licenciosa existencia–, quien se arrojó a sus pies, ofrendándole cuerpo y virtud a cambio de la libertad del aristócrata quien comprendió y captó, demasiado tarde, la dramática lejanía de México de cuanto a él le resultaba entrañable, sus emblemas y sus feudos.

Dicen que a Carlota, la falsa emperatriz, la envenenó una yerbera leal a Juárez, administrándole alguna de esas plantas "mágicas" que usaban los indios, probablemente el toloache, una semilla que enloquece a quien la ingiere en infusiones muy concentradas. Buscaba la dama un brebaje para darle vida a sus entrañas adormecidas, en la búsqueda del heredero de un reino jamás fundado, y encontró la ruta hacia la locura que marcó sus años finales en el abandono del palacio de Bouchout –ahora convertido en sede del Jardín Botánico de Bélgica–, de vuelta a Europa en demanda de auxilios nunca conseguidos. Él murió mientras ella paseaba su mente extraviada por el antiguo continente, despreciada por los suyos, los monarcas, como los de Austria y Francia, dispuestos a evadirse de cuanto les resultaba incómodo e incomprensible.

La venganza de los pueblos débiles contra los imperios soberbios siempre tiene ribetes de terrorismo. Una seta es tan eficaz, para equilibrar los desajustados poderíos, como una bomba –la atómica, tras su explosión, toma la forma de un hongo– o un avión plagiado por suicidas fundamentalistas. Es la confluencia permanente de todos los desencuentros universales. Con los fanatismos religiosos como ejes.

Sólo en apariencia Juárez ganó la partida. ¿Fue la angina de pecho la culpable de su muerte en 1872? En todo caso, su final oportuno le abrió un nicho en la historia como consecuencia del sostenido, permanente pulso entre el bien y el mal. Aunque, por supuesto, las calificaciones dependen de cuál sea la tendencia de cada bando. Si don Benito fue considerado el engendro mismo del demonio por los curas rabiosos que perdieron parte de sus privilegios, ¿entonces el mal fue vencido al morir el presidente reformador, en una habitación del Palacio Nacional en donde vivía, y la exaltación del bien se dio por la nueva concurrencia conservadora dispuesta a proteger santuarios y retornar a las jerarquías eclesiásticas sus diezmos y primicias? Desde el punto de vista liberal, el bien es el reconocimiento universal a la autoridad moral del prócer y el mal ponzoñoso no puede ser sino el rastro de la traición superada. La misma historia y dos enfoques.

Aquel día, en compañía de mi tía, previsora hasta para organizar sus funerales, observé que, en el monumento mortuorio de Juárez, las manos del ángel que sostienen al cuerpo inerte, doblegado al fin, más parece que lo retienen como si trataran de evitar lo humanamente imposible para el despojo vencido: la resurrección del sueño republicano. La heroicidad, al fin y al cabo, no convierte a los mortales en dioses.

–¿Qué nos querrá decir el ángel blanco? –pregunté a la tía María–. Fíjate como aprisiona el cuerpo del Benemérito como si no quisiera dejarle ir.

—A lo mejor es señal de que el juicio divino no termina aún para él. Algunos le ven como un satán, otros como un redentor.

—Pero, ¿habrá alguien que pueda salvarse de sus propias contradicciones?

Ya no hubo respuesta. Caminamos por las sendas de los rastrojos y sobre las hojas secas. Al irnos, observamos que una humilde mujer depositaba, a los pies de la imagen del indio de Guelatao, el pequeño homenaje de un ramo de fresco cempasúchil, la flor de los muertos. Cerraba así el círculo irreversible de la vida.

Fue esa la última vez que recorrí con ella las calles de la ciudad de México. Tres semanas después se cumplió la sentencia ineludible mientras viajaba yo por el sureste del país siguiendo la senda de la guerrilla desde Palenque, una de las ciudades sagradas de los mayas. Lo supe antes de abrir el telegrama, como siempre lacónico, que comunicaba su fin. Tres palabras nada más: "Murió tía María". No recuerdo siquiera quien me lo envió. Luego supe los pormenores que, desde entonces, me asaltan en las nocturnas pesadillas.

Fue brutal. Vivía sola porque no quería ser "un pegoste" para los suyos ni depender de nadie. Así lo repetía, una y otra vez, basando en la autosuficiencia su capacidad para subsistir. Alegaba que estar a expensas de la generosidad ajena, aunque fuera la de los suyos, era tanto como una gradual agonía que sólo se desarrolla cuando la decrepitud se apodera igualmente del espíritu.

En su hogar de Doctor Lucio, compartiendo los espacios de la vecindad con desconocidos a quienes sólo saludaba cortésmente sin extenderles el privilegio de la cercanía afectiva, tenía cuanto necesitaba: una pequeña cocina sin más pretensiones que el abasto para los desayunos y las cenas frugales pues al mediodía, salvo los domingos cuando por lo general almorzaba con alguno de sus parientes esparcidos por la agreste selva urbana de la metrópoli, comía apresuradamente una torta, siempre de jamón York y aguacate, en la Biblioteca Nacional; y un comedor oscuro, frío, jamás utilizado. En la pequeña estancia, tras la puerta de la entrada, se apretaban dos sillones desvencijados, un televisor que retransmitía en blanco y negro y una corta mesa de centro en la que se apiñaban, desordenadas, una decena de fotografías con los rostros infantiles de cuantos ya habíamos crecido. Era lo más parecido a una celda beatífica.

No pudo despedirse. Solía bañarse por las noches para sacudirse del estrés cotidiano. Cada vez con mayor dificultad para entrar en la bañera y abrir los grifos. ¿Quién iba a decirle que sus piernas, descalcificadas, acabarían por derrumbarla? Trató de sujetarse al toallero de plástico que, por supuesto, se rompió. Cayó sobre sus caderas y el chasquido de los huesos le reveló que se habían quebrado. Ni siquiera tuvo fuerzas para gritar. No se incorporó. Desnuda, temblando de frío y dolor, no tuvo más opción que dejar pasar las horas, resignada... hasta que llegó el hálito final.

Allí la encontraron su hermano y una amiga del trabajo que se inquietó por su ausencia. Habían pasado tres días de repiqueteos constantes del teléfono. La taparon con una sábana y luego la envolvieron con ella. Llamaron a la funeraria y la enterraron en donde, claro, ella había dispuesto.

Llegué cuando todo había terminado. No pude sino recorrer la ruta conocida hacia la tumba "con buena vista". Luego, no sé cuánto tiempo después, alguien puso en mis manos una libreta de apuntes en donde ella escribió con caracteres temblorosos: "Debo decirle a Julián que no olvide el sepulcro de Juárez". Hasta el momento postrero conservó la tremenda impresión acerca del desafío permanente que entrañan los mensajes crípticos destinados a descifrar cuál es la arista por donde el bien confluye hacia el mal. Me quedé absorto por largo rato. Luego, en pleno recorrido interior, volvió a sobrecogerme el recuerdo de mi encuentro con Juan Pablo, el Magno, años atrás, mientras musitaba una plegaria.

El ejercicio de retrospectiva, bálsamo obligado por la pérdida definitiva, me situó en 1989, cuando el poder político en México buscó congraciarse con las jerarquías eclesiásticas. Durante décadas privó el criterio de que los religiosos debían ser tolerados pero sin dotarles de la menor influencia en los asuntos del gobierno, ni siquiera en los sociales. Los episodios sangrientos de la Cristiada al final de la década de los veinte, con los fanatismos desbordados, llevaron a exaltar el principio bíblico inalterable: "Al César lo que es del César y a Dios lo que es de Dios". La separación, nada sutil, resolvía en buena medida la sostenida polémica entre los argumentos de la fe cristiana, con sus "misterios", es decir cuanto es inalcanzable para la mente común, y aquellos que sólo pueden ser ratificados por la ciencia, cuando están plenamente corroborados, para descifrar, entender y proyectar la evolución de los seres humanos. A los no creyentes la división les permitía, además, arrinconar los liderazgos regionales ejercidos por los curas influyentes a falta de conductores políticos con autoridad moral.

Poco a poco la tolerancia se volvió costumbre, atizada además por la rotunda personalidad del Pontífice, "un político vestido de blanco" según le llamaron los cronistas, quien no admitía prejuicios ni intolerancias históricas cuando éstas servían únicamente para limitar o marginar las tareas pastorales. La llamada Santa Sede, a través de sus representantes, presionó para hacer valer el peso específico del catolicismo, en una nación profundamente religiosa, confluyendo hacia las reformas jurídicas necesarias para otorgarles a las iglesias la personalidad jurídica que no tenían bajo la normativa liberal y, de paso, reanudar así las relaciones entre México y El Vaticano interrumpidas en 1924 por el régimen de Plutarco Elías Calles.

En aquella época se aprobó una ley, que llevaba intrínseca el apellido del caudillo, por la cual el gobierno se arrogaba la facultad de controlar el número de sacerdotes, subrayando que para ejercer culto éstos debían ser mexicanos por nacimiento, además de ordenarse el cierre de conventos y escuelas en donde se enseñaba la doctrina católica. La reacción fue extrema: Pío XI avaló la suspensión de los cultos y Calles ordenó encarcelar a los clérigos rebeldes. Luego sobrevino el enfrentamiento fratricida, la guerra cristera, con un saldo de sesenta mil víctimas. La cruzada de la sangre, otra vez.

Más de siete décadas transcurrieron para que el Papa Wojtyla, de semblante suave y manos enérgicas, asumiera el deber de la modernización cancelando unilateralmente los capítulos amargos. Y encargó al entonces delegado apostólico, Girolamo Prigione, de mirada escrutadora y corte atlético, con casi setenta años plenos, la compleja misión de enfrentar a los jacobinos intransigentes quienes se sentían custodios de las tradiciones liberales y republicanas sin conceder cuartel a los "curas" ensoberbecidos. Quien fungía como secretario de Gobernación, el veracruzano Fernando Gutiérrez Barrios, una "leyenda" para los adictos al viejo estilo de la política mexicana —es decir la autocracia simulada—, me dijo, tajante:

—Si les concedemos derechos a los religiosos, en cuestión de meses estarán listos para ocupar posiciones políticas. Sería como encender una mecha.

Y Prigione, al conocer esta afirmación de don Fernando, replicó:

—Parece un gato maullando a la luz de la luna para darse importancia. Lo que tiene que ser, será.

Entré al debate por convicción. No puedo concebir la liberad ante las trabas legales que son hijas de los prejuicios y atavismos. No creo en las segregaciones ni en el privilegio de los gobernantes a decidir por todos sin más consenso que el de la soberbia institucional. La clandestinidad jurídica de las iglesias, exaltada por los rencores y las fobias, era sencillamente insostenible si, de verdad, se pretendía la construcción de la democracia. Y me convertí, casi sin percibirlo, en un aliado de las reformas constitucionales que habilitaron a las congregaciones religiosas como personas morales para el derecho civil. El premio fue, con la venia de Prigione, la posibilidad de dialogar con Juan Pablo II en ocasión de su segunda visita a México, en enero de 1990.

Prigione convocó e hizo la presentación, explicando cual había sido mi postura ante la resistencia de los cancerberos del santoral de la patria rebosante de contradicciones porque en él figuran, en niveles idénticos, no pocos prohombres y sus respectivos asesinos.

El Obispo de Roma, al fin, extendió su mano y la dejó dormida entre la mía. Y me dijo, como si se tratara de una orden inapelable:

—Siga defendiendo las causas justas. Que no decaiga jamás su ánimo.

Pretendí responder y acabé optando por el silencio emocionado. Luego el Papa bromeó sobre el papel de la prensa mexicana y la de Latinoamérica:

—Mi secretario me lee las cabezas y yo le digo de cual periódico se trata. Es muy divertido: nadie niega la cruz de su parroquia.

—Pero, ¿usted los conoce a todos? —pregunté con estudiado aire de ingenuidad.

—Antes de viajar a cada país me ilustro, desde luego.

Reímos, naturalmente. Él tocó su anillo dejando ver el rastro de una de las balas que le disparó el turco Mehmet Alí Agca, en la Plaza de San Pedro, en mayo de 1981, el día de la Virgen de Fátima. Yo incliné la cabeza, reverente. Pocas veces había sentido tal irradiación de energía. Fue un hombre que, en vida, alcanzó el destello de lo divino.

La breve charla finalizó con una confidencia, dicha en tono festivo por el visitante ilustre, acerca del temperamento de los mexicanos:

—Estoy muy feliz por tantas manifestaciones de alegría a mi paso —expresó, jugando con la ironía—. He visto a millones de mexicanos jubilosos y en todo momento. Pero, dígame usted, ¿a qué hora trabaja este pueblo entrañable?

Solté la carcajada hasta que sentí un firme apretón a manera de despedida. Wojtyla contrajo el gesto sonriente y fijó su mirada en mi pluma, una Lamy que desde entonces atesoro, tocándola con suavidad con la mano izquierda mientras sostenía la derecha entre la mía. Y repitió:

—No se aparte de las buenas causas.

Fue todo y fue bastante. Por eso me estremecí leyendo el postrer mensaje de mi tía para que no olvidase la sepultura del Benemérito, tan satanizado. ¿Fue justa la cruzada de la Iglesia contra Juárez? ¿O lo fue la reforma contra los "bienes de manos muertas" que arrebataron su patrimonio ocioso a las jerarquías eclesiásticas desde aquella época turbulenta?¿Cómo conciliar mi fe, tan íntima y débil, con la historia que no debe admitir misterios, aunque algunos prevalezcan exaltados por los intereses mezquinos, destinados a obviar cuanto supuestamente no entienden, ni deben entender, los comunes mortales?

Habría sido estupendo preguntarle a Juan Pablo II sobre Juárez. No tuve esa ocurrencia bajo el toldo que cubría los aposentos de la nunciatura en donde todavía la sola mención de don Benito extiende enfados y distorsiona los gestos. Tal vez se piensa que un hombre no tiene derecho a cuestionar a la Iglesia aunque también sea obra de otros seres humanos. Lo divino no está en los cimientos terrenales sino en la elevación del espíritu. Analicemos la paradoja: ¿debe ser rico el Obispo de Roma para cumplir con su apostolado? Si no lo fuera, ¿sería capaz de expandir su mensaje sin los costos tremendos que ocasionan sus andares y protocolos?¿En dónde comienza la realidad y en dónde lo esotérico?¿Qué es lo justo?

En México se cuenta la leyenda de Chucho, el Roto, un bandolero que robaba a los ricos para distribuir el botín entre los pobres. Lo mismo dicen que hacía Robin Hood en los bosques y aldeas de Sherwood; y también Jesús Malverde, el llamado "santo de los narcos", a quien se ha erigido una capilla en Culiacán, Sinaloa, el estado de donde son oriundos un buen número de los capos relevantes. Los devotos del patrono de las mafias, cuyo retrato le presenta con bigote que rebasa las comisuras de los labios y una mascada alrededor de su cuello, dejan testimonios en bronce, además de óbolos muy generosos y con muchos ceros a la derecha, alrededor del discreto templo en el que las cruces se mezclan con las guitarras, las espuelas y otros fetiches propios de quienes viven al margen de la ley pero se dicen redentores de sus pueblos.

Allá en Badiraguato, no muy lejos de Culiacán, y de donde partió Joaquín "El Chapo" Guzmán, uno de los líderes de los modernos cárteles mexicanos junto con Ismael Zambada "El Mayo", se alza en la plazuela principal un monumento a Juárez cuya esfinge aparece con el brazo levantado. Como en el entorno se respira la prosperidad que es hija de los cultivos proscritos, específicamente el de marigüana, los lugareños asumen que la mano de bronce indica "hasta donde deben crecer las matas", recitando así la primera lección para los aprendices. ¡Cómo se venera en sus cunas a quienes son señalados como los mayores enemigos de la sociedad!

Y en Guamuchilito, en donde nació Amado Carrillo Fuentes, llamado el Señor de los Cielos y oficialmente muerto en 1997 a pesar de las evidencias en sentido contrario, sus moradores insisten en nombrar a su pueblo "Guamuchilito de Carrillo" en honor al fundador del cártel de Ciudad Juárez, cuya relevancia comenzó a partir de 1993, cuando igualmente inició la contabilidad sobre los asesinatos de género en la urbe fronteriza. ¿Cómo debe entenderse la justicia?¿A partir de la gratitud de un pueblo beneficiado con el dinero llamado "sucio" por su origen ilegal o de acuerdo a los estándares gubernamentales? Pero, ¿son honestos y por ende confiables los gobernantes?

Alguna vez, el conocido abogado César Fentanes, defensor apasionado de los deudores de la banca bajo el prurito de que éstos son víctimas de un monumental embuste fraguado por los acreedores dispuestos a mantener su dominio sobre las sociedades durante un largo lapso siempre prorrogable, deslizó una sentencia terrible:

—Cada gobierno, cada sexenio —lo que dura el mandato de los jefes de Estado en México—, estrena a sus propios narcos.

Esto es: se persigue a los del bando contrario en una especie de toma y daca muy cercano a lo que Trosky, asesinado en la capital mexicana, llamó la "revolución permanente", es una interpretación del poder basada en ciclos perentorios y en ajustes de cuentas periódicos. Es por ello que, las conocidas como "primeras familias", que surgieron a la sombra del poder presidencial, están todas infectadas por sus vínculos con los grupos mafiosos dominantes. Ni una sola se salva. Entonces, ¿cuál es la base, sobre la que se erige la administración de la justicia?

En 1998, durante la Feria Metropolitana del Libro en la ciudad de México, Vicente Fox, entonces gobernador de Guanajuato, escuchó el recuento infeliz:

—El cuñado de Luis Echeverría, Rubén Zuno Arce, fue procesado en los Estados Unidos por contrabandear nitrato de plata y por delitos contra la salud; el hijo de Miguel de la Madrid, Federico, tiene abierto expediente en la DEA como posible nexo de los capos protegidos; el hermano incómodo de Carlos Salinas, Raúl, ha sido señalado como autor intelectual del crimen contra José Francisco Ruiz Massieu, ex secretario general del PRI, en el año de la barbarie, 2004, presuntamente a través de operadores al servicio de los cárteles; y el hermano, el suegro y los cuñados de Ernesto Zedillo fueron investigados dentro de las ramificaciones del "cártel de las metanfetaminas" encabezado por los hermanos Amezcua en Colima —en donde además convergen dos ex presidentes, los mencionados De la Madrid y Zedillo. El único de los mandatarios no nombrado y con ejercicio desde la década de los setenta, José López Portillo, dio a algunos de sus colaboradores más queridos, entre ellos al profesor Carlos Hank González, plenos poderes para operar a sus anchas y asegurar el reacomodo de los grupos facinerosos encumbrados. Todos ellos, eso sí, terminaron sus periodos con el lodo hasta el cuello.

Fox escuchó, alzó mandíbula y hombros, miró hacia el punto más alejado del salón principal del Palacio de Minería, aprovechando la ocasión para insistir:

—Nos espera una jornada heroica. Por todo eso es necesario sacar al PRI de Los Pinos.

El auditorio percibió el acento demagógico y le silbó en un escenario inclinado hacia la izquierda política. Fox no se inmutó, lanzó una de sus características sonrisas de sorna y eludió mencionar que ya había adquirido el rancho "La Estancia", colindante con la antigua heredad familiar de San Cristóbal, a pocos kilómetros de la industrial ciudad de León, Guanajuato, desde donde despegó políticamente; dicho rancho fue propiedad nada menos, que de Miguel Ángel Caro Quintero, hermano de Rafael, el primero de los grandes capos y cabeza del cártel de Guadalajara a quien se le acusó por los asesinatos del agente de la DEA, Enrique "Kiki" Camarena y su operador y piloto, Alfredo Zavala Aguilar. Círculo cerrado.

—¿Sabía usted —me preguntó Francisco Ledezma, un antiguo informante, cincuentón como yo, y alto burócrata deseoso de hablar confidencialmente porque la podredumbre del sistema le asfixia—, que en el ranchito ése del señor Fox fue descubierto, años atrás, uno de los mayores laboratorios de cocaína de Latinoamérica? Algo no encaja y me molesta.

—¿Qué es, Ledezma?¿El cinismo de los Fox, de Marta y Vicente que para algo son pareja?

—Hay mar de fondo. ¿Se animaría usted a adquirir un predio tan grande a sabiendas de los antecedentes? Quizá lo haría sólo si la oferta fuera irrenunciable.

—Entiendo. Por fortuna no tengo capital para plantearme un dilema como éste. Pero diría que sí. Y, desde luego, comprar barato una propiedad tan comprometedora, además cuando iniciaba su marcha hacia la presidencia, es signo inocultable de complicidad.

He llamado a México el país de las simulaciones. Nada es como se observa a simple vista, mucho menos la dinámica política que encubre los mayores negocios de los intocables funcionarios públicos. A actividad más febril por parte del gobernante en turno, más amplia su fortuna al término de sus responsabilidades.

En 1971 atestigüé un diálogo espléndido y revelador entre dos jefes de estado. Uno, el de Costa Rica, José Figueres, le dijo al otro, el mexicano Echeverría, mientras golpeaba con fuerza las sólidas columnas del edificio sede de Cordemex, en Mérida, Yucatán:

—Pero, ¡qué buenas, señor presidente!¡Qué buenas!

El anfitrión, complacido, respondió con un dejo de orgullo, tocando igualmente la faraónica estructura:

—Sí, mi amigo. ¡Se hicieron a conciencia!

Y Figueres replicó, sin el menor atisbo de diplomacia y con provocadora ironía:

—No me refiero a eso, señor presidente. ¡Qué buenas, sí, pero qué buenas comisiones! Deben haber ganado una millonada con ellas porque una edificación así, sobre una tierra calcárea como es la de la planicie yucateca, es absolutamente desproporcionada.

Echeverría, demudado, ordenó a su jefe de prensa, Fausto Zapata, un hombrecillo gris, de mediana estatura y lacayuno en su comportamiento con el jefe tras sentir frustrados sus impulsos juveniles con los que entró al palenque de la actividad política, que nos dijera a los reporteros de la fuente –entonces era yo un pálido aspirante con pretensiones a mis diecinueve años–, más bien nos ordenara no publicar una sola línea del desaguisado:

–¡Es un asunto muy delicado! –vociferó Zapata–. Si se filtra la nota habría un diferendo diplomático innecesario y perjudicial para ambos países. Casi sería un acto de traición.

Ninguno de los ex mandatarios señalados salió con apreturas de la residencia oficial. Acaso el último de los presidentes que no reunió fortuna alguna fue precisamente Juárez, quien en su época se conformó con un sueldo mensual de tres mil pesos al tiempo que el emperador espurio, Maximiliano, se asignó ciento veinticinco mil pesos cada treinta días, además del sueldo de su mujer, la supuesta emperatriz Carlota; ella devengó doscientos mil pesos al año mientras duraron los empréstitos del exterior y los financiamientos de los franceses. La diferencia es extrema y coherente con el reclamo de Don Benito a los hombres públicos para que se ubicaran en la "digna medianía", esto es sin sueños de grandeza. En lo pecuniario, claro, porque en lo político el Benemérito, de mal talante de acuerdo a las versiones de sus contemporáneos, no permitió desfase alguno que le restara un ápice de su hegemonía.

Dicen que a Juárez no se le tensó un solo músculo ante los reclamos en pro de la vida del archiduque de Austria. Ni las tentaciones de la carne ni las certeras andanadas contra su sensibilidad, como lo fueron los textos de Víctor Hugo enalteciendo a quienes edifican mañanas sin derramar sangre... aunque el sentenciado hubiera legado ríos sanguinarios a un país ajeno que nunca lo consideró parte del mismo. Pero era masón y también Maximiliano. Y uno de los códigos fundamentales de la hermandad, con eslabones liberales y vanguardistas, es el de respetarse entre sus miembros preservando vidas y haciendas. Quien lo incumple no tiene perdón ante el supremo arquitecto del universo.

Existe una anécdota sin confirmación por ahora. La de un hombre alto, rubio, barbado, de ojos azules y porte aristocrático, que desembarcó en El Salvador apenas unas semanas después de los fusilamientos del "emperador" y sus generales, los conservadores Miguel Miramón y Tomás Mejía. El historiador Rolando Deneke aseguró haber investigado que aquel personaje, quien deambulaba con los pies descalzos y vivía en una buhardilla en la que solía comer sobre platos de porcelana con heráldicos emblemas, de nombre Justo Armas —una síntesis de lo que pretendió ser la existencia del infeliz hermano del soberbio Francisco José—, no era otro que el propio Maximiliano, a quien Juárez habría perdonado la vida, cumpliendo el mandato masónico, a cambio de que desapareciera de todos los planos públicos, apartándose de los honores y las canonjías, despojándose de títulos y parentelas, perdido en el anonimato en una nación centroamericana a la que nadie ponía atención.

El aristócrata, según esta versión, devoto de su palabra —para ciertas figuras de la historia el honor es el dios que guía su fuero interno—, cumplió a cabalidad hasta su muerte en 1936, a los ciento cuatro años de edad. La longevidad intrascendente a trueque de un trono y de la historia. Un sino, en verdad, terrible, acaso peor que la misma muerte.

Para el registro de la realidad, y hasta que se demuestre otra cosa, Maximiliano yace, en un túmulo castigado por el desinterés de los visitantes que acceden al sitio para mirar las sepulturas de Francisco José y su bella Elizabeta, Sissi —vindicada popularmente por la caracterización de Romy Schneider en tres cintas cinematográficas de densa y conmovedora cursilería—, en la Capilla de los Capuchinos en Viena. Ciento treinta y nueve Habsburgo, apretados en una atmósfera casi siniestra, rodean el sepulcro de la célebre María Teresa, cúspide de la dinastía, recargado con grabados sobre hierro forjado para exaltar su pretendida conquista de la eternidad. Una exhibición casi demencial de los "derechos divinos" y la insolente superioridad de los monarcas.

Nadie voltea hacia el sitio marcado para el reposo eterno del "Kaisser von Maximiliano, de México", el mismo que mandó construir, en la capital de Austria, antes de partir hacia su muerte americana, la Votivkirche –la Iglesia Votiva–, con dos inmensas agujas que rozan el cielo, de pretensiones góticas, a la manera de los mayores templos centroeuropeos. Así honraba al Creador por haber librado a su hermano, el emperador Francisco José, de una muerte segura a manos del húngaro Libennyi, en un atentado premonitorio del inexorable fin del imperio austrohúngaro en 1853. En el interior una capilla honra la "tierra adoptiva" de Max bajo el manto de la Virgen de Guadalupe. Rodeando a la imagen de la reina del Tepeyac y de América, dos pendones tricolores realzan su origen mexicano, en una placa de bronce con remembranzas rebosantes de soberbia imperial sobre el suelo conquistado... en donde no hubo rendición ni armisticio alguno ante los invasores.

La tumba del emperador que nunca fue, reducido a tres años de devastadora resistencia republicana, ni siquiera destaca en la última de las capillas de la Kaisergruft, la gruta de los emperadores, como si el honor del catafalco dependiera más de la sangre aristocrática que del legado frustrado. Está solo, sin la cercanía de la amada Carlota, la hija del rey Leopoldo II de Bélgica, enterrada en la iglesia de Laeken, al norte de de Bruselas. Cientos de kilómetros de por medio: una distancia insalvable como velado reproche a los saldos negativos de una aventura desquiciada. Los belgas recuperaron a su heredera enloquecida; los austriacos archivaron al hermano que pretendió competir, irracionalmente, con el emperador del último largo reinado.

¿Está allí Maximiliano o es sólo un montaje ineludible perdidos sus fueros en alguna fosa común en San Salvador? De cualquier manera, hoy gobierna la indiferencia sobre su rastro. O casi. Porque algo, muy desde dentro, como un grito que hubiese estado contenido en mí durante muchas décadas anteriores a mi nacimiento, pues al fin y al cabo todos provenimos de un tronco común, de la raza cósmica sugerida por José Vasconcelos, me obligó a exclamar al descubrir la lápida oscura, triste como la pátina oxidada por la negligencia del olvido, abandonada aunque permanezca al lado de quienes fueron los suyos a través de la crónica negra de las tumbas, como si mi conciencia de pronto fuera reflejo del clamor de miles que sucumbieron peleando:

—Frente a ti, Maximiliano, ¡viva Juárez!

Porque siempre, en todo tiempo y lugar, el invasor removerá la sed de venganza, de pasión vindicadora que anida en nosotros. Lo supe apenas unas horas después de mi arribo a la capital de Austria, rendida alguna vez ante Hitler, cuando el Tercer Reich se anexó el territorio de donde provenía el fürher, al escuchar la burda explicación de los guías de turistas sobre el infamante destino del legendario penacho de Moctezuma, elaborado con largas plumas de pavos reales y quetzales, cuyo colorido se conserva al paso de las centurias, y con piedras preciosas que mueven a la codicia:

—En el Museo für Völkerkunde a un costado del Palacio de Hofburg que fuera residencia imperial, se exhibe el tocado de un emperador azteca. Está aquí porque fue traído cuando México formaba parte del imperio austriaco.

Sentí urticaria en el alma. Nunca hubo tal sometimiento y, al contrario, la ejecución del espurio puso punto final al reclamo europeo, desorbitado, por el pago de la deuda externa mexicana. El único que entendió, el general español Juan Prim y Prats, también masón —acaso por eso evitó combatir a Juárez— y cuyo recuerdo atesora y honra el México liberal, optó por retirarse, luego de desembarcar en Veracruz, con tal de no mezclarse en un diferendo ominoso bajo el peso de la fuerza bruta materializada por los ejércitos hispano, británico y francés. Sólo permaneció este último para escoltar el paso infecundo del iluso y rubio barbado.

El penacho continúa en Viena, aunque de vez en cuando algunos mexicanos se sientan comprometidos y dancen, con reminiscencias prehispánicas, sobre las escaleras de gala por las que se accede a la exhibición, siquiera como desfogue. Y cuando les arrojan monedas las rechazan.

Vuelvo al sepulcro de Maximiliano. Por cierto, mi abuelo materno se llamaba como él. Le conocieron como el doctor Max Avellaneda en el sureste mexicano. Menos mal que jamás optó por las barbas. Hasta su muerte fue liberal y solía expresarse muy mal de los curas. En la hora postrera, para tranquilizar a quienes serían sus deudos, aceptó la unción de los santos óleos sin musitar oración alguna. Me recordó a los mártires de la Inquisición que besaban la cruz antes de ser ejecutados para librarse, en vida, del tormento del fuego y ser beneficiados por el súbito "alivio" del garrote vil.

Repaso la lápida sin epitafio, salvo el nombre pretenciosamente glorificado. ¿Qué más podría escribirse? Pero hay algo que me obliga a acercarme, aislándome por unos instantes del grupo que me acompaña y se distrae en la contemplación de la sepultura de la Emperatriz Zita, muerta en 1989, uno de los últimos eslabones de una dinastía cuyo aliento terminal acaso sea su hijo, Otto, convertido en diputado en la coyuntura de una Unión Europea que coloca en la misma barcaza a monárquicos y demócratas, esquemas bipolares que las circunstancias y las comodidades de la época ahora amalgaman.

Observo en la tumba de Maximiliano, como rúbrica, un símbolo que no me es extraño: un triángulo con fondo negro y el ángulo hacia arriba. No es sencillo percibirlo en la primera oteada pero allí está como una concesión, acaso la única, a la extraña condición liberal del célebre difunto. Es el símbolo de la masonería. Lo sé bien porque, hace años, el primogénito de mi abuelo me legó el anillo de éste, precisamente el que lo distinguía con el grado treinta y tres, el más alto, de la Gran Logia del Sureste: dentro del triángulo, está el número que señala el rango de maestro. Una vez lo coloqué en el anular derecho para realizar una entrevista a un interlocutor de elevado nivel a quien sabía miembro de la masonería, don Fernando Gutiérrez Barrios, quien fuera secretario de Gobernación durante la administración de Carlos Salinas, esto es entre 1988 y 1992, cuando decidió retirarse vencido por las intrigas palaciegas. El hombre, delgado y de movimientos casi felinos, cuidadoso al hablar y enérgico al dictar instrucciones inapelables, no dejó de removerse en su sillón mientras veía, una y otra vez, la pequeña joya. Hasta que no pudo más:

—A ver, Julián. Dígame por qué tiene usted ese anillo. ¿Es usted masón?

Le expliqué el origen y, pese a ello, al despedirse quiso hacerlo colocando su índice y el dedo del corazón sobre mi muñeca como sello de identidad; más que eso, como si con ello estableciéramos un compromiso inalterable hacia el futuro. Por supuesto, nunca fue esa mi intención ni, mucho menos, establecer complicidad alguna. Pero supe, al fin, lo que buscaba: la concatenación de móviles íntimos que van más allá de las alianzas políticas circunstanciales.

Y ahora que recuerdo, también al pie de la tumba de Juárez, en la metrópoli mexicana, puede verse, entre signos de admiración que acentúan el nombre reverenciado, al inicio y final de su apotegma inmortal —"El Respeto al Derecho Ajeno es la Paz"—, el triángulo que se abre hacia el infinito, esto es por encima de las ataduras materiales y perentorias. Uniendo, que de eso se trata la hermandad, en desafío permanente a los tabúes y los antiguos prejuicios. Venciendo, si así se quiere considerar, las exaltadas excomuniones con las que la Iglesia infama a los masones para evitar debatir con ellos. Un hilo conductor, sí, por el que se puede incluso simular la muerte.

¿Simulación he dicho? Los métodos y los estilos son como las huellas dactilares de los grandes delincuentes. Por los mismos se les identifica con escaso margen para el error. Cuando la autoridad desdeña los vasos comunicantes, o lo pretende más bien levantando cortinas de humo como si fueran telones para guarecer a los actores de la curiosidad del público, debe entenderse que las complicidades se extienden y carcomen la infraestructura del Estado. Es cuando el mal impone su dictadura sobre el bien.

Las marcas también coinciden con las efemérides, como si literalmente se tratara de cooptar a la cronología para ampliar dedicatorias soterradas. El 5 de febrero de 1985, día en que se conmemora en México la Constitución, promulgada en 1917, el asesinato del agente de la DEA, Kiki Camarena, ensombreció las relaciones bilaterales con la mayor potencia de todos los tiempos. Mientras que el 4 de julio de 1997, cuando en Estados Unidos todo el ámbito se cubre con el estruendo y luminosidad de la pirotecnia para celebrar la independencia, nos fue presentado a los miembros de la prensa un grotesco cadáver. Deformado, con un repugnante aspecto vampiresco, los dientes saltados, las mandíbulas rígidas, una siniestra piel mortecina, con un gesto que sobrecogía, y sobre la alba camisa, una corbata de lunares también blancos y los ojos semiabiertos como si estuviera a punto de despertar para enfrentar a los curiosos, es decir a todos nosotros, aquel cuerpo parecía mandado a hacer expresamente para el papel protagónico de alguna película de terror.

El vocero de la Procuraduría General, muy en su papel, nos dijo:

—Es Amado Carrillo Fuentes, el Señor de los cielos y cabeza del cártel de Ciudad Juárez. El hombre más buscado por las policías de varios países y enemigo número uno de la sociedad.

Dudamos y la incredulidad privó entre los demás reporteros de la fuente hasta que, más tarde, las autoridades de los Estados Unidos, mediando primero un vocero de la DEA, la agencia antidrogas, y después otro de la Casa Blanca, reconocieron un peritaje realizado con premura, ansia más bien, y aceptando la versión de las autoridades mexicanas: que el capo, sencillamente, había muerto cuando se le practicaba una operación de cirugía plástica mayor en la clínica privada Santa Mónica de la ciudad de México. En ese momento la mayoría aceptó la versión oficial. Yo no. No sólo me hacía dudar lo grotesco de aquel cuerpo deforme, monstruoso, que se exhibía como prueba contundente de la eficacia policíaca en su permanente cruzada contra el narcotráfico; sino más bien centré mi sospecha en un hecho evidente, totalmentea la vista: la imposibilidad de reconocer al sujeto tras la máscara degradada. Oficialmente las pruebas de ADN eran suficientes; desde el punto de vista periodístico, la precipitación de los funcionarios abría un nuevo expediente.

Pocos meses después, el 20 de noviembre —la fecha marca una doble efeméride, en México por el recuerdo del inicio de la Revolución de 1910 y en España por la muerte de Franco en 1975–, aparecieron, en sendos barriles de latón colocados en la orilla de la carretera entre la capital y Acapulco, los cadáveres de los mexicanos Jaime Godoy Singh y Carlos Ávila Mengem, y del colombiano Ricardo Reyes. Una vez más las dos naciones vinculadas a las mafias dominantes. Al ser identificados se supo que los asesinados eran los médicos responsables de la supuesta cirugía aplicada al "capo de todos los capos". Fue así como se puso punto final a esta historia: con tres ejecuciones al más puro estilo de las películas de gángsters.

Fue entonces cuando Ledezma me buscó de nuevo:

—Para que se caiga de su asiento ahí le va esto: Amado no murió como se dice.

—¿Y entonces de quién es el cadáver que vimos y avaló la DEA que era el suyo?

—Se trata de Cipriano, hermano de Amado. Eran muy parecidos. Por eso Amado se vengó de los doctores, pero no por haber fallado en la cirugía sino porque hablaron de más. Ellos fueron quienes filtraron que conocían al difunto, enfermo terminal desde tiempo atrás; y que la operación plástica se había realizado... sobre una piel muerta. Así explicaron las deformaciones. ¿Sabe usted? El colombiano llegó a decir que de haber sido Amado el paciente jamás hubieran perdido el control de los bisturís. Se entiende, ¿verdad? Piense en lo que se divulgó: un capo que paga para ser atendido en todo un piso, el penthouse, en un centro hospitalario de lujo, sólo para pacientes muy ricos, a pesar de su condición de prófugo importantísimo es sometido a una intervención burda bajo el tratamiento de doctores torpes, casi estúpidos. No encaja por ninguna parte. No se olvide que Amado estuvo internado más de una semana allí. Ni siquiera les corría la menor prisa. Ni a él ni a sus médicos. ¿Tiene sentido?

Guardé silencio durante un buen rato. Luego me animé a preguntar:

—Si es así, ¿en dónde está Amado?

—Protegido por la mafia rusa. Quizá en alguna parte del inmenso territorio euroasiático o en España. Ya sabrá usted por qué.

Otra muerte simulada. Sobre el rastro de las tumbas célebres, al fin percibí, con mucho retraso, que aquella confidencia había sido en realidad una clave.

III

Pecados

La primera vez que viajé al pasado fue en 1966. Madrid olía todavía a posguerra después de más de un cuarto de siglo de distancia del sangriento final de la Guerra Civil y la entrada triunfante de Franco a la capital española una vez concluido el largo y dantesco asedio. Me advirtieron que no llevara revistas con imágenes femeninas, mucho menos si éstas se exhibían con poca ropa, porque podría complicarse mi entrada a la España en donde el caudillo solía iniciar las procesiones entre cirios y bajo los palios reservados a las altas jerarquías eclesiásticas. Era dueño hasta de las almas.

De la mano de mi padre conocí aquella España de la devoción y el silencio. Todos hablaban en voz baja a pesar del estentóreo carácter de los españoles. Y decían muy poco. El conserje del Hotel Emperador, situado sobre la madrileña Gran Vía de José Antonio, se hizo amigo de mi viejo desde el primer día, y siempre recitaba implacable su propia consigna:

—Aquí no pensamos en política. Eso es cosa de Franco. Y es un alivio.

Pero, cuando se sentía seguro, dejaba entrever su antigua condición de republicano, como tantos otros que apenas se atrevían a alzar la mirada. Y no dejaba de reprimir el gesto de enfado cuando debía ceder la acera a los tantos y tantos sacerdotes que deambulaban haciendo crujir sus sotanas como si se tratara de las antiguas crinolinas de las damas aristocráticas. Eran ellos quienes imponían su ley en alianza plena con las instituciones del Estado.

Recuerdo el primer fervorín que escuché en la misa dominical de la Iglesia de San Isidro, considerada la catedral madrileña, en la calle de Toledo, calle abajo de la Plaza Mayor. Con semblante muy dulce, el presbítero no nos dio cuartel:

—Si a nuestra casa llegasen los nietos del "generalísimo" o el príncipe de Gales nos pondríamos jubilosos y estrenaríamos nuestras mejores galas. Para ellos serían los lugares de honor. ¡Haced lo mismo con Jesús que está en la hostia sacramentada! Sólo así podrán ustedes acercarse al altar y a vuestra propia redención.

La vida vista a través del filtro de las autocracias bendecidas y de la teoría de la resignación para hacer soportable el tránsito terrenal a quienes, por pobres, podrán entrar al Paraíso, después de la muerte, como si lo hicieran por el hoyo de una aguja inaccesible para los ricos. El sufrimiento, entonces, regenera. Una tesis con gran calado entre los comunes mortales que resulta muy útil para asimilar los rencores sociales ante el oropel de los privilegiados.

—¿Y si la vida eterna es sólo fantasía? —interrogué a mi padre, sublevado por la postración a la que obligaba la catequesis.

Él suspiró hondo y detuvo su andar. Noté un leve estremecimiento en quien odiaba exhibir sus debilidades, como si le hubieran roto los esquemas. Y replicó, alzando los brazos hacia el cielo:

—Entonces, posiblemente, no habría contenedores contra la maldad y los triunfadores serían los perversos.

Me quedé sin palabras, como si una asfixia íntima se hubiera apoderado de mi propia conciencia. La ilusión del más allá no podía ser sino el gran amortiguador contra el miedo proverbial a la muerte, a dejar de existir y desaparecer para siempre. Quien no cree en el alma ennoblecida por la redención, no puede llamarse cristiano. Más todavía: ninguna religión podría prevalecer y entonces, ¿cómo controlaríamos a los destechados dispuestos a repartirse los bienes excesivos de los acaparadores, agiotistas y explotadores? La lucha por la supervivencia sería una diaria cacería contra quien tuviera un centavo o una peseta más que cada uno de nosotros. Sin el equilibrio del miedo no habría paz social posible. El "algo" tenía que ser, precisamente, el terror a perecer y no contar con refugio alguno para suavizar el trance inevitable. El bálsamo es la fe inescrutable, que no puede discutirse sino atesorarse.

Nada angustia más a un niño que la sensación sobre lo perentorio de la existencia. Ni nada causa más agobio a los padres que percibir la ansiedad de sus hijos ante lo inevitable. Para eso, claro, nos alienta la fe y también nos detiene, obligándonos a ser buenos, a no robar, a no hacernos justicia por propia mano ni caer en las perversidades profundas de la carne, siempre tan débil y tan ardiente. ¡Ay, si no tuviéramos que comer ni trabajar frenéticamente para ganar el alimento cotidiano, todo sería perfecto!¡Ay, si no existiera la sensualidad nada valdría la pena!

Cuando pienso en aquel viaje al pasado me envuelve la ansiedad como si estuviera en el umbral de alguno de los templos que visité. Es una asociación automática de ideas. Pero, ¿por qué hablo del pretérito?¿Acaso Madrid no contaba ya, hace más de cuatro décadas, con un metro y en México aún se debatía si era necesario construirlo? Fue ésta una de mis primeras impresiones, el ir y venir de los viajeros urbanos en los ruidosos vagones que circulaban por el subsuelo a gran velocidad, obligándonos a dar tumbos y golpes de caderas. Pese a ello me imaginaba estar en una especie de refugio antibombas bajo la custodia de gendarmes malencarados. Era la ausencia de libertad lo que me remitía a otros tiempos.

Vi pasar a Franco por su avenida, la del generalísimo –lo que es ahora el Paseo de la Castellana–, envuelto en su traje militar y con gruesos lentes negros que aislaban su mirada, en el "día de la victoria", conmemoración de la conquista de Madrid bajo los rigores de la fuerza militar en 1939. Alzaba el brazo, hacia arriba y doblándolo para no imitar el saludo nazi, como si desarrollara una coreografía rutinaria. No parecía tener emociones ni mucho menos las comunicaba. Ni siquiera veía a los mortales fervorosos. ¿Para qué si dormía en el Palacio del Pardo, en un aposento en donde atesoraba la reliquia, es decir la mano, de Santa Teresa de Ávila sintiéndose con ello parte del santoral y de las letanías? Vivía la fantasía de sentirse Dios en la tierra con el clero como aliado.

Si la Iglesia es santa y la religión nos acerca al Creador a través de advocaciones diversas, ¿Franco debía ser visto como la representación del bien en una nación dolorosamente dividida en dos bastiones irreconciliables?¿Y el mal, por derivación lógica, se concentraba en cuantos mantuvieron su condición de republicanos llevando a España con ellos, sin concederse más expiación que el propósito de volver algún día a la patria abandonada, precisamente cuando muriese Franco? ¿En dónde anidaban los heroísmos y en dónde las traiciones y las bajezas? ¿Qué se puede creer en un mundo confuso donde las versiones son tan volubles como el temperamento de los seres humanos? Hoy, desde luego, el enfoque es otro.

También acudí al Valle de los Caídos, en donde yacen doscientas mil víctimas de la guerra fratricida. Siempre las tumbas para repasar la historia. El guía del tour, imprescindible por esos días, señaló los grandes volúmenes de la edificación: la cruz que se alza sobre el valle del Guadarrama para marcar, hollando a la naturaleza magnífica, un sitio para la glorificación humana, o sea por encima de los vencidos y disconformes; y la basílica que penetra entre las rocas para conjugarse con ellas, dividida para que la nave principal no pudiera ser equiparable a la de los papas, la exultante de San Pedro en El Vaticano, sin parangón posible. Al pie del altar, el sepulcro de José Antonio Primo de Rivera, fundador de la Falange y deificado por el franquismo. Detrás, un espacio reservado para Franco. Los nuevos faraones ya no erigían pirámides como mausoleos sino templos católicos. Por tanto ell pasado mantenía su vigencia con dramáticos cambios... arquitectónicos.

Observé un confesionario con una pequeña luz roja encendida. Mi padre ordenó que me confesara, un acto que conduce hacia los cadalsos escarnecidos. Los varones debían arrodillarse delante del cura, entre sus piernas, sin defensa posible; así debían divulgar sus malas acciones, humillados, como expiación del espíritu aprisionado.

—Ave María Purísima

—Sin pecado concebida.

Expuse lo habitual en un adolescente: las mentirillas y las altisonancias del lenguaje para ofender a los demás. El padre Remigio, que así se llamaba de acuerdo al letrero incrustado en el confesionario, me interrumpió con energía:

–¿Has hecho mal uso de tu cuerpo?

–Sí, padre.

–¿Por ti mismo o con otra persona?

–Sólo yo, padre. Tres veces.

–¿No te das cuenta que ello daña tu mente y te hace débil ante las tentaciones de Satanás? El falso placer que te proporcionas flagela a Cristo redentor. ¿Quieres seguir haciéndolo?

Estaba instalado en otro tiempo. Temí que, en cualquier momento, aparecería fray Juan de Torquemada para conducirme a la hoguera tras un sumario juicio en la Santa Inquisición. ¿Santa?¿Entonces el bien consistía en quemar vivos a los herejes y el mal se revelaba a través de los gritos agónicos de aquellos infelices? El padre Remigio sentenció:

–Reza dos misterios completos y ofrécele al Señor tres misas esta semana. Ésa es tu penitencia.

Me horroricé. ¡Más de cincuenta aves marías, diez padres nuestros y, para colmo, tres misas entre semana por haberme masturbado! En México la pena hubiese sido mucho menor: nada más tres aves marías. Pero, claro, había viajado al pasado y era necesario pagar por la osadía. Al fin y al cabo, me quedaba espacio para acompañar al viejo a los toros.

Tenía menos de catorce años. Y el espectáculo estaba vedado para quienes no rebasaban esta edad. (Curioso, el mismo criterio aplican en el presente los irascibles enemigos de la fiesta en las ciudades llamadas antitaurinas, como Barcelona; pero que nadie ose hablar de oscurantismo). Decidimos correr el riesgo. Aquella tarde, en la Monumental de Las Ventas, inaugurada en 1929, alternaban dos figuras cumbres, Paco Camino y Manuel Benítez "El Cordobés", en la confirmación de alternativa del mexicano Raúl García, a quien había saludado, ¡imagínense!, en el vestíbulo del hotel. Era una ocasión para disfrutar.

Confieso que me ilusionaba ser torero desde que me llevaron, a los tres años de edad, a presenciar una de las despedidas de Luis Castro "El Soldado" –quien hacía de su espada, bayoneta–, en Ciudad Juárez. Todo me deslumbró y la fuerza de expresión del desafiante ballet muzárabe que es el toreo caló para siempre en mi espíritu. Y durante los once años siguientes ninguna otra ilusión se impuso en mí sobre el irrefrenable impulso de conocer España. Cuando al fin salí de la boca del metro, entre señorones trajeados y solemnes que hacían crispar sobre el suelo bastones y paraguas, apenas podía alzar la mirada. Veía, más bien, hacia la escalinata color marrón que me prometía, al final, bocanadas de aire fresco. Fue entonces cuando él me dijo:

—Levanta la cara, muchacho. Y sueña.

Allí estaba, imponente, con su arcada morisca y las banderas desplegadas, la plaza de toros. Me sentí más libre, como si de pronto el ir y venir del gentío, que esa tarde agotó las entradas, hubiera abierto un espacio para la recreación del espíritu. Un desfogue, sí, a la opresión cotidiana de la materia sojuzgada por la dictadura. Acaso el despertar hacia una dimensión distinta del tiempo, porque allí vibraban los recuerdos de las glorias antiguas para dar paso a las actuales en perfecta concatenación de expresiones artísticas. Que por algo convergen hacia el redondel lo mismo escultores que pintores, intelectuales y periodistas, viejos y jóvenes.

¡Mienten quienes señalan a la fiesta como un rescoldo de la tiranía innoble! Pero, ¡si era sólo en las plazas en donde el pueblo podía acercarse a la democracia! La catarsis, efecto de la pasión, sustituía, al menos durante dos horas, al vasallaje impuesto en el exterior de los cosos por la obcecación de mantener el orden extendiendo el flagelo de la represión. Adentro, en cambio, el estallido del olé y la riqueza visual que surge de la confrontación entre el carácter del hombre y el instinto de la fiera, recuperaba para la vida interior la dignidad que deviene de la expresión libre, sin inducciones. Ya viene el toro.

Todo marchaba estupendamente hasta que apareció Franco en el palco real, que quienes lo edificaron pretendieron majestuoso y sólo resultó tan cursi como los adornos del pastel de una quinceañera. Se hizo el silencio y luego sobrevino una ovación uniforme, como si todos siguieran un libreto debidamente avalado por la censura, mientras el jefe del Estado apenas sonreía, anquilosado y acaso con aire competidor. Desde Nueva York había llegado una crónica en la que se describía, sin más fuentes que la percepción del periodista, a la "España moderna", en donde las figuras más populares eran, en este orden, "El Cordobés", fenómeno de los ruedos, y Franco. Nunca acabé de entender cómo había salvado el pellejo Manuel Benítez; acaso, nada más, por los equilibrios que los gobernantes perspicaces manipulan a su conveniencia. Lo entendí entonces y lo confirmé años después, precisamente en 1975, el año en que murió el dictador.

La primavera, que en mayo alcanza en Madrid su cenit, despertaba en el pueblo los propósitos de cambio. Franco estaba enfermo, tocado definitivamente. Y desde abril de 1974 en la vecina Portugal, la triunfante "revolución de los claveles" extendía el fresco olor de la redención. Frenesí juvenil y ansias periodísticas intoxicaban mi ánimo. La fortaleza que emana de los ideales y rebeldías, en esos tiempos en los que se está seguro de derribar cualquier obstáculo por el mero impulso de nuestra osadía, cuando se conjuga con las debilidades de la carne propensa a la aventura, nos convierte lo mismo en volcanes a punto de erupcionar que en blancos vulnerables de los manipuladores. La madurez, en todo caso, no la otorga la edad sino la experiencia.

Conocí a Candela Rodríguez —cordobesa de origen y subversiva por esencia, garbosa al andar y de verbo atropellado, de breve cintura y ojos fascinantes, morena por supuesto como las que plasmó Julio Romero de Torres, de reprimida coquetería y ardiente sensualidad— en un bar de la calle de la Victoria casi en la esquina con la Carrera de San Jerónimo y muy cerca de la madrileña Puerta del Sol. Un lugar habitual para revendedores y turistas ansiosos por conseguir localidades para los toros. A pocos metros se hallaban las taquillas principales de la empresa de Las Ventas, cuyo gerente en ese entonces, don Alberto Alonso Belmonte, solía compartir, generosamente, algunos chatos de tintorro con los periodistas mexicanos interesados en la Feria de San Isidro.

Candela y yo nos encontramos y nos gustamos. Ella tenía el gracejo andaluz que es delicia para los cazadores de alegrías empeñados en beberse de un sorbo la vida entera. Y yo lo que menos quería hacer era dormir. Nos citamos para tres días después: un paréntesis que me permitiría armar un reportaje sobre los riesgos del terrorismo, luego de la honda huella que había dejado el asesinato del almirante Luis Carrero Blanco el 20 de diciembre de 1973; Carrero fungía como presidente del gobierno franquista por delegación del anquilosado caudillo, quien ya casi no salía de sus heredades de El Pardo.

Aproveché el lapso para reconstruir el crimen, tratando de no perder detalle. El almirante salió de su casa, situada en la calle Hermanos Bécquer 6, y se dirigió al templo de San Francisco de Borja, conocido popularmente como la "iglesia de los jesuitas", ubicada sobre Serrano, la avenida más aristocrática de la urbe, rebosante de boutiques y joyerías; Carrero asistiría a misa, como casi todos los días desde muchos años atrás. Dejarse ver como un devoto era tanto como un refrendo de supuestas virtudes interiores que justificaban en él, per se, cualquier acto de gobierno "necesario" y "tan noble" como la represión.

Poco después de las nueve de la mañana, al terminar el culto, volvió a la calle para retornar a su residencia. El vehículo, un Dodge Dart negro blindado con matrícula PMM-16416, dobló por la avenida Juan Bravo para enseguida incorporarse a la calle de Claudio Coello, en pleno corazón del barrio de Salamanca, el del caché entre los madrileños. Precisamente a la altura del número 104, en donde un par de supuestos electricistas se mantenía sobre una breve plataforma y un automóvil Austin Morris 1300 impedía la circulación estacionado en doble fila, el chofer del funcionario, José Luis Pérez Mógena, redujo la velocidad y prendió las luces intermitentes para avisar a los escoltas que venían detrás. Desde la acera de enfrente un joven, de veintitrés años, apretó el botón de un pequeño aditamento metálico. El estruendo fue ensordecedor. El asfalto de toda la calzada pareció convertirse en una ola inmensa. Voló el coche del presidente Carrero unos veinte metros y cayó precisamente sobre el patio de la casa de los jesuitas, a espaldas del templo del que había salido. Él y su custodio, el inspector Juan Bueno Fernández, murieron en el acto; el conductor pudo llegar con vida al hospital. El grupo vasco ETA se adjudicó el hecho.

Pero, en realidad, la trama más compleja y oscura comenzó cuando el padre Jiménez Berzal, apenas unos segundos después, llegó hasta los hierros retorcidos y aplicó la extremaunción tocando las manos, sólo las manos, de alguien que pretendía abrirse paso hacia fuera. No sabía de quién se trataba, según explicó después, ni qué había sucedido. Afuera los gritos de los testigos y curiosos divulgaban que la vieja red de gas había estallado. Al poco tiempo la noticia del atentado llegó también a El Pardo, en donde Franco no pudo siquiera emitir palabra alguna.

Los etarras tenían sus motivos frente a la intolerancia de la dictadura, perversa ante cualquier pretensión autonómica. El pueblo vasco tenía proscrito hasta el idioma y los radicales confluyeron, contra todo valor ético, hacia los senderos del terrorismo criminal. Pero hubo algo más, acaso poco examinado detrás de las habituales bambalinas con las que las autocracias suelen aislar los hechos comprometedores: el sitio escogido como una dedicatoria malsana contra una congregación en apariencia vanguardista, precisamente la de los jesuitas, que comenzaba a ganar influencia y trascendencia entre quienes se proponían como sucesores del caudillo, Carrero Blanco el primero y también Carlos Arias Navarro quien le reemplazaría, cuando Franco barbeaba sobre las tablas, es decir que se moría gradualmente como los toros aquerenciados.

Con este mal pensamiento, explicable en quien se bebía las obras completas de Mao y la *Introducción al socialismo* de Martha Harnecker como todos los jóvenes de la época que no querían sentirse anticuados, llegué a "La Bola", en la calle del mismo nombre y a la que se accede bajando desde la Plaza de Santo Domingo, a pocos metros de la Gran Vía a través de Leganitos, dispuesto a devorarme el mejor cocido de Castilla y sus alrededores. Pero, claro, en aquella ocasión el manjar, elaborado en cazuelas de barro y servido como Dios manda, en dos tiempos para disfrutar el caldo y luego el puchero, no tenía papel protagónico. El sentido de la vista y el tacto, para ver y sentir a Candela, eran bastante más intensos al del olfato que el humo de los fogones intentaba aprisionar. Llegó ella y se borró cuanto de más había en el sitio, las fotos colgadas en las paredes, las mesas rebosantes de parroquianos fieles y los garroteros incansables. Ella, sólo ella, llenaba el ámbito.

Supe que no habría paso hacia atrás cuando rocé sus manos, perladas como el resto de su piel, y sin decirnos nada nos sentimos en la misma sintonía. Hablamos poco. Algo le dije de mis sospechas. Pero, más allá de la charla y las apetencias alimenticias –el cocido casi quedó intacto–, el temblor de sus rodillas al sentir mis dedos debajo de la indiscreta mesa que apenas cubría el mantelillo, condujo mis ansias. Tenía prisa por besarla y no había resistencia. Dejé más pesetas de lo que se señalaba en las cartas y, apresuradamente, busqué, buscamos, la salida.

No nos detuvimos sino hasta llegar a las puertas del Hotel Europa, en donde me hospedaba, en la calle del Carmen. Entramos y casi corrimos hacia el ascensor. Allí, sin contenerme, la estreché dejando que mis manos tocaran cada inexplorado rincón de su cuerpo. Lentamente subíamos y violentamente llegué hasta el sostén, entremetido debajo de la blusa de lunares que había perdido todo su pudor. No sé si nos vieron ni si alarmamos a algunos santiguados que pretendían retornar a sus alcobas y debieron hacerlo por las escaleras. Lo que recuerdo es haber llegado hasta mi habitación, en el tercer piso, despojado de camisa y corbata, entonces indispensable para andar entre la gente de bien.

Luego nos abandonamos, el uno por el otro. El balcón estaba abierto y no lo cerré. Quería poseerla sin dejar de escuchar el ruido incesante que confluye hacia Sol, el corazón de Madrid, y al pequeño monumento del oso y el madroño. Su piel, hecha mía, era como una continuidad del espíritu hispánico que se prolongaba, a su vez, por las rúas entrañables de la capital ibérica. Por todo eso, y más, coloqué dos sillas frente a la ventana y la postré, desnuda, para hacerla mía. Decantaba así el sueño del conquistador que vino desde un país conquistado. Una pequeña venganza sobre los atavismos del pasado.

La amé, sin pausa, durante toda la noche. Y en el amanecer estábamos extenuados. Con las piernas doblándoseme, temblorosas de placer, me incorporé para ir a buscar otra caricia, la del agua. Y hasta la ducha llegó también ella. Seguimos, entrelazados, mientras mis manos, casi con rabia, buscaban su intimidad disfrutando de la suavidad de su entrepierna. Ella gimió. Yo encontré, una vez más, la hermosa caverna de su sexo. Hasta que el agua comenzó a enfriarse. Sólo entonces volvimos a la realidad.

Bajamos, al fin, a desayunar. Candela, todavía tímida —no podría explicar por qué—, pidió sólo un café con leche y un zumo de naranja. Mi solicitud fue bastante más extensa: porras, churros, una tortilla de patatas y un cortado. Llevábamos sin comer veinte horas, desde la tarde anterior hasta bien entrado el mediodía.

—De verdad, ¿no quieres algo más?

—De comer, no; de amor, sí —respondió con un susurro impregnado de seducción—. Temo perderte, no volver a ti jamás.

—Ni hablar de ello. Esta misma noche nos veremos. ¿Por qué no te quedas conmigo definitivamente? Siquiera hasta el fin de mi estancia aquí.

—¿Lo ves? Hay en tu mente un punto final que se acerca. Lo nuestro es por horas, acaso por una temporada. Nada más. Cada uno está en un mundo distante del otro.

—No tiene que ser así necesariamente —repliqué—. Nada sería mejor que estar a tu lado. Pero, ¿te digo la verdad? Me angustia un pensamiento que nunca se aleja. Es más fiel que cualquier mujer. Sé que asumo en mi profesión grandes riesgos. Quizá no tenga futuro para ofrecerte.

—¿Acaso estás en alguna línea de fuego? Que yo sepa nadie te persigue. Tú no eres etarra, sólo recoges y relatas lo que ellos hacen. Eso te da un margen de ventaja excepcional. ¿No te parece?

Entendí, desde luego, el sarcasmo. Ella había descubierto, con un destello de su inteligencia, mi camuflaje. Los peligros arrostrados por mi tarea de investigación no eran sino argumentos para percibirme distinto a los demás, ajeno incluso a la cotidianidad y a lo rutinario que tanto me enfadaban. Para mí ganar cada día era obtener el registro de lo inolvidable; de otra manera no había valido la pena vivirlo. Las asechanzas perversas no me inquietaban; más bien estimulaban la adrenalina y la capacidad para superar el miedo. Candela me dijo que entendía. Luego me hizo una confidencia que la colocó, ante mi percepción, muy lejos de la fragilidad con la que se había sometido en nuestra noche apasionada:

—Yo también busco respuestas, Julián. Tengo un hermano, Saúl, que apenas tiene diecisiete. Ha perdido ya toda su inocencia. Lo violó un sacerdote mexicano, de mucha influencia en Roma. ¿Has oído hablar de los Legionarios de Cristo?

—Sí, claro. Es la fundación del padre Marcial Maciel. Él nació en Cotija, Michoacán, y es sobrino de los hermanos Guízar y Valencia, Rafael y Antonio, quienes murieron en olor a santidad. Rafael es venerado en Veracruz desde que, al ser exhumado su cuerpo, allá por la década de los cincuenta, se descubrió que estaba incorrupto. A don Antonio le conocí en Chihuahua, donde llevó a cabo su ministerio. La dulzura de su rostro era tanta que conmovía. Lo recuerdo por eso y porque, además, él me confirmó en la fe católica. Si alguien mereció ser llamado santo varón fue él. Y lo mismo se dice de su hermano.

Candela bajó la mirada. Y su gesto se volvió agrio, como si hubiera envejecido en minutos:

—¿Lo ves? Siempre hay un muro infranqueable. ¡Quién me iba a decir que tú eras devoto de Maciel!

—Oye, no te confundas —le reñí—. Estás dando por hecho una interpretación absolutamente errónea. Te conté un antecedente. Nada más. Pero de eso a que yo sea de los adoradores de ese personaje hay un abismo. Esto no es una telenovela, Candela. ¿Cómo les llaman aquí? Ah, sí. Culebrones. Culebras han de ser por lo venenosas.

—¡Pero es que tú no sabes que no debes nombrar a la bicha delante de una andaluza! Menudo tío eres. ¿Me dejas que te cuente?

–Te lo pido, más bien.

Candela colocó su mano sobre la mía, entrelazando los dedos; luego la besó para zanjar así nuestra primera discusión. Clavó sus ojos –¿ya he dicho que eran de un verde intenso?– en los míos, y comenzó su relato:

–Saúl, mi hermano, quería ser seminarista. Es un chico muy guapo, de facciones finas y mirada como la mía. Era bastante alegre, juguetón. Buscó en la congregación de Maciel su seguro para servir al Señor... pero el Señor es, para quienes reclutan a los jóvenes, el padre Marcial. Nada más. Y lo degradaron hasta la ignominia. Todos los días le llevaban al salón de curas para que aliviara de sus pesares al fundador, masturbándole. El abusador alegaba que sufría dolores en el bajo vientre y que contaba con un permiso especial del Papa Paulo VI para ser reconfortado por sus discípulos. Luego vendría lo peor: un sacerdote, a quien Maciel protegía, de nombre Salvador, lo condujo una noche hacia un sótano infecto en donde, entre sombras, aguardaban otros individuos. Allí lo violaron, una y otra vez, diciendo que su cuerpo era sólo materia dispuesta para la satisfacción de quienes entregaban sus vidas al servicio de Dios. ¿Puede haber algo más ruin?

–¿Lo denunciaste?

–Lo hice yo porque él quedó aterrado. Y me amenazaron con la excomunión. En España es como una ejecución moral. Te matan en vida, te cortan las alas.

–Sólo porque me lo cuentas tú lo creo. Es una acusación terrible. ¿Te animarías a redactarla?

–Yo vivo en España, tú no. Y además eres periodista y te encantan las exclusivas, ¿o no?

Me irritó el comentario porque me sentí usado. Nada le contesté con la esperanza de encontrar otras explicaciones. Fue entonces cuando ella susurró:

–Y hay una cosa más, Julián. En la Iglesia también hay guerras. Los jesuitas iban ganando hasta hace dos años. Su general, el de mayor rango, se llama Pedro Arrupe y es español. No sé si sabes que la Compañía de Jesús fue fundada, en 1540, por Ignacio de Loyola, un noble vasco con señaladas preocupaciones por los reclamos sociales. Los etarras son vascos igualmente. ¿Vas atando cabos? Los jesuitas, la congregación más numerosa en la actualidad con casi treinta mil miembros, suman a una profunda enseñanza teológica, que se extiende a doce años, sus inclinaciones por enfrentar las desigualdades de clase. Un tema al que la ultraderecha, digamos el Opus Dei, también con raíces españolas, y los Legionarios, observan con cierto recelo.

—Franco está bajo un fuego cruzado entonces.

—El generalísimo, Julián, está minado, enfermo. Sabe que se va a morir pronto. Mandar cansa y él lleva treinta y seis años arriba. Por eso cedió el gobierno a Carrero. ¿No es significativo para ti que la última actividad del almirante, el día del atentado, fuera asistir a una misa precisamente con los jesuitas? Además, el automóvil reventado terminó en el patio de la Compañía, en la parte trasera del templo. ¿No crees en los mensajes cifrados y las dobles lecturas?

—Candela, ¡por Dios! ¿Me estás insinuando que los ultra alimentaron a los etarras asesinos? La Iglesia no puede consentir semejante barbaridad.

—¿Ah, no?¿Y no fueron barbaridades las Cruzadas por rescatar la tierra santa de los infieles, a los que se condenaba por procesar otros credos? La historia está llena de episodios que develan la ambición de las altas jerarquías eclesiásticas. La conquista de América se consolidó por la dureza con la que se impuso la doctrina católica monoteísta a la idolatría y al exceso de deidades de los pueblos prehispánicos. ¿Lo desconoces? Mira, si la lucha por el poder no fuera la crónica de los enfrentamientos fratricidas y de las intrigas dinásticas, muchas de ellas con la bendición de los "santos oficios", entonces podrías considerarme sacrílega y hasta servidora del Maligno.

La historia del mundo no es sino el relato inagotable de los odios enfrentados. ¿Acaso el amor predicado por el Redentor no agotó su primer episodio, el de su presencia terrenal, con el oprobio de la represión exaltada por el imperio romano? Pero en algo debemos creer para no ser dominados por nuestras apetencias.

José Vasconcelos, quien pretendió alguna vez ser presidente de México sin percibir acaso su trascendencia como intelectual universal, solía responder a cuantos le criticaron por sus apegos a la devoción:

—Yo soy católico por tres razones: por formación, por convicción y, sobre todo, porqué me da la gana.

Un canto enérgico a la democracia que exige, en todo tiempo y circunstancia, el respeto a la fe propia y, por derivación, a las de los demás. Porque nadie, ni siquiera quien se considera representante de Dios en la tierra sin desprenderse de su condición humana, es propietario exclusivo de la verdad absoluta. ¿Acaso la Iglesia no ha sido profundamente intolerante frente a otras religiones y creencias?¿No persiguió a los herejes y excomulgó a los masones y a cuantos se revelaron contra el estado de cosas, incluso a los sabios que no pudieron hacer coincidir sus conocimientos con los inescrutables dogmas que forman un rosario de misterios "inalcanzables" para la mente humana?

Miré a Candela por un largo rato. Ella bajó la cabeza, asustada por su audacia. ¿Podría confiar en mí cuando apenas acababa de conocerme en el desfogue íntimo?

—Me parece que no me has dicho todo lo que sabes, Candela. ¿Hay algo más, verdad?

Alzó la mirada muy despacio, intentando disimular sus ojos empañados. Entrecruzó su mano con la mía y casi susurró:

—¿Tú no vas a traicionarme?

—No, te lo juro. ¿A qué le tienes miedo?

—Si me matan no me importa, Julián. De verdad. Lo que me horroriza es la tortura. Te pueden arrancar la piel a pedazos. Y no sólo te destruyen a ti sino a cuanto amas.

Durante la colonia en la Nueva España, más de trescientos años de dominación y mestizaje, un bravo líder maya, Jacinto Canek, acorraló a los conquistadores sitiando sus ciudades y combatiéndolos con ferocidad indomable hasta que fue emboscado y aprehendido. El 14 de diciembre de 1761, una fecha de oprobio, el gran caudillo rebelde ganó la inmortalidad con su martirio.

Eligio Ancona, historiador que fue de Mérida, la de Yucatán, lo describió así:

"Fue condenado a morir atenaceado –es decir, mutilado pedazo a pedazo–, roto y su cuerpo quemado y sus cenizas echadas al aire. Erigióse un tablado de madera o cadalso, en el cual se veía el potro del tormento y los demás accesorios indispensables para que el verdugo pudiera ejecutar su oficio. Ocuparon los cuatro ángulos de la plaza –la principal–, el frente de la Catedral y el palacio episcopal todas las tropas que se habían reunido en Mérida; y cuando estuvieron ya presentes el gobernador, las principales autoridades y aun muchos de los presos –blancos–, que más tarde fueron puestos en libertad, el condenado fue sacado de la cárcel y ejecutado".

Las mismas tenazas y el mismo oprobio más de dos centurias después. La mentalidad de los torturadores jamás muta. Cuando los vientos no les son favorables sólo dejan correr el tiempo para volver a instalar el reino del horror. Como no vencen en el debate, no pueden hacerlo porque sus argumentos acaban por exhibirlos, optan por la sinrazón del ajusticiamiento físico y moral, sólo fundamentado en la jerarquía de la fuerza bruta; así aplastan a los contrarios sin ofrecerles más opción que la miseria de la claudicación. Los fanatismos, por desgracia, no son modas pasajeras.

Candela, al fin, confió:

–Mi hermano supo de la conjura y por eso le forzaron a someterse sexualmente, arrebatándole no sólo la inocencia sino el alma misma. Destruyéndolo. El día antes del atentado contra Carrero, fue invitado a colaborar con los criminales. Le pidieron que llevara a la residencia del presidente una documentación para que después pudiera describir cómo estaban distribuidos los espacios y cuántos eran los responsables de la seguridad. Y así lo hizo.

–¿Únicamente eso? ¿Sin participar directamente en el magnicidio?

–Sólo se dio cuenta de sus intenciones cuando escuchó decir al superior, el mismo que después lo convirtió en carne de orgía: "Carrero es un apóstata y debe pagar por ello".

–Por favor, ¡si Carrero era un persignado!

—Quién no lo es con Franco, no puede aspirar siquiera a formar parte de la estructura. Y Carrero, naturalmente, se adelantó a los demás porque el generalísimo estaba deslumbrado por su lealtad. Nunca vio el doble juego de las intenciones. Al mejor cazador se le va la liebre. Y en este caso, la larga agonía del espíritu del dictador nubló su capacidad para escudriñar las conciencias de sus colaboradores. Carrero, guiado por los jesuitas, era un vindicador en potencia, listo a adelantar la transición. No un custodio, de la ortodoxia franquista, como se suponía. Pero lo descubrieron.

—¿Y Juan Carlos, el príncipe de Asturias?

—Ése sabe muy bien que no puede dar un paso si no lo autoriza el caudillo. Para ser lo que quiere, el Rey de España, necesita a Franco y al franquismo. La izquierda, por supuesto, que forma la otra mitad de la nación, no hará nada por él. Además corre la versión de que le pidió la renuncia a Carrero para que la hiciera efectiva en el momento mismo en que él se erigiera como jefe del Estado, coronándose a la muerte de Franco. Es como un ave de rapiña... aristocrática. Carrero ya estaba liquidado políticamente. La cuestión es por qué.

Cuando me despedí de Candela sentí en ella un leve escalofrío. Una sensación que siempre me inquieta por su acento premonitorio. Si delgada es la línea que separa la realidad de lo esotérico, todavía se vuelve más frágil cuando percibimos un riesgo latente o un final anunciado. Admiré en ella su gesto decidido y la seguridad para afrontar la perspectiva inevitable, aunque temblara como un cervatillo herido, vulnerable e indefenso, ante la visión dantesca de su propio martirio. Porque la realidad es también la del espíritu y si éste se mantiene en la celda de la indiferencia, ajeno a su propia vindicación, aunque la materia parezca libre no lo será del todo. Pero esto lo entienden sólo quienes no se conforman ni se abandonan a las vejaciones mundanas. Como ella.

No le dije nada pero creí necesario volver al templo erigido, sobre la calle Serrano, en honor a San Francisco de Borja, quien vivió entre 1510 y 1572, oriundo de Gandía, Valencia y descendiente del duque de aquella región. Su ascendencia incluía a su bisabuelo, el Papa Alejandro VI, Rodrigo de Borja –o Borgia– de no muy buenas calificaciones para el santoral. Aquel Pontífice tuvo nueve hijos, entre ellos la legendaria Lucrecia, y tres amantes oficiales. Uno de los vástagos de su primera mujer, Pedro Luis, acabó inaugurando el ducado. De los Borja derivaron los Borgia, cuyo apellido hoy todavía asusta. Francisco, el venerado, fue el tercero de los generales jesuitas y alcanzó la gloria de los altares por su excepcional desprendimiento a favor de quienes clamaban justicia. La catarsis de los siglos.

El templo de los jesuitas es sobrio y mantiene un aire modernista. Lo mismo que la capilla de El Altillo, en la glorieta hacia donde confluyen las avenidas Universidad y Miguel Ángel de Quevedo en la ciudad de México, a donde solía acudir durante mi juventud en demanda del rito dominical, sobre todo porque en ningún otro sitio era factible encontrar las risueñas caricias, aunque sólo con las miradas, de las niñas bien. Ensimismadas en sus oraciones, encontraban ocasión para guiñar y degustar el tierno sabor de la seducción platónica. Igual sucedía en Madrid, en donde el recato comenzaba a ser un estorbo.

El padre Álvaro Bueno, a quien me acerqué, parecía cuarentón. Delgado, extremadamente pulcro, lo que establecía un contraste con otros sacerdotes formados en la antigua disciplina de las carencias y que hacían un buen número por estas tierras, sólo dejó de observarme cuando le pregunté, sin recovecos:

–¿Usted conoció al almirante Carrero?

Dejó de sonreír como si un intruso se hubiera entrometido en el cerrado círculo de los valores entendidos. Así había sido.

–Desde luego usted no tiene pinta de Guardia Civil. Deduzco que será periodista y americano.

–Pues sólo le falta a usted la pipa y la lupa –le respondí– para parecerse al legendario Sherlock. Acertó usted pero no pretendo entrevistarlo. Simple curiosidad.

Forzó una carcajada, demasiado estentórea para un recinto sagrado, y me tomó con fuerza del brazo izquierdo.

–Venga conmigo. Aquí las paredes oyen. ¿Habrá usted leído a Juan Ruiz de Alarcón?

–Obligatoriamente. Es la única manera de encontrarle un rastro literario y hasta poético al espionaje. Aunque se trate de una comedia.

Con sigilo entramos en la sacristía. No había más testigos que las imágenes de los santos. Parecían mirarnos con la espiritualidad que reflejan las miradas enajenadas de quienes fueron modelos de El Greco. El artista encontró entre los locos aquellos rostros que le servirían para retratar a los apóstoles en pleno éxtasis místico. Era la época en la que la sensualidad femenina sólo podría expresarse, insinuándola, a través de los lienzos y las bellas figuras virginales que parecen traslucirse, sin importar el paso de los siglos, entre las ligeras túnicas de otros tiempos. La seducción partía de la inocencia que, sin embargo, no era factible contener bajo las sedas insinuantes. La libido también está presente en las almas retratadas para la posteridad.

–¿Por qué me buscó a mí? –preguntó el padre Bueno apenas se sintió seguro–. Habiendo tantos...

–Fue usted fue al que vi primero. No tiene sentido que le invente una versión sobre las casualidades. Me acerqué a usted porque estaba más a mano.

–Una coincidencia, ¿no es así? Entonces, ¿no sabía que yo estoy bajo investigación del general de la orden precisamente por mi cercanía con el padre Jiménez Berzal? Bueno me imagino que usted conoce cuál fue el papel que él representó después del atentado.

–Si, le dio la extremaunción a una de las víctimas. No se sabe si a Carrero o al inspector Juan Bueno Fernández. Espere un momento. Usted también se apellida Bueno.

El sacerdote sonrió y, de pie, buscó algo en el secreter en el que se sostenía un crucifijo de madera enmarcado en plata.

–No se adelante. No soy pariente cercano del inspector. Le conocí, eso sí. Y no se confunda, el padre Jiménez sí pudo administrarle los santos óleos al almirante Carrero. Era él, desde luego, quien sacó el brazo del automóvil estallado. Quizá fuera tan sólo un reflejo porque el pobre hombre sufrió una epistaxis traumática y un severo aplastamiento del tórax.

–¿Y usted en dónde estaba?

–Le gana la vena periodística. Le voy a dar sólo dos datos y luego sabrá usted como los usa. Es mi privilegio descubrir cuáles son sus intenciones.

–Lo entiendo. De cualquier manera la publicación de su testimonio no depende de mí sino de los editores de *Excélsior*, mi periódico. No son épocas de apertura sino de grandes apreturas. Pero usted dirá.

–Yo atendí al inspector Bueno Fernández. Tuve sólo unos segundos para hacerlo pero recogí su último aliento. Primera nota. La segunda es una interrogante que le planteo: ¿por qué el Santo Padre sólo hizo un pronunciamiento institucional sobre la tragedia?

–¿Qué quiere decirme?¿El papa Paulo VI sabía?

–Ni siquiera sugiera que yo le diga algo más. Los jesuitas, como usted debiera saber, hacemos un voto especial de obediencia y sumisión al papado. Nuestra lealtad es fundamento de nuestras vidas. Le pido, simplemente, que investigue... si le interesa.

–Entonces, ¿la Iglesia presenta serias fisuras?

–No le diré nada más.

–¿Podría desembocar esto en una nueva y sangrienta guerra civil?

–Eso puede suceder sin que pueda culparse por ello a la Iglesia.

–Me está usted dando una respuesta.

–No, señor. Le estoy sugiriendo que busque otra fuente de información.

Cuando regresé al hotel encontré un escueto recado de Candela Rodríguez: "Quiero verte". Supuse que volvería a prolongarse el paraíso de la pasión carnal. No fue así. Ni siquiera tuve que marcar el teléfono porque ella apareció, con los ojos llorosos, en el vestíbulo. Al acercarme noté sendos moretones bajos sus párpados y lágrimas incontenibles haciendo surcos en su rostro moreno. Había algo más:

–Me siguieron, Julián. Apenas te dejé sentí que dos sujetos venían detrás de mí. Crucé apresurada la Gran Vía y a cincuenta metros, sobre la Carrera de San Bernardo, uno de ellos me tomó por el cabello y el otro puso sus manos sobre mis pechos. Un guardia civil que andaba por allí ni siquiera se molestó en voltear. Estaba de acuerdo.

–Pero, ¿por qué? Tenemos que presentar una denuncia de inmediato.

–Espera que termine –insistió con la voz entrecortada–. A empellones me subieron en un auto negro, me taparon la cara y me llevaron a la comisaría. Creo que era la central de la Puerta del Sol. No dejaban de tocarme el culo, las tetas. Una mano me penetró por debajo de la panteleta.

–¡Hijos de perra! Esto no tiene justificación alguna. Pero, ¿por qué?

–Espera, te digo. Sin que pudiera ver nada alguien preguntó cuánto me habían pagado por follar con un extranjero enemigo de "su excelencia, el jefe del Estado". Abrieron mi bolso y dijeron que había unos cien duros. Yo no llevaba esa cantidad conmigo. Y dijeron que eso me dieron por prostituirme.

–Entonces, alguien nos vio subir o bajar de la habitación. Pero podemos aclararlo diciéndoles la verdad.

–¡Qué coño, Julián! Esto es una maldita dictadura. ¿No lo entiendes? ¡Mira mi cabeza!

Sorprendido, más bien arrinconado, observé que se desprendía de una peluca. Por la sorpresa no la había notado.

–¿Qué es esto? –le pregunté.

–Pues que será... ¡me raparon, Julián! Así marcan a las falenas en España. Como si fuera la flor de lis de otras épocas. ¿Y sabes por qué? Te lo voy a decir muy claro: porque creen que te di información. Por eso los golpes y las humillaciones.

–¿Te violaron?

Mi ansiedad no midió el grado de desesperación en que se hallaba. Quizá por eso me miró con un desprecio que jamás olvidaré. Vio en mí a un hombre más, brutal y capaz de usar la fuerza física contra todo resquicio de virtud:

–Julián, vete. Yo ya me voy. No quiero que me sigas ni me busques. Ni verte nunca más. Te lo pido: quédate quieto ahora.

Siquiera que hagas eso por mí, si algún aprecio me tienes. Y tú deberías salir de España.

Candela corrió hacia la puerta. Los curiosos no dejaban de observar la escena. No habíamos sido cuidadosos para aislarnos. Y vi al conserje y al administrador meneando la cabeza en señal de desaprobación.

—¿Fueron ustedes, cabrones? —les grité sin contenerme.

—Por favor, señor. Seríamos incapaces. A la chica ya le seguían los pasos. Pensamos que usted se había dado cuenta.

—¿Por qué demonios no me dijeron nada?

—No era asunto nuestro, la verdad.

Quise responder con un puñetazo pero me contuve. Quizá eso estaban esperando para tener pretextos contra mí. Cuando salí a la calle ella ya no estaba a la vista. Sólo escuché a una pareja de turistas, vieja ya, preguntarse:

—¿Qué le pasaría a esa jovencita? Iba desesperada.

Les abordé para saber hacia dónde se había marchado y señalaron la calle del Carmen, rúa arriba. Luego, temerosos, me dieron las espaldas. Todos a mi alrededor parecían tener miedo. Lo tenían. Como si vieran en mí a un engendro diabólico a punto de ser cazado por la gendarmería protectora del estado de cosas. Nadie quería comprometerse, más bien cada uno de ellos se afanaba por olvidar, olvidar siempre, para poder continuar sin el agobio de la opresión que se respiraba por doquier. Así cada día y cada noche.

Por supuesto, busqué a Candela y no la encontré más. Ya no veía en ella a la mujer apasionada en el amor sino a la rebelde a la que le arrancaban la inocencia a golpes de represión. La juventud marchita ante la ignominia policíaca. En los corrillos de la empresa de Las Ventas, allí donde la había visto la primera vez, decían no conocerla. Como si jamás hubiese existido... aunque apenas dos días antes era una explosión vívida de entusiasmo aun con la tristeza que le quemaba por dentro. Ni rastro.

Nada pudo aliviar mi pesar. Ni siquiera cuando me acerqué al grupo mexicano que brindó tributo a Agustín Lara, cuya efigie en bronce fue instalada en la madrileña Plaza de la Corrala, en el barrio de Lavapiés. El maestro Humberto Peraza, célebre escultor, no cabía de orgullo ante una de sus obras mejor acabadas. Y los allí convocados bailaron, entremezclándose las chulaponas castizas y los charros mexicanos, al ritmo del chotís "Madrid". Un oasis para el espíritu en los estertores de la dictadura. Aquella noche, al final de una jornada feliz, me sentí culpable y no pude conciliar el sueño. Al día siguiente volé a México.

Pero volví. En 1978. Bastaron tres años para que la escenografía fuera otra. El caudillo murió en noviembre de 1975, consumido por la enfermedad y no por la conciencia, apenas unos meses después de mi amargo desencuentro con Candela. ¿Qué habría sido de ella? Mi egoísmo no le había ganado la partida al recuerdo a pesar de no haber atado, como debí haberlo hecho, todos los cabos sueltos. Mea culpa. ¿Vale la pena la contrición a destiempo? Iba de paso hacia Rumania, en donde tenía concertada una entrevista con el presidente Nicolae Ceausescu quien, a despecho de su condición de tirano, se presentaba como el último bastión contra la insolencia soviética. Viajaba conmigo Miguel Ángel Correa, también periodista y buen fotógrafo, quien a sus treinta y cinco años acumulaba una vasta experiencia como corresponsal de guerra. Basta con eso para explicar los rasgos que le caracterizaban: audacia como tarjeta de presentación, obcecada temeridad y aguda perspicacia. De mediana estatura, rostro regordete, siempre jovial y constantemente en plan de broma, era lo que puede considerarse un excelente compañero de aventuras.

Sin percatarme de la fecha no resistí la tentación de visitar el Valle de los Caídos. Era 20 de noviembre, tercer aniversario de la muerte de Franco. Al llegar, en la explanada de la basílica, un centenar de jóvenes con uniformes verde olivo portaban los emblemas de la Falange, el equivalente español al fascismo mussoliniano, cuyas dos cúspides, Franco y José Antonio Primo de Rivera, muerto también un 20 de noviembre pero de 1936, ejecutado por el bando contrario –los "rojos", por supuesto–, yacen a ambos lados del altar principal de este emplazamiento. Me detuve porque observé que un grupo abigarrado dejaba el monumental mausoleo. Y descubrí, tocada con una larga mantilla negra que le llegaba a la cintura, a doña Carmen Polo, la viuda del generalísimo. No tuve dificultad alguna para llegar a ella:

–Señora, quise saludarla porque usted es, sin duda, una figura histórica.

–Gracias –me respondió, risueña, matizando las arrugas de su envejecida piel–. ¿De dónde viene?

–De México, señora.

–¡Qué bien! Allá hay muchos simpatizantes y amigos del general Franco. Me da mucha alegría saberlo.

–Me temo, señora, que son más los republicanos quienes ahora se plantean volver.

–Ya no hay motivos para los rencores, ¿verdad?

–Si usted lo dice, señora.

Se incomodó. Con la mirada buscó a uno de sus custodios. No hubo necesidad de enfrentarlo porque me alejé enseguida. Miguel Ángel no dejó de fotografiar la escena. No hubo impedimento ni siquiera cuando la dama, una viuda negra que ya no suscitaba temor, pasó entre algunos brazos elevados que clamaban, en un ejercicio de catarsis profunda, por los tiempos que no volverían. Algunos canturrearon "Cara al Sol", el himno franquista.

Despejado el terreno, entré al recinto. Observé a los arcángeles monumentales, erigidos a cada costado de la inmensa nave central, no como custodios de la fe sino como exultantes guardianes del pasado yaciente aun cuando las herencias, la reinstalación de la monarquía entre ellas, no terminaran en los planos políticos y se extendieran a través de los veneros de la economía. Ninguno de los aliados financieros del franquismo quedó fuera en la recomposición supuestamente estructural de la dinastía Borbón vindicada. Cada uno pudo reacomodarse en aprovechamiento cabal de una transición medida, perfectamente calculada.

La tumba de Franco, detrás del altar –delante se encuentra la de José Antonio–, se reduce a una lápida con una sola inscripción:

el apellido engrandecido del dictador. Ninguna alegoría realzada en bronce y sí, en cambio, varias coronas de flores. Las habían colocado allí los deudos que mantienen viva la efeméride y aseguran que nadie pasa ni muere hasta no extinguirse el último rescoldo de quien se fue. En esta línea, Franco seguía de pie, ante el odio de cuantos sufrieron sus afrentas –acaso más de la mitad de los españoles–, y el tímido conjuro de quienes le respaldaron. Dos bandos, dos visiones.

No sé de donde salió un hombre, con siete décadas a cuestas, que se detuvo sobre la lápida de Franco. Lloraba. Me acerqué a él y no pude evitar preguntarle:

–¿Es usted franquista?

–No, hombre. ¡Por Dios! Estoy aquí por impotencia. ¡Se nos murió sin que pudiéramos siquiera pedir justicia! Y aquí está. Apenas abajo de mí.

Le observé durante un largo rato. Temí, por un instante, que quisiera protagonizar un incidente motivado por la conmemoración. Orinar sobre la tumba, por ejemplo, al estilo de los caudillos revolucionarios de México que remarcaban así el desprecio por sus adversarios. Pero no. Aquel hombre, vencido por el destino, no tenía más ánimo que el de purgar su inmensa congoja sobre el sepulcro abominado. Hasta que un guardia se acercó con cierta prudencia.

–¿El ataúd de Franco está enterrado muy profundo? –interrogué al funcionario para distraerle.

–Qué va. Un metro o metro y medio desde el suelo que está usted pisando. Lo tiene muy cerca.

El viejo, que luego supe se llamaba Tomás González, oriundo de Linares para más señas, no pudo contener una exclamación:

–¿A metro y medio dices? Si así lo hubiera tenido de cerca durante la guerra, al alcance de la mano diría yo, nos habríamos ahorrado muchas vidas... y hasta esta basílica. ¿Usted sabe que decenas de presos murieron construyéndola? Es un espejo para todas las dictaduras del mundo.

Conmovido, no tuve más remedio que invitarle un café. Quería conocer su historia. Don Tomás aceptó y bajamos a la estrecha cafetería que recibe a los turistas apenas llegan al pie del monumento. Pidió, además, un bocadillo de jamón, más tieso que un difunto. Apenas entró en confianza, dio cauce a sus recuerdos dolorosos:

—En el 37 me aprehendieron y confinaron a la prisión de Melilla. Sobra decir que pertenecía al bando republicano. Allí no sólo me torturaron sino además me obligaron a realizar trabajos forzados durante varios años. En ese lapso mis padres fueron asesinados cobardemente por un grupo de falangistas que así se cobraron, como dijeron, mi supuesta "traición" aun cuando yo jamás comulgué con ellos. ¿Traiciona uno a la patria cuando no coincide con quienes ostentan la fuerza bruta? Pienso que no. No fue todo: a mi mujer, preñada, se la llevaron. Jamás volví a saber de ella. Cuando todo acabó y pude regresar a mi pueblo no encontré a nadie. Fíjese: hubo quienes me invitaron a irme a las Américas con ellos pero no quise hacerlo. Aquí tenía mujer, y suponía también que un hijo, padres y hermanos. Pero nada de eso era verdad. En realidad se trataba de una ilusión. Yo estaba solo porque los franquistas se llevaron por delante cuanto amaba.

Don Tomás, afligido, tosió con medio bocadillo en la boca. Las migajas se esparcieron sobre la mesa provocando gestos de desagrado en los demás visitantes, especialmente una familia francesa que en su idioma no cesaba de expresar desprecio por lo que no entendía. Si supieran cuántos españoles también lucharon por la vindicación de los derechos en la moderna nación vecina.

El viejo remató:

—Que Franco se haya muerto en su cama y hubiese sido sepultado con honores es la peor de las torturas para quienes lo sobrevivimos. Nos marcó, para siempre, como un pueblo incapaz de levantarse contra el tirano. Lo que sucedió es que el valor se nos agotó en las trincheras de la muerte. Todavía tengo pesadillas.

—Tranquilo, don Tomás. Usted no puede sentirse culpable por lo que no hicieron los demás. Al contrario: cumplió con su deber, luchó y sobrevivió, que ésta es también una obligación cuando se lucha. Dejar nuestras vidas en manos de otros es una forma de claudicación.

—Gracias por decírmelo... aunque sólo la muerte podrá redimirme. Porque nadie será capaz de olvidar.

Pagué, le abracé y regresé a Madrid.

El otoño llenaba la carretera con una alfombra de hojas rojizas. Había un frío soportable si bien suficiente para anhelar compañía. Miguel Ángel y yo apenas nos dimos tiempo para salir a caminar por la capital. Sí, algo había cambiado. Las mamparas gigantescas que enseñorean los castizos edificios de la Gran Vía —en Madrid se puede vivir en distintas épocas con sólo mudar de barrio—, anunciaban películas de un corte distinto a las monásticas y sobrias de hace apenas tres años: "El clítoris me da risa", rezaba uno de los monumentales.

—¿Te das cuenta? —inquirió Miguel Ángel—, ahora es en México en donde estamos atrasados.

No divagamos más. Bastaron unos pasos, antes de llegar a la Plaza de España, para que dos mozuelas nos abordaran, tomando la iniciativa contra todos los prejuicios de nuestra formación:

—¿A dónde vais tan de prisa? —nos preguntó una chavala de menos de veinte años, radiante y con aire angelical—. Porque yo necesito calor. ¿Me lo dan?

Volteé hacia Miguel Ángel que simulaba una sonrisa, sorprendido por el atrevimiento de la chica. Luego se encogió de hombros y asintió con la cabeza. Nos fuimos con ellas por supuesto. Alma tenía dieciocho justos y Maricarmen veinte, de acuerdo a su propia contabilidad. Paramos en no sé cuantos bares alrededor de la Plaza de Santa Ana que remata el espléndido Hotel Victoria, preferido de los toreros durante la Isidrada en mayo. Tambaleantes, nos metimos en un hostal de paso contiguo al Teatro Español sobre la calle del Prado. Alma y yo, como animales en celo, nos arrebatamos el uno al otro.

Jadeantes, revolcándonos sobre la alfombra polvorienta, de la que se desprendían partículas sucias, nos amamos de todas las maneras posibles. Ella insistía en que la penetrara por detrás, como si fuera una especie de expiación:

–Hagamos lo prohibido –exigió–. Ya no hay barreras.

Le obedecí, por supuesto. Luego, sin el menor pudor, devoró mi miembro, mordiéndolo. Estaba fuera de sí, tal vez drogada aunque no me hubiese percatado de cómo y cuándo lo hizo. En un momento me asustó su frenesí incontrolable. No paraba y yo me rendía. Hasta que los dos, atrofiados, nos dimos una tregua. Eran los días del "destape", cuando la juventud española comenzaba a saborear su libertad convirtiéndola en libertinaje.

–¿Así haces el amor siempre? –pregunté interrumpiendo el silencio.

–¡Joder! ¿Tienes que ser tan elegante? Claro que me gusta follar pero cada ocasión es especial.

–Eres muy joven y después nada te parecerá satisfactorio. Puedes perderte, chiquilla.

–Me gusta que sea así. Los mayores nos dicen que somos unas putas. ¿Y acaso mi madre no lo fue cuando se vendió, por un apellido y comodidades, a mi padre? Es lo mismo, nada más que el matrimonio lo disimula.

No pude replicarle. Alma estaba atrofiando los valores según su entender. Los míos, cuando menos. Se vistió apresuradamente. La ajustada minifalda y la blusa entallada, sin ojales y escotada hasta vencer a la imaginación, prolongaban el reto, lo hacían permanente como si se tratara de un grito desgarrador clamando libertad.

–Bueno, chaval. Adiós y muy buenas. La pasamos bien, ¿no? Y sin compromisos. Ahora tú dame veinte duros para que pueda jamarme unas porras. Y no te estoy cobrando. No sea que creas otra cosa.

–Tú fuiste quien se calificó. Yo sólo te escuché.

–Que no, hombre, que yo no soy puta ni hago lo que hago por dinero. Déjate tu dinero en donde está. A lo mejor lo necesitas más que yo –exclamó Alma con aire de estudiada agresividad–. Ni siquiera sé como te llamas ni me importa.

—Por si te interesa, soy Julián. Y no creo que tu madre ni tú sean eso que dices.

—Vamos a ver. ¿Por qué metes a mi madre en esto?¿Es que no sabes distinguir?

—Oye, tú lo has hecho no yo. Dijiste que se había vendido por un apellido y comodidades.

—¿Y eso a ti qué te importa? Si somos güarras o no es cosa de nosotras.

Sin decir más, haciendo una seña obscena con los dedos, dejando levantado el del corazón, azotó la puerta y se fue. Al poco rato, mareado, salí a la calle. En la cafetería contigua a nuestro hotel encontré a Miguel Ángel con los ojos soñolientos y un fuerte aliento alcohólico.

—¿Dónde te metiste? Ya me tenías con pendiente —esgrimió Miguel Ángel a manera de saludo—. ¡Qué chavas más locas! Y están buenísimas...

—La pasaste bien entonces. Yo salí aguijoneado.

—¿Cómo? No me digas que te devolvieron al corral por manso.

—Más bien sonaron los tres avisos por mi tardanza. Quedé impresionado por todo lo que me dijo Alma.

—Oye, nada más falta que te hayas puesto a platicar.

—Pues sí. No todo es sexo en la vida. Y ella tiene una visión muy diferente. Su valor más importante es el placer del día a día. Nada más.

Sí, algo había cambiado en España en donde el "destape", por la urgencia de descubrir la intimidad dormida, fue más fuerte que las ansias políticas vindicatorias. Liberarse sexualmente resultó, en fin, bastante menos costoso que la anunciada guerra civil. La transición se dio hacia dentro de las conciencias en su primera etapa.

Un regaderazo ayudó a despejar pensamientos. ¿Qué habría sido del padre Álvaro Bueno, el jesuita? Me entró una profunda curiosidad. Apresurado, llamé a la habitación de Miguel Ángel para pedirle que me acompañara y aceptó a regañadientes. Y nos encaminamos al templo de San Francisco de Borja en donde conocí al sacerdote. Llegamos y pregunté por él a un sacristán que pasaba las bandejas de limosnas.

—Sí, claro, el padre Álvaro. Pues sigue aquí. Si espera un poquitín le verá. Ya es casi la hora en que confiesa.

Le vi venir desde la sacristía. Le noté avejentado y con un andar lento, como si los tres años pasados hubieran sido diez, . Cabizbajo, no reparó en mi presencia hasta que lo abordé. No hubo necesidad de volver a presentarme:

—Te recuerdo muy bien —me dijo—. Eres el que quería hacer un reportaje sobre la muerte de Carrero Blanco. ¿Lo hiciste?

—A medias, padre. Los datos que reuní apenas alcanzaron para un artículo.

—Me lo temía. ¿Ya lo ves? Ni guerra civil ni catástrofe. España no se desmoronó.

—¿Se lo deben a Franco? Él fue quien ideó el desenlace previendo su propia muerte...

—Todo es, escúchalo bien, cuestión de equilibrios. Entre el bien y el mal, la religión y los paganos, los gobiernos y las iglesias. El equilibrio. ¿Entiendes? Si en la balanza falta peso en uno de sus extremos es necesario reunirlo para que el fiel no se venza hacia un lado y otro.

Tal es la clave de la vida.

—Entonces, ¿para que exista el bien es necesario el mal?

—Exactamente, señor periodista. Eso es.

—Pero, padre, ¿puede alcanzarse el bien a través del mal?

—Lee la historia y convéncete.

Y desde el fondo de su sotana extrajo un pequeño relicario con la imagen del caudillo muerto... pero todavía vivo. Los equilibrios, por supuesto.

IV

Mafias

Chou-En-Lai, el histórico primer ministro de la China maoísta, atizó la hoguera de los desequilibrios, en los albores de la década de los setenta, con una firme e inédita declaración:

–Sólo los fusiles dan el poder.

Pensaba en ello cuando el avión de Lufthansa tocó tierra en Bucarest. Vislumbrábamos cerca un nuevo lustro, lo mismo que el invierno, en aquel anochecer de noviembre de 1978. El frío calaba. Pero más me hacía tiritar, bajo el abrigo, la oscuridad que se extendía por las solitarias calles de la capital de Rumania, la nación latina detrás de la cortina de hierro –el muro invisible pero tangible y omnipresente, materializado en el rigor de las fuerzas de seguridad, listas a imponer el orden con las bayonetas, y el miedo casi patológico de la ciudadanía. El alumbrado público apenas centelleaba sobre las sombras largas y el silencio contrastante con el frenesí de las ciudades del occidente europeo. Si ésta era la "París del este", como solían llamarla quienes elogiaban sus amplios trazados urbanos, teníamos que asumir un trueque infortunado: el desprendimiento alegre, habitual en la frívola "ciudad luz", por las tristes carencias de una metrópoli casi en tinieblas y hondamente lastimada por la represión.

Miguel Ángel, preso de la fascinación por los contrastes, accionaba, sin freno, la cámara fotográfica desde los ángulos más insólitos. Y es que, bajo el rigor de las insatisfacciones, cualquier transeúnte podía hacer las veces de modelo. Por las avenidas sólo se observaban compradores de dólares y vendedores de cualquier cosa. El mercado negro era una especie de industria, tolerada aunque fuese ilegal, para asegurar el día a día medrando con el apretado círculo de turistas en búsqueda de la inmortalidad de la piel. Porque uno de los grandes atractivos para llegar hasta aquí consistía en aceptar las propuestas a rejuvenecerse "científicamente" bajo la vigilancia de médicos especializados. Las otras andanadas, es decir las invitaciones al canje de moneda, terminaban cuando se extinguía la mortecina media luz de cada noche.

–La tensión se parte con un cuchillo. Sólo veo rostros amargos –sentenció Miguel Ángel haciendo torcer la boca a Tino, nuestro "guía" habilitado, por supuesto, por el Ministerio del Interior.

Tino, Constantino, era, en sí, un resumen andante de los contrastes a la vista. Mandaba sobre Lupo, el conductor, quien hacía flotar el Mercedes 500 sobre las amplias avenidas casi sin tránsito. Era un hombre de mediana estatura, con calvicie incipiente y sin expresión en el rostro. Lupo, en cambio, fornido y alto, gordo pero sin llegar a la obesidad, intentaba ser risueño cuando percibía que Tino no le veía.

Al paso del vehículo sentíamos sobre nosotros las miradas de reproche de quienes, esperando el transporte público, apenas podían obtener un poco de calor tapándose con bufandas deshilachadas y guantes corroídos. Para suavizar la tensión que produjo el veredicto inapelable de Miguel Ángel, conté una anécdota reciente:

–Hace unas semanas volé entre Mérida y la ciudad de México en el avión de Aníbal de Iturbide, fundador de Bancomer, la institución bancaria con el mayor número de carteras en México. Le habían brindado un emotivo homenaje y él, a su vez, donó el reloj municipal que se instaló, torre de por medio, en Temozón, en el oriente de Yucatán, en donde también el general Lázaro Cárdenas anunció la aplicación de su reforma agraria sobre las fincas henequeras de los hacendados que integraron la llamada "casta divina", la de los terratenientes. Uno de los colaboradores de don Aníbal refirió que en un viaje reciente a la Unión Soviética había notado que los menesterosos se guarecían de las gélidas temperaturas con abrigos deshilachados, paupérrimos. "Me daban pena esos infelices hijos del socialismo; ¿qué le parece a usted?", me interrogó. Y le respondí: "Menos mal que tienen abrigos; en México, nuestros pobres, hijos del triunfante mundo consumista, apenas cuentan con harapos".

Por supuesto, caí de pie entre nuestros anfitriones que nos espiaban a través de Constantino, quien hacía tremendos esfuerzos para distraernos en cuanto notaba cualquier escenario socialmente denigrante. Por ejemplo, las oleadas intermitentes de trabajadores que deambulaban por la ciudad, casi a tientas, en ausencia de servicios de autobuses o porque éstos, sencillamente, no estaban al alcance de su presupuesto raquítico. Luego supe que los honorarios diarios fluctuaban entre dos y tres dólares al día, un ingreso no muy alejado de cuanto reciben los marginados campesinos de México que deben resignarse, en cada temporada de cosechas en el sur estadounidense, a partir hacia la utopía ubicada al otro lado de la frontera norte. Tampoco quería que viéramos a las mujeres que como podían cargaban leños para calentar a sus hijos en las noches heladas que se avecinaban. Igual, sí, que las indígenas mexicanas.

Nos ubicaron, porque en aquellos tiempos la elección también dependía de los buenos oficios gubernamentales, en el hotel–clínica de la doctora Ana Aslan. Cientos de ricos del primer mundo solían pasar largas temporadas, vertiendo sus verdes divisas sobre la inagotable fuente de la juventud. Los huéspedes, arropados en batas blancas y con pantuflas, no cesaban en sus elogios a los prodigiosos métodos para embellecerse por fuera, pretendiendo así vencer al inexorable andar del tiempo. Sonreían con el superficial acento de quienes no confrontan el desafío de vivir al día, devastador en las épocas de coyuntura. En realidad, quienes dependen de sus empeños cotidianos siempre están bajo el flagelo de las crisis. Los modernos conquistadores del mundo actual, en cambio, sólo tienen que especular para ampliar sus propios parabienes.

—Van a estar muy cómodos —sentenció Tino con cierto aire de importancia—. Tengo instrucciones de esperarles por si desean ir a cenar.

–Claro, Tino. Bajamos en unos minutos. Una condición nada más: la invitación es nuestra. Y no hay "pero" que valga.

Tino, por supuesto, escogió bien el restaurante, El Ciervo de los Cárpatos, según la traducción castiza, que frecuentaban los hombres bendecidos por el establishment, el cual en Rumania significaba simple y llanamente la voluntad del presidente. Alrededor de las mesas, en un amplio comedor, los bailadores alternaban con los garroteros que desfilaban llevando las viandas más características. La costumbre imponía probar de todo aunque las raciones fueran exageradas. El filete de venado me hizo evocar los lejanos convites de mi juventud en alguna aldea exuberante del Mayab, y también recordar la prohibición que ya se había dado en Yucatán para proteger a esta especie. Y entre cada platillo el salón retumbaba con el seco sonido de las largas trompetas de los montañeses, convirtiendo al lugar en un occidentalizado parque temático.

–Bueno, ¿y qué le parece el nuevo Papa?

No era casual la curiosidad manifiesta de nuestro guía sobre la figura del polaco Karol Wojtyla, quien había ascendido al "trono de San Pedro" apenas unas semanas atrás, el 20 de octubre; y cómo procedía de una nación con régimen socialista, al igual que Rumania, la cuestión cobraba un interés relevante. Podía intuirse que sería una especie de nuevo Mesías para quienes anhelaban superar el aislamiento, supuestamente nacionalista, al que condenaba a sus aliados el imperio soviético.

–Más bien yo quisiera saber, Tino, ¿cómo cayó aquí el advenimiento del antiguo arzobispo de Cracovia al liderazgo espiritual de los católicos?

–Bueno, creemos que podrá haber diálogo con él. Otra cosa sería caótica.

–¿Qué otra cosa, Tino? ¿Acaso que pretendiera, por ejemplo, combatir al socialismo exaltando la influencia universal de la Santa Sede?

–Sería una torpeza tremenda hacer eso. Y él es inteligentísimo. Mire que dejar en la orilla a los italianos que ya acaparaban el papado. Le ganó la partida a cinco siglos de exclusividad italiana.

—Le diré, Tino, que Wojtyla posee carisma y una larga historia personal de sufrimiento. Podría aspirar a una recomposición de la geopolítica universal.

—Si procede así tendrá que tener mucho cuidado. ¿Cuánto duró su antecesor, Juan Pablo I? Treinta y cuatro días. Valdría la pena que meditara sobre ello.

—Lo dice usted, Tino, como si fuera una advertencia.

—Pero no lo es. Yo soy sólo un guía de Bucarest. ¿Nos vamos?

Miguel Ángel estaba nervioso. Le pregunté por qué. Y me respondió, susurrándome al oído, que quería cambiar dólares con uno de los mercantes apostados a las puertas del restaurante. Le dije que era innecesario exponerse.

—Oye —replicó— ni que fuera a traficar con cocaína. Espérame unos segundos.

Le observé, detrás del ventanal, entrar en trato con un muchacho que vestía una chaqueta café oscuro. Tino se dio cuenta y movió la cabeza en un gesto de desaprobación. Luego, Miguel Ángel me hizo una seña desde lejos y siguió al joven aquel hacia la rampa de salida de los automotores. Pasaron diez minutos y Tino se impacientó.

—¿A dónde se habrá metido su amigo? Espero que no nos cause problemas.

—No se preocupe, Tino. Mire, ya viene por allí.

Con aire de vencedor, Miguel Ángel se sentó a mi lado. Indiscreto, me mostró, por debajo de la mesa, un fajo de leis, la moneda local.

—Me duplicaron el tipo de cambio. Es increíble. Estos rumanos son capaces de matar por un dólar.

Tino lo escuchó. Comedido, lanzó una recomendación:

—Por eso, Miguel Ángel, no vale la pena exponerse llevando y trayendo dólares por allí. Cuando requieran cambiarlos díganmelo. Yo me encargaré.

De regreso al hotel de la doctora Aslan, siempre a tope, nos despedimos de Tino. Fue entonces cuando Miguel Ángel habló:

—¿Te interesaría contactar a los cabecillas de la mafia rusa que opera en Bucarest?

—¿A qué viene eso, Miguel Ángel? No voy a creerte si me dices que en diez minutos lograste infiltrarte por la vía del "coyote" ése de los dólares.

—Mira cuánta confianza me tienes. Antes de salir de México recibí un mensaje para que, apenas estuviéramos aquí, me encontrara con una persona. La chaqueta café era el distintivo para identificarlo.

—¿Y cómo sabía que estaríamos en ese sitio precisamente?

—Bueno, es evidente que nos siguió desde que salimos del hotel.

—¿Por qué no me informaste?

—No tenía sentido hasta que el asunto adquiriera seriedad. Pues ya la tiene. Insisto, ¿le entras?

—Veremos. Primero a lo que venimos. Mañana te decido. ¿Te parece?

La jornada siguiente estaba reservada para dos actividades en concreto: por la mañana visitaríamos el museo de Nicolae Ceausescu, en el que se atesoraban los regalos, preseas y condecoraciones con que lo habían distinguido desde 1967, cuando asumió el poder absoluto, y por la tarde nos entrevistaríamos con el presidente en el Palacio del Pueblo, una imponente edificación que evoca, a la par, al Kremlin de Moscú y al Capitolio de Washington. Los polos opuestos siempre se atraen y no sólo en la física.

Ya en la exposición permanente de las glorias del "Conducator", que así se hacía nombrar Ceausescu como emulando al extinto caudillo español, Tino no limitó panegíricos sobre las proezas de "su" presidente quien, además, destacaba en cada uno de los salones con sendas fotografías; en ellas el verdadero protagonista no era el jefe del Estado sino el cetro que ostentaba a la manera de los grandes emperadores del pasado. En ese entonces el culto a la personalidad era la ley suprema. La vanidad no tiene, al parecer, exclusividad alguna ni signo ni tendencia política específica, más bien asalta por igual a cuantos comienzan a sentirse dioses porque nadie es capaz de negarles algo.

—Estas vitrinas —comenté sin ánimo de abrir polémica alguna—, me recuerdan a las del "salón del sexenio" que el ex presidente Luis Echeverría se montó en su casa de San Jerónimo, en la ciudad de México.

Tino, enseguida, negó el símil porque era norma subrayar que cuanto hacía el gran Nicolae no tenía parangón posible, ni antecedente ni paralelismo, con ninguna iniciativa de cualquier otro gobernante en la vasta escena universal.

—Este museo —explicó el guía—, es del y para el pueblo. Cualquiera puede visitarlo. Otros mandatarios se guardan obsequios y honores sólo para ellos, como si estuvieran por encima de sus respectivas naciones. Eso ha cambiado en Rumania: aquí el presidente nos entrega a todos los valores que acumula a través del poder.

Pese a la explicación, expresada además con ensayada vehemencia, los únicos visitantes éramos nosotros, Miguel Ángel y yo, además de los acompañantes impuestos: ningún otro curioso parecía dispuesto a ingresar a ese Olimpo del poder. Se lo hice notar a Tino, quien atajó:

—Ahora mismo los rumanos están trabajando. Ya vendrán cuando sus labores se los permitan. Como reza el refrán castizo: primero el deber, luego el placer.

Callé, por supuesto, guardando las formas. Faltaban unas horas para nuestro encuentro principal. Opté por medir las intenciones de los anfitriones: hacer cuanto fuese posible para que la figura del "estadista" se expandiera hasta el ultimo confín terráqueo, iluminando, con su ejemplo, hasta al más infeliz de los simples mortales. En eso pensaba, tratando de que el lenguaje corporal no me delatara. Sin embargo, por mera curiosidad, según expresé, me animé a señalar el marro que en todas las imágenes el presidente apretaba con fuerza ostensible.

—Para creer, los pueblos necesitan de algunos símbolos —explicó Tino—. La cruz entre los católicos, por ejemplo, es el signo que los aglutina y les confiere una enorme fuerza interior. Subleva y somete por igual. Lo primero porque inflama el propósito de redención; lo segundo por la importancia de la disciplina colectiva para asegurar el porvenir de todos.

–Buena tesis, Tino, sin duda. Lástima que también los monarcas hayan utilizado cetros como demostración de poderío y en no pocas ocasiones son reflejos de las autocracias.

–¡No en Rumania! –exclamó el guía, casi fuera de sí–. Aquí, el presidente es tan sólo un representante de los rumanos. De ellos es el poder.

–Por supuesto, Tino –concedí para suavizar la tensión innecesaria–. Así lo entiendo.

Miguel Ángel sonrió y se encogió de hombros. Era ésta una buena anécdota que me echaría en cara en cuanto pudiera. Nuestra complicidad habitual necesitaba de desfogues continuos, por la necesidad de reírnos de nosotros mismos y vencer así la habitual omnipotencia de los informadores que llegamos a creernos capaces de pintar bastos a los poderosos. Cuando se pierde la humildad, lo que ocurre con bastante frecuencia, los periodistas extraviamos hasta el sentido de la objetividad. Es decir, nos anulamos a nosotros mismos.

Un ujier se acercó a Tino con un mensaje que enseguida nos transmitió:

–Su excelencia, el señor presidente, les ruega modificar la hora de su audiencia. Les invita a comer en el Palacio del Pueblo. Y les pregunta si no tiene inconveniente para que también nos acompañe una colega suya, argentina, la señora Vanesa Medina.

–Bueno, encantado. Pero había entendido que la entrevista sería exclusiva.

–Y así será. La señora Medina, aunque también es periodista, no hará uso de lo que allí conversen ustedes. Así se lo ha manifestado al señor presidente.

–¿Entonces, la relación entre ellos es personal?

–Por favor, Julián. Recuerde usted que sólo soy un guía de turistas.

–Pero también sé que está muy bien informado y que cuenta con línea directa al más alto nivel. ¿O me equivoco?

—Rotundamente —respondió Tino guiñándome el ojo derecho—. ¿Nos preparamos entonces?

Salimos del museo al filo del mediodía, con dos horas de anticipación a la hora prevista para la sorprendente invitación presidencial. Durante noventa minutos Tino se sintió con la obligación de retenernos en el automóvil alrededor del soberbio Palacio convertido en un emblema del periodo de Ceausescu, a once años de distancia de su asunción al poder omnímodo y apenas a cuatro de haber pasado de la condición de "presidente del consejo del Estado" a la de presidente, esto es sin mediar más voluntad que la suya.

—También en México —expresó el guía para distraernos en pleno circuito por el primer cuadro de Bucarest—, el símbolo presidencial norma las relaciones del poder. ¿No es así?

—Con diferencias. Una sustantiva: no hay reelección posible y los mandatarios deben dejar el cargo seis años después de haberlo asumido.

—¿Y si el pueblo quiere refrendarlos?¿No es una contradicción al principio democrático que se basa en la soberanía popular?

—En mi país —alegó Miguel Ángel—, los caudillos han resultado muy perjudiciales. Por eso es mejor que los ex presidentes se vayan a sus casas tras cada sexenio improrrogable.

—Bueno, si solamente hay un caudillo ese problema no existe —replicó Tino.

—Hay ejemplos no muy saludables. Pregúntenle a los españoles —agregó Miguel Ángel—. El "caudillo por la gracia de Dios" gobernó treinta y seis años con mano de hierro. A costa, claro, de la libertad y la justicia. Y mucho dolor de por medio.

—Pero legó estabilidad y progreso —replicó Tino.

—¿Está usted defendiendo —intervine— a una dictadura de derecha y de corte más bien fascista?

—No, por supuesto —atajó Tino, sonrojándose—. Pero no todo fue tan malo.

Las dictaduras, como los extremos, se tocan. En el fondo son iguales así provengan de izquierdas o derechas de acuerdo con una clasificación siempre dicotómica. El hilo conductor es la opresión y el detonante la exaltación excesiva, la reverencia diríamos mejor, a la figura central. Cuando los personalismos privan, en todo tiempo y lugar, la democracia sucumbe. Lo entendí entonces y sólo ahora lo expreso. En Bucarest, para no perder compostura y privilegios, opté por observar la caída de las hojas, desde los pinos del parque central, anunciando la renovación cíclica. ¿Por qué la humanidad no aprende de la naturaleza?

El tiempo se consumó, inexorable. Tino nos condujo, entre pasillos serpenteantes, hacia el comedor de gala, tan amplio como el del Palacio Real de Madrid, pero sin sus deslumbrantes servicios de mesa. Percibí que, en materia de protocolos y conductas públicas, la izquierda prefiere el disimulo de la austeridad. Esperamos. A los pocos minutos apareció Vanesa Medina, alta, garbosa, de cuello largo cubierto con un collar de pequeños brillantes –más propio para una cena–, y vestida con insinuante coquetería. ¿Su edad? Imprecisa como las de las damas bien cuidadas. No más de cuarenta, supuse.

–¿Listos para alternar con el Conducator? –preguntó, calculadora, la recién llegada–. Es habitual que tarde unos instantes más. Él dice que es cuestión de jerarquía.

–Y nosotros somos simples mortales –exclamó, inoportuno, Miguel Ángel–. ¿Existe alguna regla para cumplimentar al presidente?

–Ninguna –informó Vanesa–. Todo es bastante normalito. Nada que no hayan visto antes.

El presidente apareció solo, luciendo un traje gris Oxford de casimir inglés, desde luego. De andar seguro, suelto y muy serio, con el pelo entrecano y las manos siempre ocupadas, Nicolae Ceausescu, de sesenta años ya cumplidos entonces y a quien se había observado como un dilatado dictador desafiante entre los corrillos diplomáticos de Nueva York, besó la mano y la mejilla de Vanesa y nos saludó sujetándose de nuestros brazos. Sin aspavientos, nos pidió sentarnos. No dispuso el sitio que correspondía a cada quien. Tino, solícito, se retiró. Quedamos Vanesa, Miguel Ángel y yo.

—Será una ocasión muy latina —repuso el jefe del Estado—. Aquí todos somos latinos. Aunque no sé si los argentinos se sienten así.

Vanesa no se incomodó. Al contrario, miró al presidente con aire seductor dejando pasar el comentario. Tino me había recomendado que durante la comida no le formulara preguntas de carácter político. "Sólo a la hora de los postres", indicó. Y así lo hicimos, alternando silencios prolongados mientras el personaje central se concentraba en los alimentos y en la compañía femenina. Al fin, el propio Ceausescu rompió el tono coloquial, hablando un español apenas discretamente afectado por el acento rumano... más cantadito, como en México:

—¿Qué tal con el nuevo Papa? —preguntó el presidente—. Creo que no será sólo un buen pastor del apaciguado rebaño católico. Es fogoso y me temo que además es locuaz. Será un factor determinante hasta más allá del fin del milenio. Tiene juventud y salud. Es un roble.

—Y proviene de una nación socialista —abundé—. ¿Tiene esto alguna connotación?

—Todo es relativo. No en Rumania. Cuando una nación está unida y tiene un gobierno fuerte no existen malos presagios. Otra cosa es lo que pueda suceder en Polonia, por ejemplo. Preveo hasta una revolución santa.

—De ser así, ¿habría consecuencias en el bloque soviético?

—La dinámica universal no se detiene nunca. Modelo que se estanca, muere. Fíjese usted: cuando me opuse a la invasión soviética a Checoslovaquia, apenas unos meses después de ser designado presidente del Consejo del Estado, en 1968, muchos me auguraron un fin temprano. Y no fue así. ¿Sabe usted por qué? Porque marqué un camino distinto y me consolidé hacia dentro de mi país. De este gesto derivó el respeto que nos tienen en el exterior.

Tal era el punto más exaltado por los defensores del régimen. El que le permitía incluso tender puentes hacia occidente, es decir hacia los Estados Unidos, sin comprometer su relación, en apariencia, con el Soviet Supremo ni su propio estatus. Esto además de la fiebre constructora que le llevó a modificar el rostro de la capital y de las mayores ciudades de Rumania, Brasov entre ellas, derruyendo viejos edificios, muchos de ellos históricos, para edificar suntuosas sedes, rebosantes de burócratas, con aires de pretendido modernismo.

Hablamos durante cuarenta y cinco minutos. Justos. Por momentos, el monólogo presidencial más parecía un informe de actividades, sin autocrítica alguna, en plena exaltación de su propia figura. Alegó que los trabajadores tenían ahora mejores condiciones, sobre todo en el campo, y puso el acento en una concepción distinta de la enseñanza universitaria:

—Aquí las opciones son aquellas que se necesitan. No se dan por capricho. ¿Tiene algún sentido que cada año egresen miles de abogados y doctores cuando las áreas ya están saturadas? En cambio, ¡cuántos profesionales se requieren en las agroindustrias! Allí estamos poniendo el énfasis.

—¿La vocación depende entonces de los requerimientos del Estado, señor presidente?

—La vocación individual, muchas veces tergiversada por las modas pasajeras, no puede estar encima del interés colectivo. Ese es el principio inalterable. No queremos ociosos sino seres productivos, capaces de generar riqueza.

—Muchos se quejan porque existen restricciones para salir del país, señor presidente.

—¿Y no sucede lo mismo en las naciones occidentales? La diferencia es que allá los límites los pone la capacidad económica y aquí es el Estado el que los dicta en función del entorno general. La primera obligación de un patriota es con su nación. Después viene lo demás.

Tal era la filosofía imperante, la que le llevaría, sin remedio, a dilapidar la noción del tiempo y la realidad. Vanesa escudriñó en mis ojos tratando de captar si el presidente me había convencido. Intenté disimular. Y de pronto, Ceausescu dio por terminado el encuentro, se levantó de la mesa, nos saludó apresurado y se fue

98

por el mismo pasillo estrecho por donde había entrado al comedor. Vanesa se quedó.

—No te sentí muy seguro —afirmó ella—. Y él utilizó sus mejores argumentos.

—Mi deber es divulgar sus palabras. No así mis opiniones particulares. Si más adelante decido convertir esta experiencia en un buen ensayo será otra cosa.

—Como creo que eres muy ambicioso, Julián, estoy segura de que lo harás. Apresúrate porque vale la pena.

—¿No sería mejor aguardar los desenlaces?

—Nicolae, ya lo verás, se mantendrá en el poder durante muchos años más. Es éste el momento de analizarlo y valorarlo.

—¿Tú ya los has hecho, Vanesa?

—En eso estoy. Y, por supuesto, está resultando una experiencia apasionante. ¿Cuándo viajas?

—Dentro de dos días. Quiero acercarme a las montañas y a la frontera con Bulgaria. Sólo para ampliar los escenarios.

—Magnífico, Julián. Una sugerencia: aprovecha bien tus próximas citas.

—¿A qué te refieres, Vanesa?

—Nada más, por ahora. Te llamaré a tu hotel por la mañana. A menos que te parezca inoportuna.

—No lo serás en ninguna circunstancia.

Nos despedimos como si nos hubiéramos conocido desde siempre. Hasta Miguel Ángel se extrañó. Más que nada por la velada advertencia. ¿O acaso ella tenía información sobre el encuentro clandestino que Miguel Ángel preparaba?

—Esta señora sabe más que una chucha cuerera — resumió Miguel Ángel con un chascarrillo muy común entre los norteños de México—. O que el diablo. ¡Líbreme Dios de una mujer así!

Escribí hasta bien entrada la noche. Y, aunque me sentía rendido, tardé en dormirme. Fue un relámpago de sueño porque antes de las seis de la madrugada Miguel Ángel tocaba a la puerta de mi habitación.

—¡Vístete como de rayo! —exclamó—. Vienen a buscarnos.

—¿Quiénes, cabrón?¿La policía o qué? —demandé, soñoliento.

—Pues quienes han de ser. Los que te dije ayer. Los de la mafia.

—Quedamos en que hablaríamos al respecto, Miguel Ángel.

—Pero ya no hay tiempo. Como dicen en mi pueblo: ¿lo tomas o lo dejas?

—Lo tomo. Espérame unos segundos.

Apresurado, bajé a grandes zancadas hasta la recepción. La adrenalina es la mejor vitamina contra el sopor y el hastío. Vaya si lo sabía luego de bregar con los riesgos de la profesión. Ahora era mayor el revoloteo del miedo en el estómago. Una cosa es la aventura, con obstáculos medidos, y otra ajustarse, como lo haríamos, una camisa de once varas, anulados los movimientos y la capacidad de reaccionar. La existencia en prenda por un reportaje. Miguel Ángel, aunque lo disimulaba, también se sacudía. El frío matutino y las brumas espesas del amanecer casi invernal eran el camuflaje.

—Ya están aquí. Vámonos —indicó Miguel Ángel.

Observé acercarse a un joven de mirada profunda, de grandes cejas y ojos negros, espigado y fuerte, quien no dejaba de voltear por encima de sus hombros:

—¿Qué tal? Puedes llamarme Demetrio —dijo, sin mayores presentaciones—. Ya te habrá explicado Miguel Ángel, ¿no es así?

Dije que sí para no abochornar a mi compañero. Los tres subimos a un automóvil compacto, un Fiat italiano poco común detrás de la "cortina". Con el gesto agrio, intenté que Miguel Ángel me revelara los antecedentes. Él pidió, moviendo la mano de arriba hacia abajo, que aguardara. Minutos más tarde, en una amplia explanada cercana a las oficinas del gobierno, nos pidieron pasar a otro vehículo. La operación se repitió dos veces más. Hasta que, nervioso, rompí el silencio:

—¿No será ésta una exhibición automovilística? Porque subimos y bajamos y no llegamos a ninguna parte.

Demetrio, dirigiéndose a Miguel Ángel, comentó que los movimientos eran rutinarios, de despiste. Demasiado burdo, pensé, puesto que ni siquiera nos alejábamos de la ciudad; así éramos fácilmente localizables. Comencé a preocuparme cuando salimos a la carretera y Demetrio nos pidió colocarnos unos antifaces que tenían el logotipo de Aeroflot, la compañía aérea soviética. Seguimos, con la inquietud que provoca la oscuridad, sin hablar. El resto de nuestros sentidos estaba en alerta. Nos detuvimos al fin.

–Ya pueden liberar sus ojos –ordenó Demetrio en un español bastante rudimentario.

Estábamos frente a una cabaña con maderos carcomidos, sucia. Vi montones de basura arrinconados y una hilera de árboles deshojados. A pesar de estar bien abrigados, el viento helado llegaba hasta nuestra piel y la flagelaba. Demetrio nos invitó a pasar. Sobre la mesa, de la que se desprendía un fuerte olor a vodka, dos rifles Beretta de alto poder. Parecían estar cargados. Eran los distintivos, el punto y seña de nuestros circunstanciales anfitriones sobre las húmedas tierras del campo rumano.

Afuera comenzó a caer aguanieve y el paisaje se volvió bucólico. Alguien encendió la chimenea utilizando papel periódico como antorcha. Las dedicatorias, a mi entender, eran suficientemente claras. Una bocanada de aire gélido acompañó la entrada de Zakhar, a quien llamaban El Sakro, y cuya sola presencia, por sí, atemorizaba. Robusto, de casi dos metros de altura, gruesos bigotes que se alargaban más allá de las mejillas y manos capaces de apergollar cualquier cuello que se cruzara por su camino. Nos vio y no dijo nada. Con un solo movimiento se desprendió del abrigo de pieles que le cubría. Era, sí, como un tópico viviente de los hijos de la madre Rusia capaces de vencer a la naturaleza haciéndose insensibles a sus rigores.

De los bolsillos de su gabán, El Sakro, extrajo un pequeño vaso de metal y una pequeña alforja con aguardiente. Se sirvió y bebió un largo sorbo. Sólo se escuchaba el retumbar de las botas sobre los maderos y el crujir de los leños abrasados por el fuego. Yo trataba de contener hasta la respiración. Miguel Ángel ni siquiera se animaba a desenfundar su cámara fotográfica. Hasta que Zakhar se dirigió a nosotros en castellano:

—Así que son ustedes de quienes me habían hablado. Primero, quiero que sepan que no somos asesinos ni despiadados. Segundo, no deben temernos; su seguridad está a salvo. Digamos que nos necesitamos mutuamente: vosotros quieren un reportaje y nosotros buscamos impresionarlos.

Los demás, tres fornidos sujetos que no dejaban de acariciar sus escuadras, escuchaban las palabras de su jefe sin entenderlas. Sólo Demetrio asentía.

—Somos como la Iglesia. Los curas utilizan la oración para redimir las conciencias; nosotros distribuimos drogas para aplacar las rebeldías. Estamos en la misma ruta sólo que ellos se presentan como ángeles y a nosotros nos dicen demonios. Pero, ¿acaso Luzbel no era el arcángel favorito del Señor?

—Suena usted muy místico —me animé a comentar.

Su respuesta fue una larga y estentórea carcajada que secundaron, aun sin comprender, sus lugartenientes. Demetrio, en cambio, sólo sonrió.

—En esto todos lo somos. Si dejó de preocuparnos la vida es porque creemos que la muerte no va a destruirnos. ¿No es lo mismo que nos enseñan los monjes que se desprenden de lo material para salvaguardar sus almas?

—¿Usted fue ministro de culto, verdad?

—Aprende rápido, periodista. Sí, lo fui. De la Iglesia Ortodoxa, que no admite las justificaciones ni las debilidades de la modernización. A veces es mejor concentrarnos en las enseñanzas del pasado que caer en el abismo de un destino incierto. ¿O cree usted que alguno de nosotros tiene la seguridad de que mañana seguirá aquí? Con cada amanecer comienza el drama de la supervivencia. Dormir es aprender a morir.

Aquel sujeto, extremadamente rudo, de movimientos y actitudes vulgares, violento por esencia, se nos presentaba, ante nuestro asombro —Miguel Ángel no podía cerrar la boca—, como un filósofo capaz de trastocar los valores más hondos interpretándolos y valorándolos para justificarse. Un político de estas condiciones sería considerado demagogo; en otra línea, un facineroso de escasos escrúpulos, como el que tenía frente a mí, sólo era clasificable como un peligroso disconforme de los nuevos tiempos.

—¿Por qué querían vernos? —pregunté con la boca seca.

—Para prepararlos. Porque vamos a dar una gran batalla del otro lado del mar océano. ¿Qué sucederá cuando la guerra fría, entre el capitalismo y el socialismo, desde dos imperios contrapuestos, por fin termine? Sólo quedaremos nosotros como contrapeso. Porque las sociedades no van a sanar nunca. ¿Me entiende? Sin vicios sería imposible afrontar la realidad. Nosotros los proveemos.

—Como usted lo dice me suena casi a un apostolado.

—Y lo es, amigo, lo es. Aunque matemos a los poderosos y amenacemos a los débiles. La verdadera crisis se dará cuando la humanidad se apacigüe.

La perorata de "El Sakro" más parecía una catequesis sobre la utilidad del mal. Los "mandamientos", en este caso, comenzaban con la ausencia de escrúpulos para proceder en beneficio de los intereses del grupo. La clandestinidad habilitaba a la impunidad. Lo mismo que hacían los guerrilleros de otros tiempos y ahora hacen los terroristas: golpear y esconderse, ocultando sus verdaderas intenciones. Quien comprende la doctrina no puede ser sino parte de la red, es decir un converso de la enfermiza causa de la delincuencia organizada.

—¿Qué busca usted, en concreto?¿A quién sirve?

—Esas respuestas no se las doy ni a quienes me siguen. Son nuestros misterios que entrelazan la fe de nuestros hombres.

—¿Siempre tiene necesidad de establecer paralelismos con la estructura de la Iglesia?

—No, pero así me hago entender cuando lo creo indispensable. Sobre todo ante los neófitos.

Volvió a beber, con un largo sorbo, del contenido de su pequeño recipiente de metal. Y por fin nos ofreció el vodka de una botella, libre de sellos, recién abierta por Demetrio.

—Sirve para relajar —nos dijo—. La mente también se aviva con los estímulos del alcohol.

103

–No me dirá usted que lo mismo hacen los ministros de culto cuando ofrendan el vino presentándolo como la "sangre de Cristo".

–Deduce usted como un relámpago. No voy a inquietarlo más. Lo importante es que nos entendamos. Usted busca una noticia, yo un interlocutor.

–¿Y para qué, si puede saberse?

–Es bastante más complejo de lo que se imagina, Julián –por primera vez me llamó por mi nombre–. Porque ya sabrá que no estamos solos.

Discretamente, Demetrio llamó aparte a Miguel Ángel. Ambos se pusieron sus chaquetas y sus bufandas y salieron a la intemperie. Luego les vi subir a uno de los vehículos para charlar, separados del resto del grupo.

–A ver si ésos no acaban congelados –comenté–. Sobre todo mi compañero, aunque esté acostumbrado al frío. Él es del norte de México. De Ciudad Juárez.

–La frontera, ¿no es así? En donde todo termina y todo comienza. La línea visible entre el tercer mundo y el primero. ¿Nunca se ha preguntado, Julián, cómo puede darse una convivencia tan brutalmente desigual?

–Siempre. Sucede que los pobres son, por lo general, más aguantadores. Y resisten. Fíjese que a pesar de la vecindad los mexicanos conservan su idiosincrasia y su personalidad. Asimilan sin ser del todo asimilados. Y a los mejor la emigración es una manera de reconquistar los terrenos perdidos.

Rió "El Sakro". Y siguió bebiendo. El sol apenas alcanzaba su cenit por encima de las brumas y nubes que no despejaban. Seguía cayendo aguanieve. Como pocas veces, me sentía inquieto, francamente incómodo. Tenía la sensación de que nuestra supervivencia, en ese momento, dependía de factores ajenos; quizá de la voluntad de aquellos personajes con aspecto de bandidos y cuyo jefe hablaba como si se tratara de un maestro universitario. En cierto modo, el jefe de la banda rusa, georgiana más bien, me recordaba a los caudillos de la sierra de Guerrero, al profesor Lucio Cabañas, por ejemplo; fueron caudillos que optaron por la rebelión armada cansados de mentiras, promesas incumplidas y vasallajes políticos. Y sabían exponer sus ideas como si estuvieran frente a auditorios rebosantes.

—Le voy a revelar algo, periodista —siguió El Sakro—. Nosotros somos una célula de una gran organización: "Vor Z Konen". En español significaría algo así como "ladrones de la ley". ¿Entiende la idea? Nos robamos las normas establecidas para imponer las propias y con ellas mantener los equilibrios.

Sentí un profundo escozor. También el padre Álvaro Bueno, el jesuita que parecía tener las claves para entender los reacomodos de la época moderna, me había hablado de los equilibrios entre el bien y el mal. Pero, entonces, ¿quién era el fiel de la balanza?¿Quiénes los buenos y cuáles los malos, en una clasificación simplista de la humanidad por bandos? Fue entonces cuando capté el peligro que estaba corriendo. Delante tenía a un criminal que se justificaba a sí mismo por ejercer el papel de pequeño dios en busca del reacomodo universal. Callé, colocando el puño derecho sobre los labios, a la manera de El Pensador de Rodin, para parecer meditabundo. El Sakro continuó:

—Para que me entienda mejor: digamos que los vasos comunicantes entre varios gobiernos, sostenidos con los alfileres de la demagogia, provienen de nuestras redes. Nosotros somos los ejecutores y quienes, de alguna manera, mantenemos el control sobre las sociedades enfermas.

—Y corre mucho dinero —me animé a puntualizar.

—Esa es la fuente del poder en el mundo moderno. Ejercemos la tentación del demonio: reclutamos a los parias para que nos entreguen su alma a trueque por algunos años sin límites. Lo que importa en la vida es, por supuesto, la plenitud... aunque sea efímera. ¿Cuánto dura un orgasmo?

Detrás de nosotros sonó una voz femenina que identifiqué de inmediato:

—Los segundos necesarios para alcanzar el éxtasis. Algunos llaman a ese instante de placer "una muerte en pequeño" o el punto final.

Volteé y me encontré con la figura de Vanesa Medina. No esperaba una aparición así. No en ese momento y en esa circunstancia. En unos segundos armé el entramado mentalmente. Aquella mujer de seductoras maneras era un puente o una doble espía.

—Te busqué en el hotel por la mañana —me dijo a manera de saludo—. Y debí venir a encontrarte aquí. No es de caballeros dejar a una dama plantada.

La risa le brotó de manera natural. Debió divertirle mucho mi estupefacción. Hice un esfuerzo para salir del marasmo:

—No pude avisarte. Miguel Ángel me levantó de la cama y sólo me dio unos minutos para vestirme y salir. Pero tengo la impresión de que eso tú ya lo sabías, Vanesa.

Ella buscó refugio en los brazos de El Sakro y se dejó acariciar las caderas sin el menor rubor. El jefe, en su terreno, hacía lo que quería. La besó sin dejar de observarme, disfrutando mi incomodidad y mi asombro.

—Vanesa —apuró El Sakro— es una de nuestras principales colaboradoras; y la más cercana a Ceausescu.

—Entonces lo tienen en sus manos, —afirmé para forzar una explicación.

Vanesa, de nuevo, sonrió con desparpajo. Le divertían las adivinanzas. Y luego, con sorna, contó:

—El presidente nos necesita como nosotros a él. Es como un juego de espejos. Bien sabe Nicolae que no podría sobrevivir, como satélite de la Unión Soviética, sin el auxilio de una estructura de poder paralela. Lo blindamos, para decirlo con claridad.

El Sakro se levantó golpeando las botas contra el suelo. Sujetó la funda de su pistola con la mano izquierda, evidenciando que era zurdo, y la derecha la deslizó sobre el cabello castaño encendido de Vanesa. Ella quiso posar la cabeza sobre el hombro del jefe, es decir del capo atemorizante, pero él la rechazó. Quería ser él quien dominara la escena midiendo los arrebatos seductores de su trofeo. Inhaló aire, bebió otra dosis de aguardiente, con un largo trago, se limpió sus bigotes con las mangas de cuero de su cazadora confeccionada en los Estados Unidos, de marca por supuesto, y bajó la voz para continuar en el tono de las confidencias:

—Julián, en realidad las cosas son muy sencillas. Ceausescu no es el único. Vanesa me trajo un escrito suyo en el que usted realiza una apología de Fidel Castro. Recuerdo una de sus conclusiones: "si el presidente de Cuba se ha mantenido, desde 1959, desafiando en sus barbas al Tío Sam, será por algo". ¿Nunca se ha preguntado qué es ese "algo"? ¡Y no vaya a salirme con eso del apoyo incondicional de la plebe!

Iba a utilizar un argumento parecido aunque, por formación profesional, evitaba siempre los términos absolutos: todos, ninguno, incondicional. Porque, en cada circunstancia, perviven los claroscuros. Por ejemplo, los miles de cubanos que han dejado la isla buscando, según dicen, la libertad y ajustándose a las limitaciones impuestas por el gobierno estadounidense que sólo los estimula con fines publicitarios. Aun así, cuántas diferencias en el trato que se les dispensa a los refugiados de la isla con respecto a la cacería humana desatada en la frontera contra los llamados "ilegales" mexicanos. A los primeros se les premia por exhibir a Castro; a los segundos se les usa, luego de perseguirlos como si fueran animales, medrando con su pobreza y desesperación. Opté por quedarme callado.

—Ese "algo", señor periodista —continuó El Sakro—, es lo que ustedes llaman "mafia internacional". ¿Qué le parece? Las entrañas del vicio sostienen a los procesos revolucionarios, como los llaman Fidel y Nicolae, tratando así de minar al gran adversario. ¿Tendré que especificarle en donde se encuentra el mayor mercado de consumo de drogas en el mundo? Otra vez, Julián, tendremos que hablar de los equilibrios.

Estaba conmocionado más que aleccionado. Podría parecer esta versión una enorme perogrullada si no viniera, precisamente, de un líder de la mafia georgiana en el este de Europa, allí en donde el aislamiento estratégico se presentaba como una vacuna contra el intervencionismo occidental. Existían, desde luego, no pocas aristas.

–¿Va usted a decirme –deslicé, midiendo el terreno–, que la distribución de drogas es el "caballo de Troya" de la era moderna y que todos ustedes son, nada más, idealistas revolucionarios?¿No le parece demasiado disimulo? Ustedes, en conjunto, mueven al año casi 40 mil millones de dólares en estupefacientes. Y están envileciendo al mundo y no sólo, como dicen, a la gran porción capitalista.

El Sakro dio una sonora palmada. Y volvió a sentarse. Vanesa, solícita, abrió dos latas de jamón holandés que yo no dejaba de mirar, con aire distraído, para no hacer de mi interlocutor el único punto de referencia. Lo cortó en rebanadas y lo puso sobre la mesa. Era obvio que la conversación podría alargarse. Pero el capo tenía otros planes:

–Ya le he brindado suficiente información para que usted tenga criterios razonables. Sólo le pido que sea discreto sobre cuanto le hemos dicho acerca de Ceausescu y Castro. No necesito advertirle nada. Usted es suficientemente inteligente para medir sus propios riesgos. ¿Estamos?

De incumplir el forzado acuerdo, claro, mi porvenir no valdría ni un céntimo. Y yo no sumaba aún tres décadas, si bien intensas. No podía precisar cuando inició el torbellino que me arrojó hasta aquí, en alguna parte de los alrededores de Bucarest en donde comenzaba la agreste, sinuosa sierra para perderse hacia Transilvania. Dicen que cuando llega la muerte pasan por la mente las escenas fundamentales de nuestra vida. De ser así, el frío interior que sentía, pese al abrigo de la cabaña montañesa, no podía ser sino una llamada de la muerte. Porque, en efecto, mientras El Sakro se alistaba, vinieron en cascada los recuerdos hasta plantearme no sé cuantos por qué. Estaba atrapado sin siquiera haber movido mis piezas.

Zakhar, El Sakro, de edad indefinida, rondando quizá las cuatro décadas, volvió a abrigarse y, con un gesto, advirtió a sus pistoleros que se prepararan para salir. Miró a Vanesa con lascivia y sugirió a manera de despedida:

–Les dejo ese jamón y a Vanesa que es lo mismo...

La informadora argentina no pudo evitar una sacudida pero se contuvo. Bajó la mirada y dejó pasar la ofensa. Luego, cuando el capo cerró tras de sí la puerta, elevó el brazo y lo contrajo en señal inequívoca de furia y desprecio. Demetrio la vio y movió la cabeza, discreto. Ella, tratando de aparentar calma, sirvió varias copas con el vodka de la botella sin etiqueta alguna.

–¿Y Miguel Ángel? –pregunté–. Ya lleva un buen rato afuera. Creí que estaba con usted, Demetrio.

–Me pidió que le dejara unos minutos solo. Y me dio su cámara para que la protegiese.

Miguel Ángel tiritaba cuando entró a la cabaña. Observé que sus botas estaban salpicadas con el rocío de la nieve sin cuajar mientras él se frotaba las manos para entrar en calor. Vanesa le ofreció el vodka que él se bebió sin más.

–¿Dónde te metiste? Me estaban asaltando los malos pensamientos –comenté intentando relajar el ambiente.

–No, hombre. No creí oportuno interrumpir y caminé hasta el final del sendero. No son más de trescientos metros hasta la carretera. ¿Pudieron platicar a gusto?¿Y tú, Vanesa, como es que estás aquí? Te vi llegar y Demetrio me confirmó que eras tú. Pero no quiso decirme nada más.

Vanesa levantó cejas y hombros y abrió las manos para sugerir, nada más, que así eran las cosas. Desconfiaba de Miguel Ángel y no lo disimulaba. Yo acaso le parecía ingenuo y, por tanto, más influenciable.

–Nos vamos juntos –propuso ella–, si les parece pertinente.

–No pretendemos dejarte aquí, por supuesto –contestó Miguel Ángel con inocultable aspereza.

Vanesa se acercó a mí y me pidió que nos alejáramos unos pasos, al rincón junto al fogón apagado, en el extremo opuesto a la chimenea. Y me susurró al oído:

–Cuando lleguemos al hotel sepárate de él y encuéntrame en la calle. Yo haré lo mismo con Demetrio. ¿Estamos?

Ya nada podría sorprenderme y acepté. Además, ella era, sin duda, la clave para resolver el crucigrama de cuanto habíamos atestiguado.

Y no hablamos más, salvo para exaltar la belleza del paisaje o solicitar un cigarrillo y mitigar los nervios. El recorrido duró casi tres horas. Y Demetrio, por cierto, ya no nos pidió que nos colocáramos los antifaces. De cualquier manera nos resultaría imposible ubicar el lugar por nuestra cuenta. Los cristales empañados y los constantes cambios de dirección nos tenían, a Miguel Ángel y a mí, mareados.

A nuestro arribo, el conserje del hotel nos recibió entre un alegre grupo de octogenarios que se contoneaban por el lobby. A lo mejor se habían creído que la fuente de la juventud ya iniciaba sus efectos plácidos sobre ellos. Uno de los más felices se dirigió a mí:

—¿No me dirá usted que también tiene ochenta? —inquirió en inglés.

—No señor. Todavía, según creo, no requiero de un tratamiento de la doctora Aslan. A menos que me haya avejentado mucho en las últimas horas.

Miguel Ángel casi corrió a su habitación. Se sentía, dijo, francamente mal y le pidió a Demetrio que le consiguiera algunas pastillas para la acidez estomacal. Los dos nos dejaron el espacio libre para que Vanesa y yo pudiéramos ganar la calle, liberados, según creía yo, de vigilantes y espías.

Caminamos, en silencio, por amplias avenidas con jardines que confluían hacia edificios rectangulares de varias plantas, armados en bloques monumentales sin arabescos en las fachadas y con líneas arquitectónicas simples. Es decir, sin otro valor que el gigantismo para aglutinar a la creciente burocracia, convertida en la clase privilegiada que se imponía a una sociedad cuya productividad mermaba, como paradoja incontestable, por el mantenimiento del aparato estatal. Se lo señalé a Vanesa y ella prefirió aparentar distracción para no brindar explicaciones indefendibles. Era uno de los tantos lugares comunes que resultaban políticamente incorrectos.

No paramos hasta que cayó la tarde y la oscuridad se fue apoderando del ámbito. No nos habíamos detenido siquiera en alguno de los cafés reservados para los funcionarios y los visitantes, no para la plebe. Un muchacho, jovial y vestido con un traje raído que alguna vez pudo ser elegante, se nos acercó:

—¿Ustedes no son pareja, verdad? —disparó a quemarropa, turbándonos.

—No. ¿Por qué lo preguntas? —inquirí, curioso.

—Porque entonces te puedo preguntar —expresó, dirigiéndose a Vanesa—, si quisieras adoptarme. Es muy fácil: me caso contigo y me sacas de Rumania. Después, cuando lleguemos a tu país, nos separamos y quedas otra vez sin compromiso. A cambio te ofrezco trabajar para ti durante todo el tiempo que quieras y en lo que se te ofrezca.

La audacia del chico, más bien su impertinencia y su desenfado, sin medir consecuencias ni saber quienes éramos y de donde veníamos, confirmó el nivel de desesperación que privaba entre los rumanos comunes, de cuantos permanecían al margen de las concesiones y los cargos públicos, asfixiados por la autocracia.

—Mira —le respondí, atajando a Vanesa que ya se disponía a darle una filípica—, mejor sigues tu camino. No nos interesa tu oferta y no vamos a denunciarte si nos dejas tranquilos.

Bastó la aclaración para que el joven desapareciera apresuradamente. Fue entonces cuando detuve a Vanesa, sujetándola del brazo, y le expresé mis dudas:

—¿Puede abogarse por el desarrollo igualitario suprimiendo las libertades? En el fondo, no observo diferencia alguna, en cuanto a la opresión colectiva, entre las dictaduras de derecha e izquierda.

—Eso significa que para ti Nicolae es un dictador. ¿No es un poco precipitado tu juicio? Considera que él es un baluarte contra el imperio soviético.

—Ese valor entendido es la base de su prestigio, Vanesa. Pero dime, ¿tú le aprecias más allá del trato profesional?

—¿Quieres saber si estoy enamorada de él? No lo sé, de verdad. Siento una gran atracción por los líderes que superan enormes dificultades y no pierden la humildad.

—¿No la ha perdido Ceausescu cuando es evidente la exaltación de su figura como una forma de control político? ¿No es esta condición la que identifica, en distintas épocas y circunstancias, a los autócratas?

–Ahora le llamas autócrata. Eso lo fue Franco quien mandó asesinar impunemente. O Porfirio Díaz en tú México cuando los condujo a la sangrienta revolución.

–Y Domingo Perón –repuse–, quien convirtió a sus "descamisados" en carnes de cañón y escudos humanos para medrar con la clase militar y perpetuarse en el poder.

–No me hables de Perón –respingó Vanesa–. Eso es cosa de los argentinos.

–¿Y Franco no lo es de los españoles?¿Ni Díaz de los mexicanos? Dime una cosa, Vanesa, ¿por qué los argentinos son tan subjetivos en el manejo de la historia? Y por si deseas saberlo prefiero como icono al Ché Guevara y no a Perón. Él sí fue un luchador social auténtico.

–Pero no luchó por los suyos, por el pueblo de Argentina. Eso es lo que hace la diferencia con Nicolae o con Fidel.

–Parece que hemos anclado en la discusión, Vanesa. Pero tú querías decirme algo y ya llevamos varias horas divagando sin llegar a ninguna parte.

Ella me miró con fijeza. Y colocó su mano entre su caballera que comenzaba a moverse al ritmo del viento. La temperatura bajaba pero el diálogo cobraba calor, al fin.

–Julián, ¿eres confiable? Nos hemos fijado en ti porque puedes serle muy útil a nuestra causa.

–¿A cuál, Vanesa?¿La de El Sakro o la de Nicolae, como tú le llamas? Porque me tienes estacionado en este punto.

–¿Y si te dijera que es la misma?

–Entonces creería que tú eres una de las grandes protagonistas del momento. No puedo asimilar una situación como la que planteas. No acabo de entenderla y, si te soy sincero, me causa un profundo malestar. Como si la conciencia doliera.

–El alma, Julián, también enferma. Y la tuya, aunque joven, lo está. No sabes como ubicarte en la perspectiva que te ha tocado. Ni pareces resuelto a dar el paso decisivo.

–Oye, yo vine aquí con la intención de entrevistar a Ceausescu, no para plantearme un dilema fatal.

–Sólo que ese dilema, como dices, acaba de asaltarte y no puedes eludirlo. Este viaje ya te ha marcado. Y no será fácil que lo olvides.

No me sentía capaz de seguir asimilando ese tipo de lecciones ni de continuar con el juego del reclutamiento forzado. No me interesaba. En mi interior tenía un revoltijo de ideas que chocaban entre sí. ¿Acaso los periodistas estamos fatalmente condenados a sumarnos a los movimientos políticos que nos sacuden, para acabar tomando partido en desdoro de la objetividad e incluso de la ética? Ese día, en algún lugar de Rumania, creí estar atrapado entre la juventud que me impulsaba a la rebeldía y el espíritu que se había avejentado en unas horas a golpes de informaciones descarnadas. Una extraña cronología imposible de asimilar internamente.

Vanesa dejó transcurrir unos instantes, nada más mirándome, y se despidió:

–Piénsalo y defínete. El tiempo no es tuyo, al fin y al cabo. Te hablo mañana.

Y se marchó, doblando en la esquina de una céntrica calle sin nomenclatura a la vista, velozmente, como si alguien la persiguiera. Yo no estaba seguro de encontrar la ruta para retornar. Una profunda inquietud se apoderó de mí. Aquella resultaba una magnífica ocasión para que cumplieran conmigo, en el caso de que ya existiera, alguna sentencia mortal. Aunque estaba ubicado en el filo de la navaja, no le había hecho daño a nadie. Pero, ¿a quien podría interesarle vender el atentado contra un periodista extranjero cuando el gobierno de este país se esforzaba por mostrar un rostro amable fuera de los Balcanes?

Caminé, usando todo mi sentido de orientación, por las calles semioscuras y rebosantes de oficinas públicas con cientos de ventanas y cortinas a medio abrir. Apenas algunas luces tenues se escapaban al exterior. La austeridad tenía, desde luego, un aspecto más bien siniestro. Como pude, llegué al hotel de la doctora Aslan. Inquieto, con la boca seca por la angustia, llamé a la puerta de la alcoba de Miguel Ángel sin recibir respuesta. Primero pensé que dormía, luego tuve la seguridad de que no se hallaba allí cuando descubrí entre la rendija descubrí debajo de la puerta un mensaje de Demetrio: "Sus medicinas están en recepción. Saludos".

Extrañado, bajé de nuevo al lobby. Nadie le había visto salir. Pedí, entonces, un duplicado de la llave de su cuarto y con ella, en compañía del conserje, abrí la puerta. Todo estaba en orden aparente. Sobre la cama, el aparato fotográfico guardado en su estuche; y algunas tarjetas postales sin llenar sobre el buró. Apenas habían pasado unos minutos, después de las diez de la noche.

—No debe preocuparse —apuntó el empleado del lugar—. Seguramente salió a cenar por allí.

—Imposible. Nos dijo que se sentía bastante mal del estómago; por eso pidió las medicinas. Es muy extraño.

—Le sugiero esperar. A lo mejor se le pasó el malestar y decidió disfrutar la noche.

—¿Con este frío y solo? Algo debe haberle inquietado. ¿No preguntó por mí?

—No. Tampoco llamó por la red interna ni solicitó ningún servicio. ¿Tiene amigos en Bucarest?

—Sólo yo, desde luego. Y quienes nos han acompañado en estos días. Voy a telefonearles.

Localicé a Constantino, nuestro guía, en su casa. Y se sorprendió al escuchar el motivo:

—Lupo y yo fuimos a buscarles esta mañana y nos dijeron que habían decidido aceptar la invitación de la señora Vanesa Medina para visitar Brasov y el castillo del Conde Drácula.

—¿Quién le comunicó eso, Tino?

—Los recepcionistas. ¿Ustedes no nos dejaron el mensaje?

—No, Tino. Salimos precipitadamente casi en la madrugada. Un poco después de las seis y media. No transmitimos indicación alguna. Esto comienza a tomar un cariz que no me gusta nada.

—No pierda la calma, Julián. Todavía es temprano. A lo mejor Miguel Ángel tuvo algún un motivo para salir. Una dama quizá.

—Hemos estado juntos todo el tiempo y no ha hecho contacto con nadie.

—También hay mujeres en alquiler. Quizá por eso no quiso avisarle. Pero él me dijo que si se animaba a cortar una flor, por seguridad, lo haría a través de mí. Es posible que haya querido sentirse más a sus anchas.

—No es su forma de ser. En fin, vamos a dejar que pasen las horas y que aparezca Miguel Ángel. Gracias, Tino.

—Mañana a las ocho estaré por allí. Su avión sale a las diez y media. ¿Le parece?

Busqué a Vanesa y no respondió a mi llamada telefónica. A partir de ese momento hice lo mismo cada treinta minutos. A las tres de la mañana decidí avisar a la comisaría. El oficial de guardia solicitó el número de su pasaporte. Miguel Ángel no llevaba consigo el documento: lo había dejado en uno de los cajones del tocador y, por tanto, pude proporcionar el dato junto a su descripción y el motivo de nuestra estancia, incluyendo, claro, la entrevista con el presidente Ceausescu. Éste referente hizo reaccionar enseguida al policía.

—Nunca iniciamos una búsqueda hasta que transcurren tres días desde la supuesta desaparición —informó el agente—. Sin embargo, como se trata de un caso especial comenzaremos a rastrearlo en este momento.

Agradecí la buena voluntad. Fue hasta entonces cuando telefoneó Vanesa. Le expliqué y aparentemente se preocupó. Me dijo que la esperara unas horas y que por la mañana nos encontraríamos. También haría unas cuantas llamadas. Y agregó:

—Te sugiero que, por lo pronto, canceles tu vuelo. Es obvio que será muy difícil tener noticias sobre Miguel Ángel antes del mediodía.

Su precisión y evidente seguridad, me pusieron en alerta. ¿Qué tanto sabía ella?¿Me había distraído durante horas para que Miguel Ángel fuera interceptado?¿Por qué respondió con tardanza a mis telefonemas? Ella, desde luego, se movía como pez en el agua en los escenarios gubernamentales; y también entre la mafia. No parecía tener secretos ni abrigar temores. Si algo le había sucedido a mi colega ella tenía que estar al tanto.

Pasé la noche en vela sin que nadie más se comunicara conmigo. Por supuesto, reprimí la intención de telefonear a Ciudad Juárez. Los familiares de Miguel Ángel nada podrían aportar y sólo les daría motivos para angustiarse. Él tenía tres años de casado y su mujer, Magdalena, estaba embarazada de seis meses cuando iniciamos el viaje. Sus padres vivían en El Paso, Texas, la ciudad estadunidense vecina de la urbe mexicana. Tenían una pequeña imprenta sobre la ribera norteamericana del río Bravo.

Diez minutos antes de las ocho, llegaron Tino y Lupo. Éste con signos inequívocos de ansiedad; Tino, en cambio, parecía muy sereno. Ni siquiera preguntaron, más bien asumieron que Miguel Ángel seguía sin aparecer. En presencia del guía y el conductor, encaré a los empleados del hotel que les habían transmitido informes sobre nuestras actividades sin que yo les hubiera dicho media palabra. El administrador, nervioso y gesticulando, explicó que Demetrio les había proporcionado las indicaciones.

—¿Demetrio y no la señora Vanesa? —pregunté, incisivo—. De acuerdo con lo que ustedes dijeron fue ella quien les informó que saldríamos rumbo a Brasov por la mañana. Y Demetrio nos llevó a otro sitio... un paraje cercano.

—Ninguna señora habló con nosotros —aclaró el administrador—. Fue Demetrio, sin duda. A él lo conocemos muy bien porque está encargado de atender a los huéspedes distinguidos.

Volteé hacia Tino y Lupo. Muy serio, el primero intentó hilvanar una explicación:

—Tenemos prohibido intercambiar opiniones entre nosotros. Cada quien atiende a su grupo. Por eso no nos vio usted alternar con él.

Las piezas comenzaban a encajar. El gobierno y la mafia compartían sus enlaces, lo que suele llamarse logística, en una extraña combinación de intereses mutuos. Además no tenía duda alguna de que no eran ajenos al destino de Miguel Ángel. Igualmente estaba convencido de que sería difícil encontrar a mi colaborador con vida. Porque, resultaba evidente que, cada uno de los personajes a mi alrededor sólo representaba un papel y conocía el final de la trama. Y también los porqués.

Dejé de preguntar. Tomé la decisión de aguardar en el recibidor en demanda de una respuesta coherente. Le dije a Tino:

—No voy a moverme de aquí ni iré a ninguna parte. Dígales a sus jefes que me entreguen a Miguel Ángel de una vez por todas. El entramado que han montado es demasiado burdo.

—Le aseguro, Julián...

—¡No agregue una palabra más, Tino! Me salgo del juego. Sólo exijo ver a mi amigo. Y espero que esté vivo.

Vanesa apareció por la puerta giratoria de la entrada cerca de las once de la mañana, la hora en la que debía estar a bordo del avión de Lufthansa que me conduciría a Munich. Permanecí sentado ante su presencia y debí haberla mirado con infinita dureza. Ella no pudo sostenerme la mirada.

—Terminemos esto, Vanesa. De una vez por todas. ¿Cuál es el mensaje?¿Acaso que han tomado por prenda la vida de mi compañero para asegurarse de mi silencio? En ese caso también pueden disponer de mí.

—Es mejor que te calmes —pidió ella, condescendiente—. A ti no tiene que pasarte nada. Y lo de Miguel Ángel fue una desgracia.

—¿Una desgracia?¿De qué demonios me hablas?

—Creí que ya estabas informado. Miguel Ángel fue atropellado por una furgoneta en la tarde de ayer, a eso de las siete. El desgraciado accidente ocurrió a doscientos metros de aquí, al cruzar la avenida.

—¡Carajo! No soy un imbécil, Vanesa. ¿Pueden llevarme al hospital en donde está?

—No está en ninguno. Lo encontramos en la morgue. Lo siento mucho.

La frialdad con que se me comunicaban las tragedias, mientras todos los presentes eludían verme, y la celeridad con la cual querían poner el punto final, confirmaron mis sospechas. Habíamos caído en una trampa que parecía no tener salidas. Era el precio del reportaje sobre la mafia georgiana. Con el sello de la muerte.

—Julián, está todo dispuesto para que puedas volar a México, vía Frankfurt, a las seis de la tarde. Nos han dado todas las dispensas de ley para que puedas llevarte contigo... el cadáver.

—Menos mal que no me entregaron sus cenizas. ¡Cuánto interés tienen de que me vaya de una vez! Sólo contéstame una pregunta, Vanesa. ¿Por qué?

No perdió la compostura. Se volvió hacia un sujeto con aire de patibulario, a quien jamás había visto, y le pidió una bolsa con la documentación necesaria para abandonar el país con el cuerpo de Miguel Ángel. No habían transcurrido ni diez minutos desde la llegada de Vanesa al hotel.

—¿No es necesario siquiera que identifique el cadáver? —indagué casi por rutina.

—Ya podrás hacerlo en el aeropuerto. Hemos facilitado las cosas. Pero no hay duda de que es él. Demetrio ya lo vio.

Horas más tarde, en la plataforma del campo aéreo, por fin pude encontrarme con mi amigo... muerto dentro de un ataúd de madera. Me explicaron que lo introducirían enseguida en otro catafalco de metal, para así pasar la aduana alemana. Yo sólo me limitaba a asentir. Cuando, al fin, me indicaron que debía abordar la aeronave, sin otra compañía que el frío glacial de mi espíritu, observé acercarse a Tino con un sobre tamaño oficio en la mano.

—Tenga esto. No lo abra hasta que se sienta seguro. Es todo cuanto puedo hacer por usted. Lo siento mucho.

Ni siquiera me despedí de él. Guardé los documentos en mi portafolios y luego lo cerré con llave. Subí las escalerillas del avión con los ojos húmedos, impotente, vencido sin haber dado pelea alguna. Los equilibrios me habían alcanzado.

(El 17 de diciembre de 1989, once años después, Nicolae Ceausescu fue derrocado por una revuelta popular en la que incluso participó hasta su propia guardia personal. En juicio sumario se le condenó a muerte por alta corrupción y traición a la patria. Fue pasado por las armas, junto con su esposa Elena, el 25 de diciembre, precisamente la mañana de Navidad. Dicen que su sangre fue el mejor regalo para los rumanos en rebeldía. Pero yo sabía que el fiel de la balanza lo había tomado para sí).

V

Fronteras

Donde termina un mundo y comienza otro. Así definió la frontera El Sakro desde su visión de aventurero insaciable. Los auténticos límites no son los que fijan los afluentes naturales, como el del río Bravo, llamado Grande por los estadunidenses, sino aquellos que devienen de la asfixia social y los traumas históricos. Jamás entenderé a los ricos norteamericanos que edifican en El Paso sus residencias de lujo con balcones orientados hacia el sector paupérrimo de la urbe vecina, Ciudad Juárez. Tampoco entiendo a quienes cruzan los puentes, rumbo al norte, para vivir de rodillas a expensas del frenesí consumista.

Agonizaba noviembre de 1978 cuando el piloto de la aeronave, en cuyas entrañas llegaba a su tierra el cuerpo de Miguel Ángel Correa, anunció que aterrizaríamos a sus pasajeros vivos o en tránsito como solía bromear mi primo José Luis para subrayar que a bordo no se tiene control sobre la propia existencia sino que ésta depende del dominio de los tripulantes sobre la maquinaria que violenta a la naturaleza. Entonces recordé que el aeropuerto de Ciudad Juárez carecía –y treinta años después sigue careciendo– de radares. Para bajar en estas condiciones, "visualmente" como dicen los expertos, la pericia del capitán resulta esencial.

El procurador general de la República, el chihuahuense Óscar Flores Sánchez, ex gobernador de la entidad y un hombre de ideas claras y soluciones prácticas, cortado a la medida de los norteños con visión abierta, no hacía mucho me había revelado "off the record", esto es fuera del alcance de los micrófonos pero no del interés periodístico, un "curioso fenómeno", como él mismo lo calificó:

–En México hay dos espacios aéreos libres de controles: un triángulo que se extiende por la península de Yucatán hacia el mar y un corredor que se abre desde la frontera norte del país hacia una porción de Texas. No hay señales, como si se tratase de dos mangas de silencio. Y de eso, obviamente, se aprovechan las bandas delincuenciales.

El "corredor" se inicia, precisamente, en Ciudad Juárez. Se trata de un factor de enorme importancia para entender la permanente migración de facinerosos hacia esta región tantas veces hollada por la impudicia política. Miguel Ángel me lo había explicado así:

–Siempre nos han difamado como si los juarenses fuéramos herederos de la bíblica Sodoma, la ciudad pecadora. Pero nadie quiere investigar en dónde están las fuentes de ese desprestigio que tanto beneficia a los poderosos del "otro lado". Ni modo que en El Paso vivan sólo angelitos.

Llevaba conmigo el cadáver de mi colega, sin saber siquiera, lo cual me reventaba por dentro, cómo y por qué lo había perdido. Tenía plena conciencia de que nada hubiera resuelto permaneciendo en Rumania, y sí, en cambio, podría haber desaparecido en alguna cabaña de los Cárpatos sin dejar pista alguna sobre mi paradero. Sentía un profundo desgarramiento interior al cuestionarme, una y otra vez, si debía haber asumido ese riesgo para honrar la memoria de Miguel Ángel. Además, ahora tenía frente a mí el desafío de explicarles a su esposa y sus padres lo que había sucedido con él aquella tarde en Bucarest, cuando salí a caminar en compañia de Vanesa dejándole solo, con una ventana abierta hacia la muerte.

También traía en mi portafolios el sobre que Constantino, acaso en un incomprensible acto de contrición, puso en mis manos. El contenido era por demás extraño: un paño, color morado –los toreros dirían "nazareno" si se tratase de la seda que usan para sus trajes de luces–, y un escapulario de formas irregulares sobre el que estaba realzada la letra "S". Suponía, claro, que se trataba de símbolos de alguna hermandad religiosa, si bien desconocía tal inclinación devota de Miguel Ángel, quien siempre presumió de ser agnóstico.

Quizá Constantino, o sus jefes —pensé—, lo único que pretenden es despistarme. Pero también el fondo puede ser otro: que tales símbolos sean claves para indicarme la identidad y procedencia de sus asesinos. En todo caso, ¿cuál sería el propósito de Tino al entregarme el sobre? Durante las escasas horas en las que fungió como nuestro guía no hubo señal alguna de una posible amistad entre nosotros. ¡Cabrón, ni siquiera nos emborrachamos juntos!

Tampoco olvidaba el gesto de sorpresa de un sacerdote español cuando, en la sala de espera del aeropuerto de Frankfurt, saqué del envoltorio el paño y el escapulario. No dejó de mirarme, hasta que no pudo reprimir su ansiedad. Se me acercó con suma prudencia y en voz muy queda, susurró:

—¿Puedo ayudarle en algo, hermano?

Le respondí que no y él se alejó sin pronunciar ninguna otra palabra. Se persignó a lo lejos, acaso orando con recogimiento, como si tratara de despejar alguna energía negativa. Por supuesto, aquella reacción parecía confirmar mis suposiciones sobre las propiedades espirituales de sendos objetos, situados en la línea siempre delgada entre el bien y el mal, nunca absolutos.

Tocamos tierra. Desde la ventanilla distinguí los cerros que sirven de marco natural a las dos ciudades de la frontera, en donde todo termina y comienza. Quería lanzarme hacia los grandes espacios de libertad que se ofrecen a los visitantes sin temores atávicos. Correr sin parar y sin que nadie pudiera alcanzarme. Todo con tal de eludir los ojos de la viuda de Miguel Ángel, que simplemente, me preguntarían: ¿Por qué? No sería capaz de responderle nada.

Así fue. El lento descenso del féretro, el abrazo a los padres destrozados y la mirada encendida de Magdalena Zambrano, también periodista, quien por amor había entregado su vocación para unirse a las inquietudes de su esposo, sumándose a él incondicionalmente con el propósito de construir un destino común. El sueño de las parejas que no se detienen en las diferencias ni en las sinuosidades permanentes de las relaciones humanas. Ahora ya estaba sola y la explicación que buscaba sólo podía encontrarla en mí. Y yo no era capaz de decirle nada. Por eso ni siquiera sentí el fuerte puñetazo que estrelló contra mi pecho sin que pudiera abrir los labios. Después, sin lágrimas ni espasmos, fue a encontrarse con el catafalco en donde terminaban sus esperanzas.

Traté de aparentar serenidad pero estaba hondamente conmovido. Dejé que Magdalena se alejara y al voltear encontré a Tony Flores, a quien Miguel Ángel llamaba "mi socio", desde que conocí a ambos durante una cacería con los colegas de *El Diario* –no cobré uno solo de los conejos que conformaron nuestro botín nocturno. Veracruzano de origen, Tony había cambiado la brisa tropical del puerto por los vientos helados del desierto. Bajo de estatura, "chaparrito" como le nombran sus amigos, con buen estómago y un bigote que contrastaba con su media calvicie, socarrón y rebosante de ingenio, era el mejor compañero de juergas por los bares de la avenida Juárez, desde la que se miran los edificios de varios pisos de El Paso como si desde allá nos vigilaran los dueños del mundo.

–Perdámonos por allí –pidió Tony para que juntos pudiéramos mitigar la aflicción.

Y nos fuimos. Mi equipaje se había quedado en el aeropuerto de la ciudad de México y sólo llevaba conmigo el portafolios y una pequeña valija de mano. No rompimos el silencio hasta que, a la altura del centro penitenciario que con su apariencia siniestra da la bienvenida a los foráneos, volví a apretar la llaga:

–Dime una cosa, Tony. ¿Miguel Ángel pertenecía a alguna organización religiosa?¿Era diácono de alguna orden?

Tony dio un volantazo y se detuvo sobre la lateral de la avenida. Me observó, tratando de escudriñar mis intenciones, y preguntó:

–¿Tiene eso algo que ver con su muerte?

–Podría ser, Tony. No puedo asegurártelo. Mira esto.

Saqué el paño y el escapulario y se los mostré. Tony los palpó muy despacio. Yo contuve la respiración:

–¿Cómo llegaron a ti, Julián?¿Los llevaba Miguel Ángel consigo?

—Me los entregaron cuando estaba a punto de abordar el avión en Bucarest. Nuestro guía, Tino, me los dio. Bueno, además advirtió que sólo viera el contenido del sobre cuando estuviera en lugar seguro.

—¿No sabes de qué se trata?

—Por eso te estoy preguntando a ti, aunque por tu reacción deduzco que, en efecto, le pertenecían a Miguel Ángel.

—Y así es. Yo tengo unos muy parecidos. Sin la "S", claro. Te lo voy a decir de una vez, porque de todas maneras vas a averiguarlo. Son los emblemas de una hermandad religiosa, el Manto Sagrado. ¿Habías oído hablar de ella?

—Alguna vez, Tony. Pero en un contexto muy diferente, el de la política.

Dos años atrás, en la capital mexicana, supe de la existencia de una organización, muy poderosa e influyente, cuya finalidad era controlar la vida institucional del país y la de América Latina; tenía cierto paralelismo con la masonería aunque, más bien, parecía oponerse a ella. Entre sus miembros prevalecía la idea de que los masones dominaban, debajo de la mesa, las interrelaciones políticas de las que surgían los perentorios liderazgos nacionales. Y de allí, el propósito de interrumpir esta secuela ofreciendo una opción diferente, una especie de cofradía con "altos valores éticos" y una severa disciplina personal. La organización estaba formada por sabios financieros con importantes conexiones en Estados Unidos. Presuntamente uno de ellos, a quien se señalaba como el "gran maestro", se mantuvo desde 1952 hasta 1970, en los gabinetes presidenciales de México.

—Aciertas, Julián —confirmó Tony—. Miguel Ángel era uno de sus agentes en la frontera con una delicada misión: la de servir como puente. ¿Nunca te lo reveló?

Hasta entonces comprendí. Era el eslabón que faltaba para construir la verdadera historia. Por eso, claro, Miguel Ángel había podido organizar tan fácilmente el encuentro en la cabaña montañesa a las afueras de Bucarest. Y por la misma razón decidió dejarme solo con El Sakro mientras él, aparentemente, prefería dialogar con Demetrio, un segundón, dentro de una camioneta helada. Lo que sucedió después, incluyendo su final, debió ser resultado de un ajuste de cuentas todavía inexplicable para mí.

–Por favor, Julián –insistió Tony–. ¿Tiene esto relación con la muerte de Miguel Ángel?

Otra vez nuestras miradas se cruzaron. Tony no ocultaba un profundo agobio. Yo trataba de poner en orden mis pensamientos.

–Es muy posible, Tony. En lo personal creo que sí. La versión oficial del accidente sólo fue un montaje burdo. ¿Tiene sentido que lo atropellaran frente al hotel, en una avenida donde casi no circulan vehículos? Además, habría sido muy imprudente de su parte si hubiera atravesado. No tenía necesidad. Al otro lado no hay más que un parque enrejado. Si quería ir a cenar no tenía por qué cruzar, sólo para encontrarse con los árboles deshojados. Esto lo supe desde el primer momento. Pero no podía plantear mis argumentos y enfrentarme solo contra la estructura de un gobierno y contra la mafia.

–¿La mafia? Me estás poniendo nervioso.

–Pues vas a saberlo: él me condujo hacia el líder de los "Vor", los criminales georgianos que mandan en los sótanos de los gobiernos socialistas, detrás de la cortina de hierro; aunque también se están propagando en América para que lo sepas. Miguel Ángel no me dejó opción, cuando me di cuenta tenía frente a mí a un sujeto patibulario que hablaba como si fuera un monje. Toda una locura.

Tony encendió de nuevo la marcha de la camioneta y enfiló hacia su mansión, en El Paso. Teníamos que atravesar el puesto fronterizo que ese día, por la cercanía de las fiestas navideñas, estaba atestado. Sólo se mantenía libre el carril en sentido contrario, hacia México. Como siempre, se manifestaba el permanente contraste entre los privilegios de los poderosos norteamericanos, con derecho a acceder automáticamente a donde les plazca, y las limitaciones de sus pobres vecinos sometidos al rigor de los controles aduanales con su habituales humillaciones xenófobas. Luego de una hora de lenta circulación, ingresamos a Estados Unidos.

El hogar de Tony, en un barrio exclusivo y con vigilancia privada, era una clásica interpretación de lo que se denomina como "una casa de nuevo rico": arabescos recargados por doquier y una amplia escalinata, con piso de cerámica y balaustrada morisca, que conducía desde un semicírculo ajardinado hasta la entrada principal, rematada con una puerta de madera con tallas de ángeles y figuras femeninas mitológicas. Era una mala copia de algún antiguo palacio italiano. Además de su labor como "socio" y asesor de Miguel Ángel, Tony era propietario de una cadena de restaurantes mexicanos que comenzaba a florecer. En pocos años había abierto cinco expendios de comida rápida en los que la estrella era el "burrito", un enrollado de carne con tortilla de harina; sería pretencioso llamarle "taco", el antojito sabio.

Entramos a la museográfica estancia, en donde alternaban las cabezas de toros bravos, lidiados en la plaza juarense "Alberto Balderas", con algunas piezas de cacería, entre las cuales destacaban dos espléndidos venados "cola blanca", abundantes en la sierra de Chihuahua. Descendimos un nivel hasta llegar al bar, en el que botellas de tequila de diversas marcas hacían las veces de tendidos de un redondel. Ante mi asombro, giró la vitrina trasera, debajo de la plaza simulada con las botellas, dejando así libre el acceso hacia un recinto secreto, que jamás había visto a pesar de mis numerosas visitas. No pude contenerme:

—Pero, ¿qué es esto, Tony?¿Una capilla para celebrar misas negras?

Conocía algunos templos de la masonería, rectangulares y con una larga mesa central frente a otra, alargada, situada siempre en el fondo con manteles negros. La diferencia consistía en que los símbolos no eran los masónicos. En lugar del triángulo con el ojo escrutador del "supremo arquitecto" estaba la imagen de la palma de una mano con un orificio sangrante, como si hubiera sido aquella que fue traspasada por un clavo en la crucifixión de Jesús, sobre esta imagen podía observarse, resaltada, una letra "S" como la del paño de Miguel Ángel. Cuando recuperé el habla pedí a Tony que me explicara el significado:

–La "S" es el sello de lo sagrado sobre el manto que atesora la visión de la bondad del Salvador, también una "S"; y a través de su mano sangrante, otra "S". Sagrado, salvador, sangrante. Siempre una trilogía.

–Pero no veo íconos ni imágenes de santos y vírgenes por aquí, Tony. Ni la cruz ni el vía crucis, infaltables en las capillas católicas. Los signos son otros, incluso más cercanos a la concepción masónica.

Tony Flores, se dirigió entonces hacia el mueble circular en donde parecían confluir los signos y señales dispersos por el apretado templo. Y extrajo una libreta, forrada en cuero de manera artesanal, con diversos jeroglíficos en la portada.

–No me dirás que se trata de mensajes encriptados –sugerí.

–Para nada, Julián. Son sólo referencias sobre la historia de la organización que viene de muy atrás, aunque su origen es de fecha imprecisa. Bien sabes que la masonería se apropió del movimiento liberal en México cuya cúspide fue Benito Juárez. ¿Y quién debió combatirlo para zanjar los diferendos con el clero católico y conseguir sus propósitos de permanencia ilimitada en el poder?

–¿Te refieres al general Porfirio Díaz? De no haberse muerto Juárez, Díaz habría aparecido como el gran caudillo contra la reelección y a lo mejor sería recordado como demócrata y no como el dictador en que se transformó durante treinta y cinco años, desde 1876 hasta 1911. Nadie que ejerza el mando por más de dos o tres décadas puede dejar de sentirse indispensable considerando a sus súbditos como corderitos indefensos, incapaces de oponérsele.

Tony asintió. Señaló con el índice algunas líneas del texto que sostenía, sin permitirme consultarlo directamente, y resumió:

–Esta no es una cofradía religiosa sino una sociedad secreta en la que también han participado y participan sacerdotes católicos y, sobre todo, hombres de bien dispuestos a modificar el curso de los acontecimientos considerados como inexorables.

–¿Sacerdotes jesuitas, naturalmente?

–Entre otros, Julián. Y también algunas de las figuras claves que han determinado el curso de la historia. No sólo la de México, sino también la de Iberoamérica y la de la llamada "madre patria". Su influencia se prolonga a las naciones de origen latino, como Rumania por ejemplo, y se expande hacia las anglosajonas en donde, como bien sabes, la influencia hispánica es cada vez mayor. Sus vínculos y ramificaciones comienzan a expandirse en Estados Unidos.

–Tengo una duda muy seria, Tony. ¿Si Miguel Ángel era uno de sus miembros importantes, por qué nadie ha reaccionado tras su muerte? Estamos solos, tú y yo, velando a nuestro amigo a distancia.

–Hay una norma esencial en nuestra organización: la estructura está formada por seres vivos. Y esto significa que los muertos se volatizan, desaparecen del entorno. No se ubican sus tumbas ni se les reverencia. Se considera que así se preserva la esencia del grupo: el secreto. Aunque, desde luego, hay algunas figuras cuya trascendencia es imposible disimular.

–¿Cómo la de don Porfirio, por ejemplo?

–Y las de los "científicos" que armaron y desarrollaron al porfirismo haciéndolo no sólo viable sino también resguardando la estabilidad del país. No te olvides que jamás hubo etapa más constructiva que ésa, aunque se le repudie en las versiones oficiales de la historia.

–No seré yo, Tony, y me conoces de sobra, quien haga un panegírico de la dictadura. Es el mismo argumento fariseo: el progreso material a trueque de la opresión de las conciencias. O lo que es igual: la libertad en prenda por la tranquilidad que es hija de "la paz de los sepulcros", como solía decirse en aquella época para justificar los crímenes contra cuantos sobraban en el esquema. En los panteones la disidencia no tiene voz pero, a veces, estorba. Para eso sirven las revisiones históricas.

Tony negó con la cabeza pero eludió debatir. Nuestros espíritus estaban francamente cansados, agobiados. Sí, como había sentenciado Vanesa días antes, "el alma también enferma". Las heridas espirituales, a diferencia de las físicas, suelen ser imperceptibles para el ojo humano y, por lo tanto, se desdeñan con la frivolidad habitual de cuantos carecen de vida interior; pero calan profundamente y no pocas veces dejan secuelas imposibles de borrar. El desamor, por ejemplo, puede olvidarse en apariencia pero siempre queda la herida, el resquemor. Las afrentas que marcan, las muertes que nos dejan vacíos y el peso de las injusticias no pueden sobrellevarse sino con las reivindicaciones, esto es con la justicia plena rara vez alcanzada.

Aquella tarde, de vientos fríos y cielo entoldado, el dolor nos mordía por dentro. El sepelio de Miguel Ángel fue discreto. Sólo su familia directa y unos cuantos amigos cultivados al calor del matrimonio y en el trato social. Los otros, sus camaradas de verdad, no aparecieron. Al oído le comenté a Tony:

—Quienes no vinieron han claudicado con la muerte de Miguel Ángel. Y con ello, digo, su secreto no está a salvo: no quieren comprometerse.

Tony alzó las cejas y selló los labios con el índice. Aquella, por supuesto, era una conversación peligrosa y acaso inconveniente. Magdalena, la viuda, nos observaba de reojo. Quizá nos acusaba.

—¿Ella sabía, Tony?

—No. Pero sí creo que sospechaba algo. Las mujeres siempre descubren los rastros de cuanto pretendemos alejar de ellas, cuando aman de verdad. Y Magdalena adoraba a su esposo.

—¿Habrá algo que podamos hacer por su familia?

—No te preocupes. Yo estaré pendiente.

—¿A cambio de ocupar el lugar de Miguel Ángel en la organización?

Tony viró la cabeza y la sacudió con fuerza. Luego se mesó los cabellos en un gesto de enfado evidente. Nada me dijo pero ni siquiera aguardó hasta el final de la ceremonia. Sencillamente se desprendió del abigarrado grupo y salió del camposanto. No se despidió. Dejó un vehículo con conductor para que me llevara al aeropuerto. Opté por llamar un taxi. Otra vez, el frío flagelante de la soledad. Antes de marcharme miré hacia las tumbas cubiertas por la maleza. Sólo algunas tenían flores: las de quienes habían partido en el transcurso del año que comenzaba a apagarse; las demás comenzaban a impregnarse con la pátina gris del olvido. Estremecido, dejé Ciudad Juárez. Ya volvería.

De regreso a la capital mexicana no me detuve a descansar. Ávido, dejé sobre la sala de mi departamento maletas y documentos, incluyendo la grabadora con la cinta de la entrevista a Ceausescu, transcrita antes de la tragedia de Miguel Ángel, y consulté una de las biografías de Porfirio Díaz que tenía en mi despacho. Quería encontrar algunos nombres clave y me detuve en dos de ellos: José Yves Limantour Marquet, quien encabezó a los "científicos" del porfiriato, y Luis Terrazas Fuentes, el mayor latifundista de todos los tiempos y a quien se suponía dueño "de la mitad de Chihuahua". Sin ellos sería imposible hilvanar y entender la historia de aquellos tiempos, entre turbulencias espaciadas por siete lustros de "estabilidad".

"José Yves –recogí en uno de aquellos textos–, fue hijo de Joseph Limantour, capitán de una coleta de Bretaña, Francia, y de Adela Marquet, nacida en Burdeos".

Dicho origen explicaba el florecimiento en México del art noveau durante el lapso que precedió a la irrupción revolucionaria de 1910. Grandes avenidas, al estilo de los parisinos Campos Elíseos, edificios glamorosos, obeliscos y monumentos estilizados y, sobre todo, el refinamiento social dentro de una cerrada élite de privilegiados, contrastante con la burda pobreza del pueblo.

José Yves, abogado de profesión, si bien con el tiempo se convirtió en especialista en temas económicos, fue heredero de una de las mayores fortunas de aquellos tiempos. Los suyos la labraron gracias a la redituable venta de armas, mismas que pertrecharon a quienes se levantaron contra Juárez tras la promulgación del Plan de la Noria en 1871, y después para combatir a Sebastián Lerdo de Tejada bajo las banderas del Plan de Tuxtepec que terminó por derrocar a este mandatario. Sendos movimientos fueron encabezados por el general Díaz. Pero no sólo el comercio bélico contribuyó a acrecentar la fortuna de esta familia afrancesada. También hizo mucho dinero con la especulación de tierras en la norteña Baja California y de inmuebles en la ciudad de México en aprovechando sin ninguna ética la desamortización de los bienes del clero que las Leyes de Reforma, bajo los auspicios del señor Juárez, había traslado al Estado. O sea que, los Limantour siempre procedieron sin cohesión ideológica y al amparo de su enorme capacidad para el agio.

Otra vez una trilogía: especulación, armas y, por consiguiente, poder. La fórmula usada por Limantour fue la de medrar con la sangre de los demás y luego presentarse como redentor financiero, ungido para aplacar las turbulencias. ¿No es ésta una suprema lección política?

Intuí que para los miembros del Manto Sagrado, los pilares de su doctrina no necesariamente derivaban de los preceptos de la fe cristiana. Lo "sagrado" significaría la glorificación del concepto de patria, vista ésta como la amalgama que surge de la raza y no de las porciones territoriales limitadas por las mojoneras. Y el "salvador", que ensalza la figura del supremo redentor, podría cernirse a la fuerza de un guía más tangible, humano, pero siempre perentorio. Quedaría la acepción de "sangrante" que se explicaría por el imperativo de utilizar las ejecuciones de los perversos predadores que combaten siempre a la clase superior con el fin de preservar lo esencial: la amalgama social y política. Tal filosofía encajaba, a través de su visión de la realidad, en la entronización de la clase financiera dentro del poder político.

Si Limantour fue el eje de aquella doctrina por la cual resultó imperativo sostener un régimen autocrático, anulando a la oposición liberal, Terrazas, en sus extensas heredades del norte de México, se presentó como el gran ejecutor que demostró las bondades del acaparamiento de tierras para hacerlas rendir sin acentos sociales demagógicos. Esto es, los réditos, cada vez más generosos, como privilegios del orden merced al sometimiento de los trabajadores, desde campesinos hasta obreros de las minas de plata, y a la rendición de los golpistas en potencia bajo la férula de una sola voluntad central.

En este momento de la reflexión, por supuesto, pude conectar dos escenarios claves: la "bella época" de don Porfirio, durante la cual sólo los "científicos" pensaban en política y armaban los cuadros gobernantes, y el largo período, extendido a varias décadas de continuismo inagotable, marcado por la preeminencia de un solo partido, el Revolucionario Institucional (PRI), que se arrogó las incendiarias proclamas sociales de "la bola", como la nombraban los revolucionarios, únicamente para falsificar su vigencia al tenor de una simulación sostenida por la ignorancia general.

Las autocracias se tocan como los extremos. Y la paradoja histórica de México también confluye hacia los claroscuros radicales: la sacudida revolucionaria no modificó la esencia del sistema: el hilo conductor del presidencialismo auspiciado, detrás de bambalinas, por una poderosa red secreta y por tanto invisible, integrada por financieros calculadores y fríos, religiosos convencidos de que la redención comienza en la Tierra —sin apegarse a la frustrante teoría de la resignación—, y políticos hábiles dispuestos a cumplimentar al grupo con tal de no dejar el poder. El Manto Sagrado. Sí, comprendí.

No dormí esa noche. Una más. Repasé, una y otra vez, las aportaciones de Limantour durante el periodo autocrático de Díaz. Para integrarse al aparato estatal, José Yves debió dejar la Unión Liberal, baluarte de don Justo Sierra, uno de los mayores pensadores mexicanos, para aceptar, en 1892, cumplido su medio siglo de edad, la oficialía mayor de Hacienda. Un año más tarde fue instalado como ministro del ramo y de allí no se movió hasta el triunfo del movimiento emancipador de Madero en 1911. Durante su gestión, suprimió las alcabalas, consiguió un equilibrio sólido sobre los estragos heredados por los enfrentamientos del siglo anterior, impulsó una reforma monetaria que dio firmeza al peso y consolidó el sistema bancario. Con todo ello, además, disolvió los funestos antecedentes económicos, como la convulsa moratoria de pagos decretada por Juárez, hasta convertir al gobierno de México en sujeto de "buen crédito internacional". Sin embargo, a consecuencia de su administración, el país volvió a endeudarse, asegurando así la vigencia y preeminencia de los acreedores internacionales, reyes de la especulación.

Sin Limantour y la mano firme del general Díaz, quien siempre lo avaló, no sería posible explicar las más de tres décadas de "paz social", con los adversarios silenciados dentro de sus catafalcos, en una nación plena de desigualdades, asimetrías, injusticias y rebeldías. El Manto Sagrado, sin duda, fue la primera y mayor cortina de humo con la que se simuló abundancia, que en realidad era sólo la de un pequeño grupúsculo de intocables, de amalgama secreta pero descarado en su opulencia, siempre a costa de ocultar las miserias generales.

"Hasta en el exilio Yves fue fiel al viejo tirano", reflexioné. Pero antes negoció con los revolucionarios la transición e instaló en la presidencia interina a alguien que fue casi su hermano, Francisco León de la Barra. No hubo convulsiones sino un sedeño reacomodo de fuerzas al impulso del maderismo triunfante. Sin duda, Limantour era el hilo conductor.

Durante la mañana caminé por las calles de la ciudad de México. Quise detenerme en el bosque de Chapultepec, pulmón privilegiado de la urbe. La soberbia presidencial arrebató parte de este patrimonio a los mexicanos para erigir la mansión oficial de Los Pinos, estrenada en la década de los treinta por el visionario general Lázaro Cárdenas, de formación socialista. Contradicciones permanentes. Luego encaminé mis pasos hacia la bella zona residencial que engalana a la metrópoli a partir del Paseo de la Reforma, con aires afrancesados, convertido en una especie de Nilo de la abundancia en su cauce hacia el norte.

Bordeando Polanco, la colonia fundada por los judíos prósperos —¿habrá entre éstos quien no lo sea?— y en donde algunos célebres personajes armaron al gusto sus vistosos aparadores para exhibir estatuas y fortunas, me detuve en la calle de Hegel, frente al número 610. La sólida puerta de madera labrada, protegida por otra de hierro forjado, simboliza la importancia de la dueña del predio, María Félix, la musa eterna de los mexicanos, quien se convirtió, andado el tiempo, en un apéndice de su propia interpretación de Doña Bárbara, el personaje de Rómulo Gallegos que deífica a la mujer con carácter en el paraíso de los hombres con pantalones a media asta. (Con este mismo referente, lustros adelante, la escritora Margarita Michelena dibujó a los políticos avasallados a los pies del monarca sexenal en las antesalas de las crisis devastadoras).

Cuando Manolo Martínez, figura señera de la tauromaquia mexicana, conoció a la "Doña", ante su talante impertinente y su acento estudiadamente prosaico, impregnado de gracejos parisinos, sólo pudo exclamar:

"Me gusta porque es una vieja chingona" –o sea por su capacidad para dominar a los hombres que se le rendían.

Y no faltó el grito popular, en una tarde aciaga de Manolo en la Plaza México, que puso énfasis a la condición poligámica de la artista:

"María, María... ¡regálale uno de tu ganadería!"

Que también los mancebos son cornudos. Faltaba más. Su casa de Polanco la retrata. Es como si ella estuviera siempre asomada a la ventana superior, encima del acceso principal, por delante de las cortinas de satén que confieren al ámbito, por dentro y por fuera, inyecciones de erotismo y misterio. Si María Félix muriera aquí, especulé viendo la residencia, habría que dejarla en su cama convertida en túmulo como prolongación de su propia esencia.

El verdadero valor de aquella propiedad, repleta de nichos cinematográficos, no era el vigente en esta zona elitista, ni tampoco se podía calcular por sus dimensiones, no más de ochocientos metros cuadrados de construcción. Dijéramos que la plusvalía era intrínseca a su cercanía con otra residencia, ubicada sólo al doblar la esquina, sobre una calle con reminiscencias de zarzuela, "Tres Picos". Colindante con algunas sedes diplomáticas de no mal ver, y marcada con el número 10, como si fuera la quilla de un barco insumergible orientado hacia donde inicia el Chapultepec ya urbanizado, el hogar de don Antonio Ortiz Mena, presidente del Banco Interamericano de Desarrollo, cargo que alcanzó en 1971, siempre presentaba un aspecto de romería. Quienes sabían de las pirámides del poder lo calificaban como el gran gurú –¿por qué no el "gran maestro"?– de la abigarrada clase financiera. Y él, por supuesto, ni siquiera se había tomado la molestia de aclararlo.

Un pasillo indiscreto entre la diva y el genio, quien fue capaz de construir el llamado "desarrollo estabilizador", el salvavidas mexicano durante las primeras décadas de la guerra fría. Y también la frontera entre la abundancia y las carencias extremas, los parabienes cortesanos y los espejismos que sueñan los pobres. Subsistir en el linde siempre será emocionante.

Aquella mañana de diciembre, fresca, bajo un agradable sol de primavera –así suelen ser las estaciones en el centro del país, en donde poco se conocen las temperaturas extremas–, la mansión de Ortiz Mena parecía un faro a donde acudían, a desembarcar, algunos prominentes empresarios, encabezados por don Juan Sánchez Navarro, quien, a sus sesenta y cinco años de edad, convocaba la admiración hasta de sus adversarios ideológicos por su tenacidad en pro del sector privado y contra cualquier intento de intervención estatal en la economía; y también, casi de reojo, observé arribar al padre Domingo Cañadillas, de la Compañía de Jesús, una de las estrellas entre los jóvenes parroquianos que acudían a la iglesia de El Altillo, y a quien conocí precisamente allí, cuando acudía a los ritos dominicales para expiar mis agobios internos. Una terapia, por cierto, no siempre afortunada en el contexto de los fervorines de contenido social volcados hacia audiencias de clase superior dispuestas a ganarse el cielo con sus limosnas. Alguna vez encontré por allí a un político que se persignaba ostensiblemente para sentirse "bueno", en una época en que dilapidaba el dinero público bajo su control.

De pronto reparé en una coincidencia notable. Si en el pasado, el abogado y economista Limantour unió sus empeños con el terrateniente de mayores alances de la era porfiriana, don Luis Terrazas, constituyendo, detrás de bambalinas, el poder detrás de la silla presidencial, ¿no resultaba igualmente significativo el encuentro entre Ortiz Mena, quien llegó a la función pública como abogado del Departamento del Distrito Federal para luego hacerse de la rectoría económica del país, y Sánchez Navarro, proveniente de una familia que acaparó, durante el imperio de facto de Maximiliano, nada menos que siete y medio millones de hectáreas a lo largo de tres entidades norteñas, Coahuila, Nuevo León y Chihuahua, el gran filón de los latifundistas?

De Sánchez Navarro se decía que era un aventurero sin fronteras ni temores. De horizontes abiertos bajo la premisa de hacer rendir la enorme fortuna heredada y acrecentada por su especial talento para avizorar los mercados a futuro. Fue fundador del Consejo Coordinador Empresarial, un valladar contra el populismo mesiánico que privilegiaba a la figura central por encima de los factores financieros claves; además, en pleno desarrollo a través de la zigzagueante década de los setenta, don Juan se erigió en el "gran tlatoani", así se nombraba al supremo sacerdote entre los aztecas, de quienes querían apartarse de los señuelos de la demagogia oficial para concentrarse, exclusivamente, en los rendimientos.

Sánchez Navarro también fue fundador del Partido Acción Nacional, en 1939, al lado de dos figuras prominentes de la derecha acomodaticia, el jalisciense Efraín González Luna, proclive a la teoría del "humanismo político", y el chihuahuense Manuel Gómez Morín —otra vez el sello distintivo del origen—, quien dudó en su juventud, según él mismo escribió, entre dedicarse "a ser rico navegante en los negocios con bandera de pendejo" o lanzarse, nada menos, que a ser "profeta de un nuevo mundo alumbrado por el sol de la República Federal Socialista de los Soviets". Sin fronteras, por supuesto, entre la derecha y la izquierda —incluso fue auxiliar del general Salvador Alvarado, socialista, cuando éste desempeñó las labores de secretario de Hacienda en los años veinte—, porque, en todo caso, los extremos, también en política, se atraen y se tocan. Confirmación plena.

Por cierto, Ortiz Mena nació en Parral, Chihuahua, por supuesto, en abril de 1907. Y llegó a la cúspide del poder durante los estertores de la II Guerra Mundial. Mientras duró el conflicto, él fue responsable de la Dirección de Servicios de Nacionalización de la Propiedad evitando las grietas que podrían generar las ondas bélicas expansivas. Y luego dirigió al Instituto Mexicano del Seguro Social, entre 1952 y 1958, para anclar en la Secretaría de Hacienda, como titular insustituible hasta 1970. Doce años justos. Limantour ocupó el mismo cargo durante dieciocho años antes de partir al exilio en 1911. Ortiz Mena, en cambio, saltó a la presidencia del BID, como segundo en ocupar tal cargo luego de la fundación del organismo, para asegurar la correcta dirección de las finanzas ya no sólo de México sino de América Latina en su conjunto.

Son demasiadas coincidencias. La ideología de los ambiciosos no tiene fronteras. Recordemos un pasaje fundamental. Maximiliano de Habsburgo, masón, sorprendió a los conservadores que le ofrecieron el fantasmagórico "trono" de México en Miramar, al expresarse y actuar como un liberal convencido, incluso negándose a abolir las reformas de Juárez, también masón, en lo referente a la estatización de los "bienes de manos muertas", es decir los del clero. Durante el lapso imperial, sin embargo, don Carlos Sánchez Navarro y Berain, bisabuelo de don Juan, extendió sus heredades de manera escandalosa —sólo lo superaría, años después, Terrazas Fuentes—, como canonjía por haber promovido la enajenada aventura que permitió a Maximiliano saquear las arcas nacionales y pagar sus deudas privadas, negando así su torturada conciencia social. Y Juárez expropió a Sánchez Navarro, quien a pesar de ello pudo mantener sus privilegios. Cuatro años después de la muerte de don Benito, la revuelta encabezada por el general Díaz, misma que descabezó al vulnerado régimen de Lerdo de Tejada, rehabilitó a los grandes latifundistas que se cobraron las afrentas. Detrás de ellos, Limantour y los científicos.

El Manto Sagrado, digamos las arterias del verdadero poder, el que asegura los vasos comunicantes en la frontera misma entre el bien y el mal. Quienes viven en las urbes mexicanas que limitan con los Estados Unidos, Ciudad Juárez entre ellas, sostienen que su privilegio es disfrutar lo mejor de dos culturas y dos maneras de sentir, pensar y existir. Igualmente cuantos se sitúan en el linde entre la moral, el bien, y la ausencia de escrúpulos, el mal, entran y salen de cada entorno para nutrirse de aquello que les conviene: el altruismo medido, por una parte, y la ejecución de los "males

136

necesarios", con inclusión de vendettas terribles, por la otra. Son buenos pero tienen que ser malos... a veces.

Las fronteras no siempre limitan; a veces sirven para poner un pie sobre cada uno de los territorios que se funden. Los físicos y los espirituales. La frontera entre el amor y el odio suele romperse al calor de las pasiones; la que se erige para delimitar la paz y la guerra cae, sin remedio, bajo las andanadas de los intereses financieros y políticos; y la que se alza para separar a la ignorancia del conocimiento resulta útil, como un enorme muro de Berlín intangible pero omnipresente, cuando la desinformación induce a los gobiernos a manipular a los ingenuos y a los cobardes.

Vi llegar a los poderosos a la casa de don Antonio. Y no quise aproximarme. Habría sido inútil pretender meter las narices en el pastel de la abundancia sabiamente repartido entre los influyentes. Los de ayer y los de hoy. Opté por darle cohesión a mis pensamientos, todavía bajo el peso de la fatalidad que había padecido en Bucarest.

Por la tarde, me animé a buscar en El Altillo al padre Cañadillas. No le encontré pero le dejé mis datos. Un atento diácono me aseguró que el presbítero devolvería la llamada. Así lo hizo. Y quedamos en encontrarnos dos días después, el viernes primero de mes, aunque debía ser en la tarde, puesto que en la mañana el tenía que llevar la comunión a varios dilectos miembros de la sociedad, que como muchos otros devotos tienen la arraigada costumbre de extender a ese día lo que se practica en la Cuaresma: comulgar y abstenerse de comer carne roja, aunque pueden devorarse langostas.

Llegué puntual a la cita; él no. Apareció media hora más tarde de lo acordado. Durante la espera no me quedó ningún rincón por explorar en el apretado cubículo del jesuita. Destacaban dos fotografías, una en Roma con Juan Pablo II, recién consagrado Papa y otra con el presidente José López Portillo su la madre, doña Refugio, en el quicio de la capilla de Los Pinos. El mandatario no reconocía profesar la fe católica pero solía acompañar a "doña Cuquita" a misa en ciertas ocasiones, siempre y cuando todo fuera discreto, sin testigos de por medio, con evidentes acentos fariseos.

El sacerdote, con una Biblia en la mano, me saludó familiarmente, aunque yo no acudía al templo hacía varios años, pero sin cortesías excesivas, más bien parco y con cierta impaciencia. Estaría cansado tal vez del ir y venir por las congestionadas calles de la capital.

—Le vi en casa de don Antonio, padre —le informé sin concederle respiro.

—¿Estuvo usted en el desayuno? No le recuerdo. Además no se invita nunca a periodistas.

—Más bien le observé a media distancia. Yo pasaba por allí por casualidad. Y, la verdad, me llamó mucho la atención...

—Por favor —interrumpió—, ¡no empecemos con especulaciones! Luego la imaginación febril acaba por convertirse en versión periodística.

—La percepción que tiene de nuestro trabajo no es buena, padre —repliqué

—Lo que pasa es que ya tengo muchos años de vuelo y pocas veces falla la regla.

Callé, sin conceder, para aliviar la presión de la esgrima verbal. Él se reclinó ante una imagen de Jesús resucitado y después, parsimonioso, ocupó su lugar detrás del austero escritorio en el que sobresalía una hermosa cruz de coral negro.

—Padre —continué—, ¿alguna vez ha oido hablar del Manto Sagrado?

El sacerdote se levantó como si hubiera percibido la presencia de un espíritu chocarrero, indeseable. Giró sobre sus plantas, dándome la espalda, y juntó las manos como si quisiera iniciar una oración. Después, dio media vuelta y me miró de perfil, forzando la vista para subrayar su malestar:

—¿A qué viene esto, Julián? Primero me dice que me vio en casa de don Antonio y ahora me sale con que quiere saber del Manto Sagrado.

—¿Tiene que ver una cosa con la otra, padre?

—Mire usted, lo que ha dicho es casi una blasfemia, una injuria contra todo lo que es divino y entrañable. ¿El Manto Sagrado? Del único que puedo dar fe, es del de Jesucristo, nuestro Señor. Después de la Crucifixión, los centuriones se lo jugaron a la suerte, y esta. fue una fechoría bastante menor comparada con lo habían hecho.

Dejé pasar unos segundos. Simulé que tomaba mi libreta para hacer apuntes y el religioso se sobresaltó:

—No le estoy concediendo una entrevista, Julián. Es una plática entre amigos, nada más.

Guardé pluma y libreta en el bolsillo de la chaqueta y respiré hondo, con cierto aire de fastidio para incomodar al padre Cañadillas.

—Espero que no se lo tome a mal —solicitó—. Pero usted comprenderá que no siempre estamos a disposición de la prensa. No somos políticos. Además, usted sabe que en enero próximo el nuevo Papa vendrá a México y eso nos tiene a todos muy ocupados.

—La lealtad proverbial de los Jesuitas al Santo Padre, ¿no es así?

—Por supuesto. Recuerde que, desde nuestra consagración, ofrendamos un voto especial de fidelidad respecto a la investidura del Sumo Pontífice. Somos soldados de su palabra infalible.

Miró hacia la imagen del polaco Wojtyla, recién ascendido al "trono de San Pedro", y sentenció:

—Es un hombre fuerte y enérgico. Va a durarnos muchos años. La Iglesia necesita estabilizarse. Figúrese, en este 1978 hemos tenido tres Papas: Paulo VI, Juan Pablo I, de reinado efímero, y Juan Pablo II. Un año que será difícil de olvidar.

—Pero, finalmente, superado. Desde luego, en este sentido, es más eficiente la autocracia del papado que cualquier sistema democrático.

Lo dije, con toda intención. Los rumores acerca de una presunta conjura contra el antecesor de Wojtila, el Papa Albino Luciani, el de la sonrisa, no se extinguían aún, a pesar de los empeños por silenciarlos en demanda de respeto. Sobre todo porque los malos manejos del Banco Ambrosiano y el descontrol de los asesores financieros del Sumo Pontífice, comenzaban a trascender con la consiguiente merma del prestigio de la institución beatífica, que ahora se presentaba como moralmente incuestionable.

–No hay parangón posible –argumentó el padre Cañadillas–. En la Iglesia el voto que cuenta es el de Dios. También a la hora de elegir al Papa en un Cónclave en el que se demanda la inspiración del Espíritu Santo.

No quería extenderme en una polémica que no se resolvería con la voz de un jesuita leal a la autoridad del Obispo de Roma. El sacerdote parecía más relajado al percibir que nos estábamos alejando de la controversia inicial. Y volvió a sobresaltarse cuando insistí:

–Entonces, padre, ¿no hay ningún indicio sobre una organización, digamos una especie de hermandad, inspirada para contrarrestar la fuerza política de la masonería, que convoca a personajes poderosos capaces de imponer destinos globales y vencer todo tipo de resistencias?

El jesuita, de largo andar a través del debate, meneó la cabeza y enseguida la recargó entre sus manos con la expresión de una presa de cacería al descubierto. El tema le incomodaba mucho más de lo tolerable. Y no podía ocultarlo. Inició una última oposición al tema:

–La Iglesia, Julián, no requiere de asociaciones que funcionen en los sótanos. Está a la vista porque sus objetivos son claros. ¿Por qué tendríamos que participar en algo así?

–No he afirmado eso... todavía. Le expuse que tenía conocimiento sobre la integración soterrada de diversos personajes de relieve, sobre todo especialistas en economía, dispuestos a enfrentarse a los mesianismos que devienen de la política populista y del fanatismo anticlerical. No es una acusación contra la Iglesia.

–Y si así fuera, ¿sería reprobable? –concedió, al fin–. Porque me parece legítimo salir en defensa de los valores sustantivos frente a quienes pretenden ser dioses terrenales.

–¿No se sienten lo mismo aquellos que, desde la otra orilla deciden el destino de los demás como si fueran sus entenados?

El sacerdote golpeó el escritorio. Me dio la impresión de que quería escapar de esta controversia pero, al mismo tiempo, anclaba en ella porque sentía la necesidad de justificarse.

–Quizás sea una cuestión de equilibrios –enfatizó.

Reí. Y el padre Cañadillas se sorprendió de mi reacción. Debí parecerle impertinente y necio.

—Un jesuita español, el padre Álvaro Bueno, llegó a una conclusión parecida cuando charlamos acerca de los reacomodos de los grupos dominantes que no se detienen en la violencia. Un equilibrio entre el bien y el mal, pero sin que pudiéramos definir quien era el fiel de la balanza.

—Y según usted, Julián, ese papel lo desempeña esa congregación, el tal Manto Sagrado. ¿No es así?

—En cierta medida, porque no siempre gana... pero lo hace con frecuencia.

—De acuerdo con su teoría, ¿cuándo perdió?

—Con Juárez, en el siglo pasado, y con el general Lázaro Cárdenas en la década de los treinta. También cuando se alzó victoriosa la Segunda República en España que, entre otras cosas, consideró ilegal y persiguió a la Compañía de Jesús.

—Eso es cosa del pasado. Pruebas superadas.

—Entonces, padre, los vasos comunicantes existen.

—No debo decirle más... pero es posible. No quiero ni voy a mentirle. ¿Podríamos continuar en otra ocasión?

El padre Cañadillas se levantó y extendió los brazos para despedirse con una calidez que no tuvo su saludo inicial. Cariñosamente, diría. Y me dio, al fin, una última recomendación:

—No deje que le usen ni que le enfermen la mente. Utilice la fuerza de la expresión para hacer el bien.

Desde luego, no me atreví a replicarle anteponiendo mis dudas sobre lo que entendemos por el bien y por el mal, ya que las perspectivas mudan, y esta es una verdad incontrovertible, de acuerdo con las tendencias de cada época. ¿O acaso, en su tiempo, Jesucristo no fue considerado como un personaje profundamente subversivo? Por supuesto, no le condenaron a ser crucificado por bueno sino por pernicioso. La decisión del Sanedrín se ajustó a la visión del poder, acaso equivocada desde el análisis actual pero vigente durante el imperio romano. Y así cada uno de los episodios de la contrastante historia universal.

Siempre la frontera entre derecha e izquierda, liberales y conservadores, monárquicos y republicanos, federalistas y centralistas. Unos y otros se imponen por ciclos que suponemos dependen de nosotros mismos o de las mutaciones permanentes del espíritu colectivo, siempre tan voluble y veleidoso, sin que podamos precisar quienes mueven los hilos para que los comunes mortales dancemos en el escenario de la realidad. Y también la frontera se alza y extiende también entre la productividad generadora de riqueza colectiva y la especulación que sólo premia a los dueños de los capitales y sus herederos. Una delgada línea que delimita la verdad y la mentira en un permanente diferendo para situar a una y otra.

En fin, no dejé de viajar a la frontera, –la física– entre México y Estados Unidos, en busca de otros lindes, los que establece la sed de conquista frente a la opresión de los conquistados; aunque a veces éstos se toman venganzas, por ejemplo las emigraciones, originadas en el hambre y la urgencia de buscar oportunidades, que ya trastocan las circunstancias políticas en la nación más poderosa de todos los tiempos para desgracia de los racistas, quienes se refugian en su entorno porque sólo así pueden sentirse superiores. Las mojoneras también se instalan en la conciencia y se convierten en desafíos para todos los que quieren superarlas en demanda de libertad y justicia.

Casi dos décadas después, en 1995, Ciudad Juárez enfrentaba otros conflictos con un origen común. Además de las maquiladoras que fomentaron la mano de obra femenina, estaba en auge el flagelo del narcotráfico concentrado en el cártel que tomó el nombre de la urbe, al mismo tiempo que el aire se enrarecía con la presencia de los aviones cargados de drogas en un espacio sin controles. Por algo, claro, emergió el Señor de los Cielos, Amado Carrillo Fuentes, quien había llegado de Sinaloa para arraigarse en la ciudad fronteriza.

Y, por si fuera poco desde 1993 inició igualmente el registro ominoso de los asesinatos de género y las desapariciones convertidas en grandes parapetos dispuestos para distender las presiones contra las bandas delincuenciales y centrar la atención en las mil y una versiones sobre asesinos en serie e imitadores bajo un espectro en donde los roles familiares cambiaron: las mujeres proveían, empleándose en la industria floreciente, y los hombres se acostumbraban a ser mantenidos.

Hacía ya muchos años de mi último encuentro con Tony Flores, "el socio", y de aquélla amarga jornada en que deposité el cadáver de Miguel Ángel Correa en las manos de Magdalena, su viuda. Sentía que a ella aún le debía una explicación. La busqué y la encontré. Vivía en El Paso, en una espléndida misión cercana a la de Tony, custodiada por elementos de seguridad privada. Entrar primero a la urbanización y después a la residencia, fue casi peor al trámite que debe cubrirse para ingresar a los penales en los días de visita conyugal.

Magdalena Zambrano era dueña de un palacete, que asemejaba los adornos de las tartas de crema, construido en caracol. Sabía que entre los ricos "chics" lo habitual era proyectar las leyendas del pasado para asegurarse de la buena energía del presente. Y ella, devota del pueblo maya, había emulado el observatorio que se asienta en el Chichén viejo, en Yucatán, a través del cual los astrónomos del mundo prehispánico adelantaron en conocimientos a sus contemporáneos. De allí que la pirámide de Kukulkán, en el Chichén Itzá clásico, convierta cada equinoccio de primavera en un espectáculo sin parangón cuando la luz solar ilumina la balaustrada del conjunto principal en forma de serpiente, que tal era la deidad en aquella nación misteriosa, como lo fue Quetzalcóatl, la emplumada, entre los aztecas.

No le había ido mal a la viuda de mi amigo. Luego de que un servidor doméstico me cumplimentó, pude admirar una de las copias del Centauro de Siqueiros —el maestro no hizo más de una docena—, sobre la chimenea con calor artificial, muy al estilo norteamericano. Y más allá, en el comedor, entre dos bodegones se veía, un paisaje del doctor Atl que supuse original. Inversiones, sí, de muy alta denominación.

Cuando apareció Magdalena la observé deslumbrante. Sabía poco de ella, más bien nada. No había vuelto a casarse pero se le atribuían algunos escarceos poco significativos. Cuando faltó su marido apenas había rebasado los veinte y ya tenía tres de matrimonio. Conservaba la cintura estrecha y ese aire dominante que encendía sus ojos negros mientras se agitaba la cabellera, del mismo tono e invariablemente suelta y brillante. Una mujer de gran personalidad que contrastaba con la apariencia discreta, casi tímida socialmente hablando, de quien fue su marido. La audacia de éste se daba en el campo profesional... y por lo visto en los subterráneos del poder.

—¿Cuánto tiempo ha pasado? —saludó al verme, con un reclamo—. Te daba por perdido como amigo.

—Pero no es así, Magdalena. Aquí estoy. Además, bien sabes que, en cualquier circunstancia, te habría respondido.

—¿Esa es una de tus insinuaciones, Julián? Son famosas —deslizó con coquetería.

Una sonrisa y el habitual cruce de miradas con aire de complicidad. Un juego siempre peligroso y más cuando se está en territorio contrario. Ella se sentó en el arrellanado sofá de la espaciosa sala; yo preferí apoyarme, de pie, en un pilar marmóreo que se abría hacia otra estancia más íntima. Y ya no pude reprimir mi curiosidad:

—Pero, dime, ¿cómo has logrado todo esto?

—Con los seguros de vida y las rentas que me dejó Miguel Ángel —ironizó torciendo la boca con un cierto dejo de desprecio—. ¡Hubieras visto! Por más que revisé sus cuentas apenas pude salir a flote los primeros meses.

—¿Y después? ¿Te sacaste la lotería o qué?

—Alguien apareció como si fuera un enviado de Dios.

—No sería Tony, ¿verdad? Él me dijo que te ayudaría.

—Y lo hizo durante un tiempo, no lo niego, para solventar los gastos más apremiantes. No te olvides que estaba embarazada cuando ocurrió todo aquello. Él cubrió los gastos de la maternidad y lo de los pediatras de la nena. Después comencé a andar sola.

—¿En dónde te metiste? ¿Algún negocio exitoso?

—El mejor y más redituable de todos. Era un dilema, y confío en tu discreción: le entraba o me llevaba la chingada. Y opté por salvarme.

Nadie me había dicho ni media palabra sobre Magdalena y sus actividades. Tampoco yo pregunté sobre ello. Sabía que estaba bien y nada más. ¿Acaso ella estaba insinuando que debió venderse a cambio de comodidades? No, no era posible. La prostitución destruye y Magdalena, desde luego, estaba de pie. Muy segura de sí, además. Una fortuna como la que había atesorado, y de la que era reflejo su hogar, no se reúne en los lupanares, ni siquiera en los de lujo, a menos de que algún cliente termine por comprar la mercancía para lucirla.

—Entonces, ¿conquistaste a un potentado?

La carcajada fue tan estentórea que desde el comedor se asomaron dos jovencitas con delantales, uniformadas como si fueran camareras de hotel. Ella, con un ademán, les ordenó alejarse. Y luego, animada como nunca la había observado, continuó:

—Por favor, Julián. Como investigador eres pésimo, la verdad. No tienes la menor capacidad deductiva. Usa tu imaginación y te lo digo confiando en que no puedes decir media palabra de esto, por supuesto: estoy en el mejor negocio, ya te lo dije. ¿Y cuál es en estos tiempos la industria más rendidora?

Comprendí. Le miré largamente mientras ella servía licor en dos copas de cristal cortado de Murano. Las excentricidades, cuando se dispone de dinero de sobra, aparecen en cada detalle. Magdalena también me observaba, sin fijeza, casi divertida. Seguramente mi estupor era como para ilustrar una historieta de humor negro.

—¿Qué pasa? Te has quedado mudo. Te creí un hombre de mundo, acostumbrado a lidiar con las peores noticias. Como cuando asesinaron a Miguel Ángel. Porque lo mataron, ¿verdad?

Para esa pregunta sí estaba preparado. Durante las horas previas repasé mentalmente cuanto sucedió en Bucarest y concluí, una vez más, que el desenlace fue consecuencia de un "ajuste de cuentas" como explican los mafiosos.

—Nunca creí en la versión del atropellamiento, Magdalena. No tuvo sentido desde el principio. Pero resultó imposible navegar contra la consigna de un gobierno empeñado en silenciar el hecho. Y desde aquí tampoco hubo el menor interés por aclararlo.

—¿Y tú, Julián? Perdiste a un amigo y te limitaste a entregarme el cadáver. ¿Por qué?

—Me sentí en medio de un fuego cruzado cuyos alcances desconocía. Ni a ti ni a mi nos confió Miguel Ángel todo lo que sabía. Y a mí me llevó al baile a ciegas.

Magdalena guardó silencio. Y se contuvo. Era evidente que también ella ya conocía el secreto. Al fin y al cabo fue a mí a quien condujeron hacia una trampa.

—Ahora cuéntame, Magdalena. ¿Te sientes segura?

—La verdad, sí. Amado me dijo que, durante este sexenio, no tenemos nada que temer. Igual que en el anterior.

Me estremecí. Sin darse cuenta, ella había deslizado un nombre de alto riesgo. Una de las claves entre los grupos que desafían la autoridad del gobierno, o la comprometen, es deambular como si fueran personajes invisibles, intangibles más bien, sin rostros ni patronímicos, infiltrándose en la sociedad con personalidades distintas.

—¿Amado, Magdalena?¿Te estás refiriendo a Amado Carrillo Fuentes?

Ahora fue ella quien se sacudió. No podía negar lo evidente y confirmarlo sería muy comprometedor. También para mí, naturalmente.

—Me envolviste con tus tácticas de periodista, cabrón —explotó en un arranque de nervios—. ¿Eso querías desde el principio, verdad?

—No, Magdalena. Sinceramente estoy sorprendido. Más que eso, asombrado. No acabo de entender como llegaste a un personaje como ése, nada menos el Señor de los Cielos, líder del cártel de Ciudad Juárez.

En ese momento, Carrillo Fuentes estaba considerado el hombre más buscado en el mundo por las corporaciones policíacas, especialmente las de México y Estados Unidos. Desde abril de 1993, tras el asesinato del fundador del cártel, Rafael Aguilar Guajardo, en Cancún, precisamente en pleno Boulevard Kukulkán, la arteria principal del centro turístico, Amado tomó las riendas... en el mismo año en que se inició el registro oficial sobre los asesinatos de mujeres, la mayor parte de ellas trabajadoras de maquiladoras, disparándose así el escándalo mundial.

En Cancún los diarios locales, por cierto, identificaban a Aguilar Guajardo como un "empresario próspero", dueño del Hotel Silvias, si bien bajo permanente sospecha. Incluso cuando fue detenido por haberse hallado en su residencia dos enormes plantas de amapola, la juez que conoció el caso denegó la orden de aprehensión. Era intocable, poderoso, con enorme penetración en los círculos del poder político. Todo ello lo heredó Amado Carrillo, con un agregado: el crimen contra Aguilar le valió la aureola de todopoderoso, capaz de disponer de vidas y haciendas a capricho.

—¿Tienes idea de dónde te has metido, Magdalena? ¿Y de que todo esto, tu casa y tu capital, pueden desaparecer con la misma facilidad con que los reuniste?

—No por ahora. Ya te lo he dicho: Amado mantiene sus enlaces y conoce sus límites.

—¿Y cuál es tu relación con él?

—No vas a pedirme que te dé detalles. ¿O sí? No seas impertinente.

—Entonces, ¿él vive en esta residencia?

—Yo te pregunto: ¿cómo llegaste hasta aquí? Si tus informantes no te lo dijeron es porque, con toda seguridad, creyeron que sabías. Estás perdiendo puntos, amigo mío.

Como pude, cambié el hilo de la conversación. Y me apresuré a despedirme. Ella se percató y facilitó las cosas. Pero no quise marcharme sin hacerle una última pregunta, que me quemaba por dentro:

—¿Fue Tony, no es así? Él sirvió de enlace, nada más...

—Posiblemente, Julián. Pero no tienes por qué agobiarte. Alguna vez él me comentó que había hablado contigo.

—Pero nunca sobre este otro escenario, Magdalena. Sólo hablamos acerca de Miguel Ángel y su entorno. Peligroso también.

—Pues ya ves: los peligros se tocan.

Abandoné la residencia con la vista perdida. Tropecé con uno de los jarrones en los que terminaba el barandal de la escalera exterior y caí al suelo, lastimándome la rodilla. Simulé que no sentía ni un rasguño pero no era así. No sé como pude caminar hasta el automóvil que había rentado en el aeropuerto. Tenía una luxación no muy seria pero sí dolorosa. No pude sino dirigirme, frontera de por medio, a Ciudad Juárez, en concreto a la clínica privada del doctor Diego Castañeda, ortopedista y antiguo amigo de Miguel Ángel y Tony, a quien había conocido cuando, inquieto, decidió ejercer de empresario en las caudalosas corrientes de la farándula. Una de sus mejores aportaciones a la ciencia noctámbula consistió en operar a todas las falenas que regenteaba para armarles cuerpos sobrenaturales. Fue un éxito sin precedentes.

Diego me atendió personalmente. Tenía avidez por conversar conmigo y recetarme, además del insondable diagnóstico médico, sus fórmulas para enfrentar la cotidianidad:

—En Juárez si no te adaptas, te mueres —sentenció, ufano—. Pero no estamos en Gomorra. Hay mucha gente de bien en medio de este berenjenal. El problema es que los mafiosos controlan al gobierno. Y entonces cada quien debe decidir si se integra o se lo lleva patas de cabra. Y así la vamos pasando.

—Y tú también optaste por sobrevivir. Es obvio.

—Quedé quebrado, Julián, después de la aventura del burlesque. El fisco me exprimió hasta que decidí cerrar. Y tuve que levantarme. ¿Tengo que explicarte que entre mis mejores clientes hay muchos narcos? Y les cobro muy bien, por supuesto.

No pude reprimir la risa. Tenía gracia que un centro de salud pudiera erigirse a partir de lo que generan quienes atentan, con el tráfico de drogas, contra el bienestar colectivo. Se lo comenté a Diego y éste asintió:

—Voy a decírtelo muy claramente: en esta ciudad el noventa por ciento de los negocios tienen algún vínculo, directo o indirecto, con el cártel. Y el gobierno está en el juego. ¿Para qué nos hacemos pendejos?

Salí del local apoyándome en unas muletas que Diego me facilitó sin costo alguno. El mal había sentado sus reales sobre el bien. No había manera de resistirse a esta realidad. Entre mis apuntes, en la libreta en que solía anotar las cifras relevantes, encontré la confirmación a la tesis del doctor Castañeda: si se aniquilara por completo al narcotráfico, la economía de Estados Unidos caería sin remedio entre 19 y 22 por ciento; y la mexicana sufriría un colapso mortal: el derrumbe sería nada nenos que del 63 por ciento. Si las crisis financieras de mayor calado se dieron como consecuencia de una baja entre el cuatro y el cinco por ciento de la economía, a partir de esta evidencia sería factible calcular lo que podríamos esperar si las drogas no se distribuyeran más. ¿En dónde está el bien y en dónde el mal?

En el vestíbulo del Hotel Lucerna, sobre el Paseo Triunfo de la República, la arteria principal de Ciudad Juárez que confluye hacia la Plaza de Armas, enciendo mi computadora portátil. No quise aislarme en mi habitación porque el sueño me habría vencido. Escribí las referencias de aquella jornada que, sin saberlo aún, cambiaría mi perspectiva personal. La tabla de valores estaba derrumbándose ante la percepción de los hechos sucintos. Concentrado, no pude percatarme que dos sujetos fornidos, abrigados con exageración para ocultar sus fustas —así llaman por aquí a las pistolas—, se aproximaban hacia mí y sin dejar de mirarme. Los observé cuando le puse atención al darme cuenta que quienes estaban en las mesas contiguas a la mía optaban por levantarse de manera apresurada y se dirigían a las cajas. Cuando estuvieron frente a mí, uno de ellos habló:

—Acompáñenos —ordenó—. El jefe quiere hablarle.

—¿Y quién es el jefe? —pregunté sin prudencia.

—Usted venga y ya. No complique las cosas.

Por supuesto no tuve opción. En la puerta aguardaban otros dos individuos, éstos sí con las armas a la vista, asomándose bajo las chaquetas oscuras. Uno señaló su vehículo, una camioneta Suburban negra sin placas, para que lo abordara. Así lo hice, mientras mi pulso se aceleraba hasta la taquicardia. Me sentía, ahora sí, en la frontera entre la vida y la muerte. Esta vez no hubo vendas sobre los ojos. Enfilamos hacia la carretera Panamericana y nos desviamos a la altura de Samaloyuca, en el kilómetro 315 –la contabilidad arranca en Chihuahua–, a muy pocos metros de donde está instalado el retén militar para detectar los cargamentos ilegales.

–Aquí no pasa ni el aire –me había asegurado un jefe militar tiempo atrás, pero, sin duda los narcos y sus cargamentos recibían otro tratamiento.

Continuamos por un sendero polvoriento, no más de quinientos metros. En un terraplén, tres camionetas y una veintena de malencarados aguardaban.

Alguien abrió la portezuela. Y descendí. Dos individuos hicieron las veces de escolta al automóvil, un Lancia del año, que permanecía en medio de otros dos. Subí.

–¿Cómo te va Julián? Espero que no hayas tenido demasiadas molestias.

La voz sonó amable, pero el aspecto del personaje correspondía al perfecto cliché de los capos. Botas y camisa vaqueras con collares y pulseras colgándole del cuello y las manos. El bigote grueso y la mirada helada, como el viento del desierto en las noches de diciembre. Todo esto, más el tono autoritario de quien está acostumbrado a dar órdenes sin esperar réplica alguna, me confirmaron que estaba en presencia de un hampón de cuidado. Un capo según la denominación común.

–Soy Cipriano, hermano de Amado –confirmó–. Él me pidió que me entrevistara contigo. Te ha venido siguiendo los pasos muy de cerca.

–¿Y qué puedo hacer por ustedes? –inquirí con humildad, una condición muy alejada del aire de suficiencia común a la mayor parte de los reporteros–.

–Pues algo muy sencillo para que vivas tranquilito. Nada más no te metas con nosotros.

–No lo he hecho. Y no tengo por qué hacerlo.

—Otra cosa, ni una visita más a la señora Magdalena. Nada de preguntas ni de meter las narices en donde nadie te ha llamado. ¿Está claro? A cambio, podríamos ser amigos.

No era Cipriano Carrillo Fuentes quien hablaba. Lo supe enseguida. Amado, el Señor de los Cielos, gustaba de suplantar la personalidad de sus hermanos como camuflaje. Y él no admitía ninguna otra respuesta que no fuera obedecer sus instrucciones directas. Él mandaba y en ese momento era el fiel de la balanza en el último linde, es decir la frontera final entre sobrevivir o convertirme en un túmulo más bajo otra cruz en el desierto.

VI

Dictadores

¿La recuerdan? La memoria, en ocasiones, más parece el cilicio con el que ciertos fanáticos desgarran sus carnes confundiendo el misticismo con la degradación de la materia. En la línea de la flagelación íntima suena dentro de mí, cada cierto tiempo, esta sentencia asida a la mente:

—Para gobernar hay que conservar la disposición para matar.

El rostro de don Severo, el todopoderoso de una de las entidades del Golfo de México, volvió a ocupar mi pensamiento unos minutos antes de volar de nuevo hacia Madrid. La justificación de aquel personaje inmutable, privilegiando la salvación de otras vidas en riesgo por los desafíos de los sin ley, no era razonable en términos de civilidad y convivencia pacífica. En la praxis resultaba distinto, sobre todo cada vez que debía encararse el deber de garantizar los equilibrios por encima de cualquier valor ético ajeno al imperativo de preservar el estado de cosas.

Sin embargo, el argumento colapsaba al intentar establecer el número de crímenes que los gobiernos creían tener derecho a ejecutar para "garantizar" el orden establecido. ¿Sólo algunos desparramados por la geografía de cada nación?¿Cien tal vez?¿O miles? Cuando se asesina a un jefe de Estado el agravante se registra con un término preciso, "magnicidio". Y si la línea revienta a tal grado que los dominadores de cualquier época ordenan, inducen o crean el clima enrarecido para justificar sus excesos, hasta culminar con cruentos derramamientos de sangre, entonces hablamos de genocidio. ¿Hasta dónde deben llegar los gobernantes?¿Y cuánto pueden resistir los gobernados?

En 1995 se cumplían en España dos décadas desde la muerte de Franco y trece de la asunción, por la vía electoral apenas estrenada en 1977, de un gobierno socialista bajo el halo protector de la monarquía restablecida por el calculador dictador que a través de ella pretendió preservar su legado, más allá de su inevitable desaparición física. La paradoja no podía ser de mayor envergadura. Los ciclos prolongados en el poder, en la jefatura del Estado y la del gobierno en el caso de España, no suelen ser síntomas de buena salud democrática y acaso reflejan los temores proverbiales de los pueblos que han estado sometidos a las dictaduras.

La reflexión que me acompañó durante el largo viaje, once horas entre turbulencias frecuentes como pago por la osadía de violentar a la naturaleza poniéndoles alas a los seres humanos que nacieron sin ellas, entrelazaba los símiles entre dos naciones familiares por derivación de sus encuentros y desencuentros y de sus hondos vasos comunicantes.

En México el autócrata Porfirio Díaz, quien acabó exiliado sin ser jamás sometido a juicio, primero fue sustituido por distintos caudillajes revolucionarios hasta que surgió un partido político a través del cual se consolidó el modelo presidencialista en pro de una voluntad central. Así surgió la hegemonía del PRI, descrita como la "dictadura perfecta" por alguno de los intelectuales extranjeros que se asomaron a ella. Mientras tanto, en España, tras treinta y seis años de franquismo, el reinado de Juan Carlos I, asegurado por su inteligente aportación a favor del parlamentarismo y la democracia, pudo prolongarse aun más que el periodo del predecesor abominable pero todavía omnipresente bajo la férula del socialismo no radical, esto es "responsable". Las paradojas se tocan.

Viajaba conmigo Iñaki Azpiziarte, un cuarentón nacido en San Sebastián y avecindado en México desde su juventud, muy delgado, medio calvo, alto, algo así como un metro ochenta y cinco desde la cabeza a los pies, y dueño de una gran agilidad deductiva. El olfato periodístico nos llevaba a atestiguar el inminente fin político, así lo calculamos, del andaluz Felipe González Márquez,

154

acaso el más brillante ideólogo de su generación, arrinconado por los escándalos de corrupción.

Para colmo, el 19 de abril, apenas unas semanas antes de nuestra partida, el líder del Partido Popular, José María Aznar, el mayor adversario de González en la puja por la presidencia, había salido ileso de un atentado cortado con la misma tijera que sirvió para asesinar, veintiún años atrás, al almirante Carrero Blanco: estallaron a su paso, en la intersección de la avenida Arturo Soria con la calle José Silva de Madrid, veinticinco kilos de explosivos detonados desde un vehículo estacionado. No sufrió ni un rasguño porque su automóvil, un Audi V8, estaba rigurosamente blindado. Pese a ello, dieciséis personas que transitaban por allí resultaron heridas y una murió, Margarita González. Todo ello mientras crecía la polémica por la intervención del gobierno en el sostenimiento de un grupo armado destinado a golpear a ETA con su misma metodología del terror.

—Es curioso —le dije a Iñaki—. Los españoles saltaron en cuanto sospecharon la posibilidad de un peculado y pidieron la cabeza del vicepresidente Alfonso Guerra, el amigo entrañable de Felipe, pero no reaccionaron con la misma energía ante el terrorismo de Estado. El bolsillo duele mucho más que la violencia sorda.

—Lo de los GAL, Julián, lastimó la conciencia colectiva. Y sus secuelas pueden afectar la próximas elecciones generales, el año que viene.

—Pero la punta de lanza contra González será la infección de sus cuadros cercanos. Sí, esto le va a pesar al momento de cruzar las boletas.

Hacía apenas unas semanas, el comisario Jesús García lograba la plena identificación de los cuerpos de José Antonio Lasa y Juan Ignacio Zabala, las primeras víctimas de los llamados Grupos Antiterroristas de Liberación (GAL). Fueron asesinados en octubre de 1983, sus cadáveres descubiertos en 1985 y, por fin, oficialmente reconocidos como los restos de los mencionados hasta diez años después en medio de contundentes evidencias sobre la participación del gobierno, concretamente del Ministerio del Interior, con el aval de González Márquez, en la formación del organismo cuyo propósito fundamental era reprimir, para amedrentar, a las dirigencias de ETA, aunque también persiguieron a otros grupos vascos independentistas e incluso a militantes de opciones ecologistas. El comisario García murió, sorpresivamente, durante el proceso contra el general Enrique Rodríguez Galindo, de la Guardia Civil, imputado como uno de los grandes operadores de los GAL.

Iñaki no quería quitar el dedo del renglón y ello le motivaba a ampliar sus propias indagatorias sobre el desarrollo de esta célula, sin reconocimiento oficial pero profundamente ligada a la estructura gubernamental. El último de los atentados atribuidos a los GAL se dio el 20 de noviembre de 1989, aniversario de la muerte del caudillo, en el Hotel Alcalá de Madrid, cercano a la Gran Vía; fue contra un parlamentario y representante de Herri Batasuna, el brazo político de ETA, Josu Muguruza. Pese a las sospechas no fue posible atribuirle al grupo paramilitar la autoría.

—Si las negociaciones entre el gobierno y un movimiento supuestamente revolucionario que usa el terror para presionar, el ETA, fallan, ¿puede justificarse que el gobierno descienda al nivel criminal para ajustar cuentas y devolver las afrentas? —pregunté a mi colega.

—De ser así, Julián, ¿cuál sería la garantía de la sociedad contra un aparato gubernamental que atiza la violencia porque no es capaz, sencillamente, de aplicar la ley con firmeza? Una invitación a la anarquía, nada menos.

—Insisto, ¿a pesar de que ni el derecho ni las actuaciones policíacas hayan sido suficientes para derrotar a los terroristas, quienes ponen en jaque a toda la comunidad y convierten a los inocentes en sus víctimas, es condenable que el gobierno invente otras fórmulas, represivas claro, para proteger a la colectividad?

—Te lo planteo de otra manera, Julián. Si el Estado se coloca a la par con los criminales, asumiéndose igualmente terrorista, ¿cuál sería la defensa social frente a los excesos del poder absoluto, esto es el que dispone a su arbitrio de las vidas de aquellos a quienes no puede sentar a la mesa de las negociaciones?

–¿Tiene o no derecho el Estado a matar en defensa de los valores superiores, Iñaki? Este es el fondo de la controversia.

–No hay valor superior al de la vida. Y un Estado asesino viola ese principio fundamental. Yo soy un franco opositor a la pena de muerte.

Fue imposible ponernos de acuerdo. Desde luego él tenía ventaja porque lo que yo buscaba era plantear el dilema, no exaltar la persecución, "ojo por ojo", como instrumento necesario para mantener la paz social. Este es el núcleo de la filosofía fascista que, dolorosamente, se repite a través de los gobiernos supuestamente democráticos sin importar posturas conceptuales.

–Lo que me revienta de todo esto, Iñaki, es corroborar la manera como actúa un gobierno socialista, el de González, cuando no puede romper el cerco de las intolerancias mutuas. Al final de cuentas acabó haciendo lo que hubiera hecho Franco: crear un grupo de choque clandestino para barrer a los incontrolables. Al fascismo se llega por dos vías, una es la derecha y otra la izquierda cuando las ideas se radicalizan. La misma cosa por desgracia.

Iñaki asintió aunque no pudiéramos llegar a conclusión alguna. De eso se trataba este viaje: la búsqueda de respuestas sobre el devenir de la España democrática, en una perspectiva universal flagelada por las crisis financieras, el narcotráfico en crecida y el terrorismo latente.

Arribamos al aeropuerto de Barajas, de la capital del reino español, tal es de acuerdo a la terminología preferida por los conservadores –los viejos republicanos optan por omitir cualquier referencia a la singular monarquía en funciones de representación estatal–, y encontramos, en la dinámica de las terminales, con pasajeros ansiosos y servidores ahítos, los cambios sustantivos en la personalidad de los españoles. Pocas naciones, por no decir ninguna, son capaces de transformaciones estructurales tan profundas como las que se perciben cada cierto tiempo en la composición de la sociedad hispana. Quienes se acostumbran a las rutinas, desde dentro, no lo perciben; sí, por supuesto, los viajeros que entramos y salimos de un espacio entrañable que nos parece diferente en cada ocasión.

En el frenesí propio del campo aéreo, uno de los más concurridos en Europa a pesar de los rezagos económicos –cada vez menores–, quienes acarrean los equipajes, maleteros les llaman en América si bien aquí el término señala a las cajuelas de los automotores, son el primer espejo. Durante la dictadura, con los ojos soñolientos –la mayor parte debía doblar turnos en demanda de una pesetas extras–, eran serviciales, pasivos y curiosos, con ganas de beberse la libertad que suponían ejercían quienes llegaban para pasársela bien disfrutando de sitios a los que no tenía acceso, por falta de recursos, la mayoría de los españoles.

En esta ocasión era distinto: había un cierto dejo de insolencia en el tuteo con el que se nos recibía, como si así se rompieran las barreras sociales para igualar a los seres humanos. El sueño por la autonomía ajena se había convertido en una invitación a ejercerla, a plenitud, sin el avieso temor al cuadro gobernante. Lo mismo en el taxi, igual en los restaurantes, y muy a pesar de la rígida tradición hostelera que demarca distancias y diferencias. Era extraño pero nos hacía sentir bien.

Una vez instalados, desde la habitación, llamé al Ministerio del Interior en demanda de entrevistas. Dejé las referencias, mi número de teléfono y una explicación sucinta sobre nuestros propósitos. Por una reforma reciente, la dependencia también incluía el ramo de Justicia y desde un año atrás su titular era Juan Alberto Belloch Julbe. Ello ponía el acento en el imperativo de restañar las severas grietas en la credibilidad pública. Quizás ya fuera demasiado tarde.

Luego, Iñaki y yo caminamos hasta la Biblioteca Nacional disfrutando del limpio aire de Madrid y su cielo abierto al infinito, de azul profundo como el de Yucatán al otro lado del océano. Las querencias identifican. Ya allí, nos concentramos en la hemeroteca, primero, en busca de los complacientes diarios que alabaron a la dictadura para sobrevivir cómodamente bajos sus reglas. Queríamos los antecedentes.

Una hora después, con su innata habilidad de investigador ávido, Iñaki había encontrado ciertos rastros comprometedores:

—¡Tenías razón, Julián! —exclamó con gesto apesadumbrado—. ¿Sabes cuantos grupos represivos fundó el franquismo para combatir a quienes deseaban aniquilar al caudillo?

—Tengo alguna idea porque el gallego no se anduvo por las ramas. Utilizó la fuerza institucional, la del ejército y la Guardia Civil, la benemérita como la califican, sin limitaciones de ninguna especie; y, además, construyó una compleja red subterránea de bandas, financiadas por el Estado, para asesinar sin tener que dar explicaciones de sus actos. ¡Y todavía hay quienes le exculpan!

—Apunta: fueron cinco, cuando menos. Triple A, como si se pretendiera convertir las ejecuciones en un juego de baloncesto; el Batallón Vasco Español, destinado a reprimir a los miembros de ETA, sobre todo después del asesinato del almirante Carrero Blanco; los Comandos Antimarxistas, listos a detectar y perseguir a los comunistas, esto es a todos los que se opusieran a la ideología de Franco; y el conocido ATE, es decir Antiterrorismo ETA, con amplios horizontes bajo el cobijo de la impunidad. La estrategia de matar a los adversarios para justificar el orden.

—Aunque sucumbieran la mitad de los españoles, como alguna vez exclamó el generalísimo. Sencillamente siniestro.

—Y fue en estas fuentes en las que abrevó el socialismo, supuestamente el polo opuesto, para lanzar las redadas de vengadores contra los terroristas con la bendición del régimen de González... y acaso también con la tolerancia del Rey. Esto es, matar justificadamente. No hay diferencia alguna. ¡Cómo nos toman el pelo los políticos con sus falsos actos de contrición!

—Lo dicho, Iñaki: en política, la derecha y la izquierda, como los extremos, se tocan. Confirmado una vez más.

Regresamos con un cargamento de notas al hotel. En esta ocasión escogimos el Liabeny, al amparo de la recortada plazuela del

Carmen, en donde parece detenerse el interminable bullicio de la vecina Puerta del Sol. Son sólo unos pasos los que separan el corredor por donde transitan las multitudes inacabables y la aspiración del remanso a cada rato interrumpido por el ir y venir de taxis y porteros de librea. Apenas entramos por las puertas de cristal, el conserje detuvo nuestro camino hacia los ascensores:

–¿Señor Julián Rivera? –preguntó, conociendo la respuesta–. Una señora le ha dejado un mensaje. Estuvo esperándole un buen rato.

Abrí el sobre y leí:

"Volveré a verte. Espero me recuerdes. C.R."

–¿Y quién es ella, Julián?

–Estoy tratando de recordar. Hubo una chica a la que conocí hace dos décadas. Pero no. Es imposible. ¿Cómo podría haberme localizado con tanta rapidez? Tiene que ser alguien que sabía de nuestro viaje. ¿No habrás sido tú el chismoso, verdad?

–Por supuesto que no. A ti es a quien buscan, no a mí. Haz memoria, hombre.

La nostalgia por la juventud agotada, aunque el espíritu se mantuviera, me obligó a repasar los días del final del franquismo y las correrías por los bares y tabernas de la época. ¡Ay, aquellas tascas que olían a vino y a pellejos de cerdo!¡Y la coquetería de las mozuelas que alzaban la vista, todavía no las faldas, para hacerse ver y seguir! Recordé, ¿cómo no?, las pasiones a flor de piel y los placeres que hasta dolían por su intensidad. Aquella jornada en el balcón del cercano hotel Europa. No podía evitar, cada que pasaba debajo del mismo, un año sí y otro también, sentir un estimulador revoloteo en el estómago al recordarme allí, con ella, bajo el tormentoso agobio de la seducción consumada. Y luego la pena de haber sentido, en carne propia, la represión de la mojigatería ramplona.

–¿Qué pasaría con Candela? –me pregunté en voz alta al refrescarme la cara–. Era una bomba.

A pesar de lo efímero de nuestros encuentros, añoraba la fogosidad con que exaltaba su rebeldía y su necesidad de sentirse acompañada ante el peligro. Al final se marchó. Y yo no la seguí.

Pretendí que aquello sólo había sido una aventura, que se iría desdibujando con el tiempo, y ahora Candela volvía a inquietarme como la primera vez. ¿Sería ella o sólo era mi imaginación la que me atormentaba?

Sonó el teléfono. Y me precipité sobre el aparato, ansioso por contestar. Desde la recepción me dijeron que "una señora", la del mensaje, ya estaba allí.

—Dígale que bajo enseguida. Sólo dos minutos.

Descendí por la escalera, a grandes zancadas, porque no soportaba esperar más. Y la vi. Sí, era ella. Como si los años no hubieran pasado, como si Madrid, España y nuestra historia se hubieran detenido en el mismo instante, esto es antes de una despedida que nunca asimilé. Candela Rodríguez, la apasionada y vibrante, se volvió lentamente hacia mí. Sus ojos verdes se clavaron en los míos. Así los recordaba, aunque la piel morena que había acariciado con el deleite con que se palpa la tersura de la seda, no podía disimular el inexorable costo de la madurez. Además, desde la frente hasta el oído derecho, una cicatriz profunda revelaba la dureza de su propia epopeya de mujer valiente.

—Veinte años no son nada, como dice el tango. Pero también son muchos, Julián —saludó, sonriendo apenas.

La abracé sin apenas hablar. La interrogaba a través de todos los sentidos. Pretendí acariciar su cabello y ella apartó mi mano.

—¿Te acuerdas? —preguntó— La última vez que nos vimos estaba calva. Algo hemos mejorado desde entonces.

Tenía cien porqués atorados en la garganta. Cuando, al fin, pude despegar los labios, le dije:

—Has triunfado, ¿verdad? Te percibo segura y esta es una condición que sólo vale en quienes han logrado alcanzar la orilla.

Apenas sonrió. Y trató de reprimir un gesto de coquetería sin lograrlo. Alzó los hombros y se acercó, otra vez. Me besó largamente en la mejilla.

—Ahora soy burócrata, Julián. Como sucedió con el PRI en México: mi revolución se institucionalizó. Nada de arrebatos juveniles que ya tuve bastantes.

—Así que estás en el gobierno. Y me imagino en dónde. En el Ministerio a donde llamé esta mañana. ¿Me equivoco?

—No, Julián. Fue a mí a quien pasaron tu solicitud. Soy una de las asesoras de Relaciones Públicas. No me puedo quejar. Gano bien y, sobre todo, cobro puntualmente. Algo que una mujer como yo no hubiera podido imaginar en la España que nos unió.

—Fueron sólo unos días, Candela. Un abrir y cerrar de ojos. Después huiste.

—¿Todavía no has resuelto el enigma? Me fui para salvarte. Porque teníamos encima a la Guardia Civil. ¿Sirvió de algo, Julián?

Sentí un profundo escozor. Ella entregó en prenda su vida y yo, en cambio, sólo había emprendido un viaje de retorno.

—Escribí —le dije en voz muy baja—, un reportaje. Dejé muchos cabos sueltos.

—¿Sólo eso? ¿Tú sabes lo que pasé yo? Cuando te dejé, sin comprometerte, no me escondí. Al contrario, entré de lleno a la lucha. Y me volví combatiente contra los Grupos Armados Españoles, la última caballería de Franco. Sólo me salvó la muerte del cabrón. Aprendí mucho de aquella experiencia, tan brutal.

—Hasta que llegó la transición y pudiste entrar a la convivencia social como bien avenida.

—Hubiera sido muy fácil, sin duda. Pero no fue así, Julián. Teníamos muchas tareas pendientes y era necesario hacerlas para asegurar la salud de un país gravemente lastimado, sobre todo en su espíritu, por los reaccionarios intransigentes. ¿No conoces los hechos? ¿El conato de golpe de Estado del 23 de febrero de 1981 te dice algo o tenías la mente en otro sitio?

—Sé lo que pasó y de cuánto significó para la incipiente democracia. Poco más de un año después triunfó Felipe González y llegó el Partido Socialista Obrero Español al poder. Fue estupendo.

—Una gran jornada. Pero dime, ¿nos tomamos algo? Ya podemos andar por las noches sin temor al sereno. ¿Te apetece?

Cruzamos el umbral. Pero, la verdad, quería encontrar refugio bien pronto. Apenas doblamos la esquina de la calle de la Salud, sobre la de Abada que hace esquina con la de la Chinchilla, un aparador rebosante de cigalas, langostas, percebes, gambas y langostinos, me detuvo. En "O´Pazo de Monterey", con el encanto de las rías gallegas, las tentaciones eran tan contundentes como el aroma que desprendía el cuello de Candela.

—Ven —le dije—, te invito a cenar.

—Pero si no han dado ni las siete de la tarde —reprochó—. Bueno, si tú quieres.

Por la hora, la marisquería apenas contaba con parroquianos. Y, sin embargo, nos preguntaron si teníamos reservación. Había sitio disponible. Y pedimos una parrillada, fuente inagotable de delicias. Mientras devorábamos los manjares del mar, nuestra conversación fue cálida y superficial, de amigos aunque hubiéramos sido fugaces. Divertidos, mencionamos jocosamente a las aristocracias de sendos lados del océano en plan de marineros informales de la información. Hablamos de condes y duquesas, del Príncipe de Asturias que ya andaba en plan casadero pero eludiendo los chismes de banqueta, de los escándalos de la monarquía británica salpicada por los gritos de independencia de Diana ante la tozudez de Isabel II y, también, taurinos al fin, de los éxitos incontestables del valenciano Enrique Ponce en el ruedo de la Monumental de Insurgentes, en México.

—Desde los tiempos de Paco Camino —referí a Candela con entusiasmo—, nadie había entusiasmado tanto como Ponce a los aficionados mexicanos. Yo saltaba sobre mi localidad como testigo del lento trazo muleteril de Enrique.

—Te falta todavía encontrarte con Joselito, el de nuestra época. Ojalá lo descubras pronto. Torea más de verdad.

Discutimos, con pasión. Hasta que exclamé con pretensión de poner el punto final creyéndome contundente:

—La técnica no lo es todo en el toreo como tampoco la doctrina es el alma de la política.

—Lo que cuenta —sentenció ella—, es el resultado. Y una gran faena debe tener el final digno de una gran estocada.

—Y Felipe González —sugerí—, no ha dejado de pinchar en hueso desde hace meses. Lo ha estropeado todo. No habrá puerta grande para él.

—A veces, muy pocas veces he de reconocer —agregó Candela—, trasciende más la faena que las fallas con el acero. Una verónica de Curro Romero, nuestro faraón insustituible, puede permanecer más, mucho más, que la temporada entera de un mediocre afortunado que corta orejas por docenas en las plazas de tercera. Y Felipe ha debido torear sólo en las de postín y no para la galería.

¡Qué fresco nos resulta siempre el anecdotario taurófilo cuando se trata de entender cuanto pasa en otros campos! No sólo son los términos —algunas veces utilizados hasta por los mandatarios estadounidenses, como Kennedy quien se refirió a la "graciosa huída" de aquellos que no aquietan sus plantas ante el burel—, sino también la esencia, los conceptos que siguen dibujando la personalidad de los bravos pueblos con sangre ibérica.

—Me has sonado igual, bella mujer —lancé la lisonja como anzuelo—, a una panegirista asalariada. ¿Y los graves pecados de Felipe? Dímelos tú que tanto aborreciste la persecución ideológica y la represión. Incluso la sufriste en carne propia.

Ella puso su mano diestra sobre la mía. Con la otra, retiró sus cabellos de la frente para exhibir la cicatriz que le marcaba:

—Esto, Julián —señaló a la herida—, es consecuencia de mi fidelidad a Felipe. ¿Lo entiendes?

—No, la verdad. Y quiero que me lo expliques para no hacer conjeturas torpes.

—Después, por supuesto, podrás publicar un reportaje desde la comodidad de tus aposentos americanos. Y a los demás que nos den por el culo.

El reproche caló hondo en mí. Sobre todo porque rompía la férrea coraza de la indiferencia profesional, la del periodista acostumbrado a recoger historias como si las viera desde lejos... sobre una pantalla tal vez.

—No seas tan dura, Candela. Bien sabes que nada diré si así me lo pides. Los informadores siempre tenemos listo el archivo de las confidencias.

Ella negó con la cabeza y apoyó el mentón sobre su palma, retirándola de la mía.

–¿Sabes lo que es hacer el trabajo sucio?

–Bueno, los periodistas lo hacemos a cada rato mientras eso que llamamos "opinión pública" cuestiona si somos o no sinceros. Si criticamos, estamos demandando canonjías; si elogiamos es porque ya nos las han dado. Un doble filo permanente en el que sólo cuenta el nivel de credibilidad de cada profesional.

–En los escenarios del poder es lo mismo, Julián. Si se dejan las cosas como están los gobernantes son inútiles, incapaces, incluso prevaricadores de la confianza pública; pero si se actúa con energía contra los flagelos que asolan a la sociedad entonces se vuelven represores, fascistas, criminales. Así es la cosa.

–¿Qué quieres decirme?¿Tu herida, acaso....?

–Me la hicieron por luchar contra los bastardos terroristas. No fue en batalla, no, sino en un cuartucho inmundo en donde, además, lastimaron, más bien inutilizaron para siempre mi aparato reproductor. No quiero, ni puedo narrártelo. Digamos que la tortura siempre vuelve junto con los radicalismos.

Callé. Sentí su sufrimiento como mío. Aguardé a que ella sorbiera del blanco Albariño para dilatar tensiones. Y sólo después me animé a reanudar la conversación, mirándola con fijeza:

–¿Dónde fue, Candela? –pensé que la referencia geográfica desviaría y suavizaría el relato.

Ella se revolvió sobre su silla, crispada:

–¿No vas a preguntarme por qué?¡Vamos! Que te ganan las ansias, hombre. Si te digo que fue en Zumárraga, al sur de San Sebastián, ¿eso te aclararía algo? Allá nos tomaron por sorpresa mientras dormíamos en un hostal de mala muerte. Pero no pudimos dejar de levantar sospechas y fueron por nosotros en la madrugada. Lo demás puedes intuirlo. Me dieron por muerta y se fueron. Pero sobreviví. No sé como, pero lo hice.

Aguardé que ella decidiera continuar. Temía a sus reclamos. Eran como latigazos cuyos chasquidos penetraban hasta la piel de la conciencia adormecida. Y, al fin, continuó:

–Ya estarás preguntándote cómo fui a dar allá. No sé por qué me apetece decírtelo. Será porque, después de algunos años, hablar sirve como terapia y más contigo que sólo puedes traicionarme publicando algo. Ya no importaría después de cuanto se ha escrito y divulgado. ¿No induces nada todavía?

—¿Estuviste metida con los GAL, no es así?

—Reportero hasta el final, Julián. Sí, con ellos. Pero sólo al final, cuando me pidieron que, con cuanto sabía, por lo vivido y sufrido en los estertores de Franco, ayudara a la causa de la pacificación nacional. Y me presté para ello.

—Con la bendición de arriba, claro.

—Vamos a ver. Con lo que fuera, Julián. ¿O vamos a darnos golpes de pecho como las beatas de los templos?¡Ya se te está apareciendo otra vez el espíritu de los Jesuitas! Siempre sin comprometerse.

Me sentía desarmado, vulnerable. Sin esa seguridad que, aunque sea simulada, sirve como escudo a quienes buscan la noticia en los escenarios convulsos. Y peor aún: no quería seguir escuchando. El talante incisivo, provocador y exigente de las mujeres de hoy, con habilidad deductiva y capacidad de acción, intransigentes ante las debilidades naturales del género masculino, exaspera y anula cualquier posibilidad de asimilación por parte de los hombres. Muchas veces a quienes son incapaces de adaptarse a las reglas de un mundo que va siendo cada vez más femenino, se les llama misóginos, aunque no puedan apartarse de la embriagadora sensualidad de las mujeres. En una sola sesión, había amado y odiado a Candela en distintos momentos de nuestro diálogo. Con pasión similar en cada momento, aun cuando supiera que de ser varón mi interlocutor de aquella jornada ya habría asestado un puñetazo... al menos sobre la mesa.

—¿Has visitado la tumba del caudillo, Candela? Si de terapias se trata, sería una oportunidad para que midieras tu temple.

—No creo poder soportarlo. Me da náuseas la idea. ¿Y tú?

—Pues fíjate que yo tengo una extraña afición necrófila. Encuentro en los sepulcros cierta justificación para seguir disfrutando de la vida, aun en los momentos agobiantes, cuando creemos no tener salidas. Me permiten estar cerca de los despojos humanos de aquellos cuyas historias terminaron; y más me inquieta estar frente a los mausoleos de cuantos construyeron, para bien o para mal, nuestros destinos.

–Pues sí que eres rarito, Julián. ¿No habrás practicado la necrofilia, seducido por algún cadáver?

–Por favor, no me revientes –soné áspero, por primera vez–. Es como si me impulsara una curiosidad irrefrenable por encontrar las claves que encierra el misterio de la muerte. Hace años, en el Valle de los Caídos, un viejo, Tomás González me dijo que se llamaba, se paró encima de la lápida de Franco, llorando. Creí que lo hacía por devoción a su figura pero era lo contrario: se reprochaba, muy hondamente, haberse encontrado con él hasta ese momento... sin que en vida le hubiera encarado.

–Es una vergüenza que compartimos muchos españoles, Julián. La de saber que el dictador murió tranquilo sin que fuera derrocado. En el poder. Y todavía miles se formaron en las largas colas para reverenciar su cadáver en la Capilla Real. La suya no fue una testa coronada pero se hizo honrar por quien sería su sucesor como Rey de España. No olvido cuando Juan Carlos, frente al catafalco de Franco, inclinó la cabeza, reverente, para sellar así la deuda contraída, asegurando la continuidad.

–Y la paz, Candela. No te olvides de la paz. ¿O hubieras querido una nueva guerra civil?¿No bastó la sangre derramada en la década de los treinta?

–Pero no se hizo justicia. Vuelvo sobre el mismo tema. ¿Cuántos fueron reprimidos y asesinados? Sin más sustento que el odio, como ocurrió en Granada con el mayor de los poetas hispanos del siglo, Federico García Lorca. ¿Y cuántas familias se dividieron?¿Cuántos debieron irse en busca de otras patrias porque la suya les era ajena por decreto superior? No hubo hogar en España sin un mártir.

–También los hubo entre los nacionales, los franquistas. No perdamos la objetividad –insistí.

–Pero cuando cesaron los combates, la represión continuó. Se persiguió a los republicanos, los rojos, haciéndoles beber su propia sangre. Y no es una anécdota, Julián. No puede serlo cuando hay tanta pena y tanto rencor acumulado.

—¿Aprovechando que es sábado, vamos por la mañana a la Basílica de "los caídos por Dios y por España"?

—No sé por qué te voy a responder que sí. No quiero pensarlo. Lo haré, quizá, mañana. Voy contigo.

Iñaki, a quien le expliqué a grandes rasgos mi encuentro con Candela —él escuchó casi hipnotizado—, se sumó al recorrido. Desayunamos, los tres —Candela llegó poco después de las ocho de la mañana—, en la cafetería del Liabeny unas porras con chocolate. Yo además, porque el hambre se había despertado conmigo, pedí un pincho de tortilla de patatas. Salimos, pasadas las nueve, hacia la N–VI, la carretera que une a Madrid con Galicia.

A la vista de la sierra del Guadarrama, Candela no pudo disimular su ansiedad. Menos cuando la inmensa cruz de piedra, que señala desde lejos el lugar y visible a varias decenas de kilómetros a la redonda, apareció en el horizonte.

—No quiso siquiera —comentó— reposar junto a los reyes en El Escorial y se hizo su propio monumento funerario. Y se rodeó de los restos de los franquistas, arrebatándoselos a sus familiares. El muy canalla ni siquiera respetó el descanso eterno de los demás.

—También, según me dicen, allí hay republicanos.

—Es falso. A los "rojos", como les llamó el dictador, los esparcieron en tiraderos clandestinos a las afueras de miles de pueblos. Sin ningún señalamiento, como si fueran basura. Ayer te mencioné a García Lorca; pues él fue uno de los que terminaron en las fosas comunes. Otros, por supuesto, murieron en América sin poder volver sobre sus huellas. ¿De dónde iba a sacar Franco los cadáveres del "bando contrario"? Es otra más de las mentiras oficialmente aceptadas.

Nos acercábamos y los ojos de Candela no dejaban de revisar el paisaje infamado por el sello del tirano. Y no se me ocurrió otra cosa que distender el ambiente:

—De cualquier manera —comenté—, no todo fue malo durante el franquismo.

—¡Venga! Ahora me sales fascista —tronó ella.

—Ese es el problema, amiga mía. La incapacidad de cada bando por reconocer lo positivo que hay en el otro. Y así llegamos a la crispación.

—Así que tú crees que Franco hizo cosas buenas. ¿Cuáles, si puede saberse?

—Detuvo a Hitler en Hendaya y evitó que España siguiera desangrándose...

—¿Para qué invadir, Julián, a una nación profundamente herida y además bajo un gobierno con el mismo modelo político de opresión?

—Cualquiera que sea el caso, Hitler la pudo sumar al Tercer Reich más fácilmente que como lo hizo con Austria y el caudillo lo evitó. Y, después, en plena guerra fría, supo mudarse de bando hasta conseguir aliarse con Estados Unidos y Eisenhower. Fueron maniobras de gran trascendencia para asegurar la pacificación del país.

—¡Por favor! La guerra civil no terminó nunca. No pudo ser porque los republicanos supervivientes debieron salir de España y muchos de ellos no retornaron sino hasta después de 1975. Fue la muerte de Franco el punto final del enfrentamiento fratricida. No hubo paz sino exclusión, dolor y desunión.

—El saldo es, desde luego, muy negativo, Candela. Pero no debemos perder el contexto. De la misma manera como quienes reverencian su figura no debían perder de vista los horrores de su legado, cuantos le odian deberían darse un respiro para situar al personaje en su exacta dimensión. En lo personal, estoy inclinado por la condena.

Iñaki parecía haber perdido el sentido del habla, él tan proclive a la locuacidad. Y yo sólo intentaba tranquilizar a Candela. Así hasta que nos vimos al pie del inmenso monumento. Ella ordenó:

—Entremos de una vez. Ya que estamos aquí no nos quedemos viendo a los arcángeles guerreros.

Caminó, sin recogimiento alguno, por el largo pasillo central. Había sólo una decena de personas esparcidas por el templo y otro tanto más de vigilantes y guías. No se detuvo en la tumba de José Antonio Primo de Rivera. Dio vuelta al altar, presurosa, y exclamó:

—Voy a hacer lo mismo que el viejecito de tu crónica, Julián.

Y sin más se detuvo encima de la lápida de Franco, con los puños cerrados y la mirada clavada en el nombre del autócrata. La seguí e hice lo mismo, a sabiendas de que sólo me separaban unos metros del ataúd en el que fue enterrado quien impuso su voluntad y capricho en España durante treinta y seis años. Ella ya no pudo contenerse. Con voz ronca, a punto de quebrarse, exclamó:

—¡Asesino!¡Cómo me hubiera gustado pisotearte!

Uno de los monjes benedictinos que cuidan del lugar corrió a nuestro encuentro:

—Respeto, señores, están en un lugar de oración.

Algo iba a replicar Candela pero se lo impedí. Ella, con un desplante altanero, caminó de nuevo hacia la puerta de acceso. No volteó siquiera para cerciorarse si la seguíamos. Cuando, al fin, sintió el viento de la sierra sobre su rostro, inhaló hondo y gritó con furia:

—¡Púdrete allí, Franco! Mientras la historia, claro, te deje estar en este templo faraónico.

No se detuvo. Bajó los escalones de dos en dos hasta el área del estacionamiento. No reparamos, salvo Iñaki, en un grupo de jóvenes con las cabezas medio rapadas y uniformes verde olivo, que exaltaban los emblemas neonazis.

—¿Te fijaste? —preguntó Iñaki—. El monje ese, el mismo que les llamó la atención, acaba de hablar con los sujetos ésos que tienen una pinta muy poco edificante.

Fue entonces cuando Candela y yo los advertimos. Ellos nos miraban con los ojos encendidos y agitando sus boinas rítmicamente como si palmearan con ellas. Ella se preocupó:

—Mejor nos vamos. Esos tíos son capaces de hacer cualquier locura.

—Como todos los radicales —comenté con sarcasmo, dirigiéndome a Candela.

—Pues sí —replicó—. Me dejé llevar. Te dije que sería para mí muy difícil la experiencia. Pero, la verdad, creo que fue positiva. Pero, mejor tira ya.

Arranqué el vehículo y nos pusimos en marcha. Yo conducía. Desde Madrid habíamos planeado ir a Ávila a comer unos chuletones para compensarnos de una visita que preveíamos poco agradable. Y hacia allí enfilamos. Dejamos atrás El Escorial, reducto emblemático de Felipe II quien, roto en su silla por la gangrena —algunos alegan que también por la sífilis—, solía pasar horas en la contemplación del monasterio que él había edificado con inclusión de la alcoba real, desde donde podía participar en los oficios religiosos abriendo simplemente una rejilla hacia el altar mayor. Quizá los tiranos de todas las épocas piensan que su devoción es una buena manera de hacer política para aspirar a la deidad, santificándose por decreto real.

—Allá está enterrado Fernando VII —referí—, el monarca que perdió América. ¿Debiera ser visto como un prócer de las causas independentistas?

Candela rió hasta quedarse sin aliento. Recuperada, siguió con la ironía:

—De ser así, los terroristas de ETA tendrían que nombrarlo su santo patrón. Por cierto, ¿sabías que la primera reunión de ETA —Euskadi Ta Askatasuna, como decir Patria Vasca y Libertad—, se dio en mayo de 1962 en el monasterio benedictino de Belloc, en Francia?

—Siempre se aprende algo nuevo —respondí—. Y son benedictinos también quienes preservan la basílica erigida como recinto mortuorio de Franco. ¿Tiene alguna relación, Candela?

Iñaki, intervino, al fin:

—ETA surgió en 1952, a partir de la integración de un grupo universitario llamado Ekin —esto es, "emprenda" en español—, en Bilbao. Una década después los marxistas leninistas desplazaron de la dirigencia a los fundadores y asumieron el socialismo como única bandera. ¡Ah! Y debieron proclamarse "aconfesionales" para separarse de raíces comprometedoras.

–"Al César lo que es del César" –sentencié con la referencia bíblica–. Al final de cuentas, los dilemas reaparecen cíclicamente. Pero no se aprende la lección. Siempre tendré la duda, por ejemplo, sobre si Franco hubiera podido mantener su dominio sin el apoyo incondicional de la Iglesia.

–Por supuesto que no –respondió Candela–. Si unes el miedo a la represión material con el terror a la condena eterna, dictada desde los púlpitos, ¿cuál salida les queda a los creyentes?

–El ateísmo –sugirió Iñaki–. Los republicanos tuvieron que optar por ello para luchar sin prejuicios.

–Hasta que fueron derrotados –concluyó Candela–. Acaso lo que más les dañó fue esa simbiosis de la que hablas entre el franquismo y el clero. Fue un valladar insuperable en una nación con esquemas confesionales muy hondos. Fíjate: a las jerarquías eclesiásticas no se les ha juzgado por su avenencia al régimen del terror. Algunos la señalan, pero sólo eso.

–Lo dijo Jesucristo –exclamé, irónico–. "Las fuerzas del infierno jamás prevalecerán contra ella". Esto es: el paraíso es la resignación y el averno no puede ser otro que la rebeldía política. Bueno, si consideramos acertada la identificación de la Iglesia con el caudillo.

–Por eso, Julián –continuó Iñaki–, los apacibles benedictinos siempre han sido útiles para resguardar los templos...

Candela se puso seria. A contracorriente. Iñaki y yo cortamos la carcajada. Ella nos señaló el espejo retrovisor. Un Seat, sin placas, nos seguía contraviniendo la distancia de seguridad. No rebasaba, medía la velocidad. Iñaki confirmó:

–¡Son esos mismos cabrones! Los de la explanada. Vienen por nosotros.

–No fantasees –repliqué–. Este es el mundo real no uno de los culebrones de la televisión mexicana.

–Pues en la realidad, Julián –apuntó Candela–, los hechos suelen rebasar a la ficción. Son mucho más duras las historias ciertas que las inventadas.

El conductor del Seat comenzó a adelantarnos. En efecto, eran ellos, los seudofalangistas de las cabezas rapadas. Con prudencia, para dejarlos pasar, opté por circular a la derecha, sobre el arcén. Estábamos transitando por un carril elevado unos tres metros desde la superficie. Fue en ese momento, a unos cuantos kilómetros de Las Navas del Marqués, cuando nos cerraron el paso y, de manera instintiva, giré más hacia la orilla, saliéndose el automotor totalmente del camino y franqueando las vallas. Dimos no sé cuantos tumbos. Recuerdo, eso sí, la manera como Candela, quien viajaba en el asiento delantero, al lado mío, se precipitaba hacia el exterior por la ventana. No llevaba puesto el cinturón de seguridad porque era, para ella, referente de otras ataduras. Después perdí el conocimiento.

Desperté, sin poder precisar cuantas horas después, en un entorno asfixiante, cargado el ambiente con olor a formol barato. Aquello no era un hospital, ni siquiera una clínica. No había nadie alrededor. Observé, como si estuviera fuera de mi alcance, un espejo estrellado y una silla en donde habían colocado mi ropa. La camisa tenía sangre. Me llevé la mano hacia la cabeza y me percaté de que estaba vendada. Intenté mover el brazo izquierdo y no pude. Apenas sentía las piernas. Entumecido, comprendí que todavía estaba sedado. Alguien abrió la puerta y la luz de una lámpara enmohecida me deslumbró.

—¿Cómo te recuperas? —preguntó un sujeto alto, calvo, delgado y con el rostro demacrado—. Ya llevas mucho tiempo durmiendo.

—¿Quién es usted?¿Dónde están mis amigos?

—De ellos no sabemos nada. Sólo a ti pudimos levantarte antes de que llegara la Guardia Civil. Así que eres periodista y además mexicano.

Quise reincorporarme pero no pude. Una soga rudimentaria me sujetaba el pecho y las extremidades.

—No te preocupes. Yo soy médico o casi. Lo seré en un año más. No tienes mayor cosa. Un golpe en la cabeza que te hizo sangrar mucho y una dislocación en el hombro.

—Otra vez —me quejé—. Hace unas semanas también sufrí una luxación en el mismo sitio.

—Entiendo. Eso quiere decir que te resentiste con el golpe. Debes haber caído en mala posición aunque tuviste mucha suerte: quedaste sobre una cama de hojas. En dos días estarás caminando.

—¿Qué hago aquí?¿Por qué no estoy en un centro de salud? Además, usted me es familiar.

—Sí, claro. Nos vimos en el Valle de los Caídos. Tranquilo. Te trajimos aquí para que pudiéramos conversar. Espero que no nos culpes del incidente.

—¡Pero si ustedes me hicieron perder el control del vehículo!¡Se me cerraron!

—Nada, nada. Tu imaginación, nada más. Si hubiéramos querido hacerles daño lo habríamos hecho desde el principio. Además, nosotros te salvamos. Que te entre eso muy bien en la cabeza. Por ahora duerme un poco más.

Era una orden. Él se acercó y me inyectó. Y volví a perder el sentido. Cuando desperté los rayos del sol entraban por todas las rendijas. Durante un largo rato intenté moverme. Todo mi cuerpo estaba adolorido y tenía la impresión de que la cabeza me retumbaba como si fuera sacudida por el badajo de las campanas. Hasta que al fin, uno detrás de otro, seis jóvenes sucios, sin afeitarse —no había siquiera una ducha en el lugar—, entraron, cada quien con una silla con respaldos de bejuco, y se colocaron alrededor de la cama. Uno de ellos, ordenó al "médico":

—¡Hombre! Ya desátalo. Ni modo que vaya a salir corriendo.

Al finentí algo de alivio. Y me senté sobre la cama, sin cabecera, tratando de parecer condescendiente.

—Oye, gilipollas, —se dirigió a mí quien parecía ser el líder, Fabián de nombre y con media barba recortada parecía una mala caricatura de Lenin—. Ya sabrás que te salvamos la vida, ¿eh? Ahora te toca pagarnos.

—¿Y cómo será eso? —interrogué pensando en que debido a mi estado físico tan deplorable no podía oponerme a nada, mucho menos a sus peores intenciones.

—Vas a decirnos la verdad. Porque tú la sabrás, sin duda.

—Lo que yo sepa, con gusto —respondí, ya más tranquilo.

—¿Existe una conjura internacional contra España? Porque no entendemos que se nos hable tanto de democracia, bajo un gobierno socialista, y no se tolere a quienes somos nacionalistas y queremos preservar a nuestra patria de los traidores y los moros.

Era obvio que debía darles cuerda, aceptando sus teorías, para salir de allí por mi propio pie. Era lo único que en ese momento me interesaba.

—De eso se trata. Y ustedes no deben permitirlo. Ya lo sufrimos en México cuando los únicos beneficiarios de nuestra Revolución fueron los estadounidenses. Nuestro sino es terrible: de la conquista española pasamos al sometimiento por parte de la potencia del norte.

—¡Eso no debe suceder en España! El caudillo no lo permitió. Ahora dinos: ¿por qué tu amiga injurió a Franco?

—Bueno, ella sí es socialista. Y yo buscaba, por mera curiosidad profesional, conocer su punto de vista. Nunca creí que se desfogara de esa forma en la iglesia. Pero yo no comulgo con ella. Por cierto, ¿dónde está?

Los jóvenes se miraron entre sí. Y Fabián continuó:

—La habrá recogido alguna ambulancia. La vimos muy mal, la verdad.

—Pero está viva, ¿verdad?

—Respiraba cuando la dejamos allá. Ya venían los sanitarios por ella. De morirse, ni hablar.

Sentí que me quitaban otra de las ataduras asfixiantes.

—¿Me tienen secuestrado?¿Cuál es mi situación?

Los muchachos no evitaron las risas. Además, habían bebido durante toda la noche: los rastros llegaban, con un aroma cargado, desde la habitación contigua, combinándose con el olor a desinfectante.

—Puedes largarte apenas te apetezca. Nosotros nos quedaremos una noche más por aquí. Si quieres, por la mañana, te acercamos a la carretera y allí te dejamos.

—Pero, entonces, ¿para qué me trajeron?

—Para no quedarnos con las manos vacías, caraculo. Nosotros sentimos compasión. España es generosa.

—Pues se los agradezco —expresé, concediendo, para asegurar mi libertad—. No me hubiera imaginado.

—¿Y qué esperabas?¿Qué te violáramos en tumulto? Eso es para los cerdos, los animales... como los americanos. A nosotros nos interesa discutir.

—Y es bueno que sea así. La moral nunca estorba.

—¿No habrás sido cura tú, eh?

—Pues sí, lo fui —mentí—. Estuve en el seminario cinco años con los del Opus Dei.

La expresión de los jóvenes se volvió otra, de sorpresa. Ansioso, Fabián preguntó:

—¿Y por qué lo dejaste?

—No tuve la fortaleza ni la disciplina necesarias. Pero conozco bien la doctrina y sus alcances. No debe cederse el paso al maligno.

Dos de los jóvenes se levantaron y salieron, encogiéndose de hombros. Los demás, volvieron a mirarse entre sí.

—Pues te diré que no somos muy distintos, entonces. En el fondo pensamos igual.

—Me alegro. Y no se preocupen. Nada diré sobre el accidente. Son cosas que pasan.

—Venga, iremos a buscarte algo de comida. Pórtate bien, ¿eh?

Salieron. Y respiré hondo. Hice un esfuerzo por levantarme y asomarme a través del cristal, impregnado de polvo, que daba a un pequeño valle con hierbas muy altas, descuidadas. Aquella era una especie de choza, construida con adobes, que parecía alejada de las vías de comunicación. No había postes ni cableados. Tampoco tenía idea sobre la distancia que nos separaba de la carretera y del lugar del incidente. Mi sensación de aislamiento era intensa.

Volvieron dos horas después con unos bocadillos corrientes. Y en compañía de dos señoras, cercanas a los cuarenta y que evidenciaban, por sus rostros ajados, cierta sumisión a los vicios. Parecían ausentes. Ellas retiraron las botellas vacías de la mesa y distribuyeron los alimentos. A mí me arrojaron mi ración sobre la cama.

Nadie se dirigía a mí, como si fuera un fantasma. Mi ropa permanecía igual, sucia y ensangrentada. Por momentos sentía marearme por el golpe en la cabeza. Una de las mujeres cerró la puerta de mi estrecha habitación. Y no quise averiguar por qué.

Cuando cayó la tarde me sentía bastante mejor. No había hecho otra cosa que dormir para dejar pasar el tiempo y recuperarme. Me inquietaba lo que podría haberles sucedido a Candela y a Iñaki, sobre todo a ella, pues la había visto desprenderse del vehículo entre las volteretas. Sabía que estaba cuando menos malherida.

Un extraño silencio envolvió la cabaña durante un buen rato. Pero, al mismo tiempo, se sentía la presencia de los muchachos. De pronto, escuché que movían la mesa y las sillas. También chasquidos como si fueran los de un látigo. Volví a ponerme de pie, ya con mayores fuerzas, y entreabrí la puerta que comunicaba a la pequeña estancia. Lo que vi, aun cuando presumía de haberme acostumbrado a los escenarios más álgidos, produjo en mi una especie de corto circuito. No podía siquiera desplazarme, asfixiado entre el agobio y la náusea.

Los jóvenes, con los torsos desnudos, eran flagelados por las señoras igualmente despojadas del pudor y con sólo las bragas puestas. Ellos, tapizados de tatuajes en brazos y espaldas –todos con imágenes exaltadoras de la violencia ciega–, además de las suásticas que me remitían, sin remedio, al oprobio de la década de los treinta, sesenta años atrás. Mientras sufrían los golpes se contoneaban sin apenas quejarse. Ellas, envueltas en un frenesí inexplicable, se mordían los senos unas a otras cuando descansaban de su perentoria condición de verdugos. En todos noté, en los muslos y alrededor de los tobillos, las huellas de los cilicios, las cintas con puntas filosas, a la manera de las espinas que le fueron impuestas al "hijo de Dios" en el Monte Calvario. (Éste, en la actualidad, es parte de la Basílica del Santo Sepulcro en Jerusalén hacia donde confluye la Vía Dolorosa convertida en un mercadillo de souvenirs. Cuando visité la urbe sagrada mi fe se debilitó todavía más al contemplar a los mercenarios cazadores de turistas).

Ante la escena dantesca que había contemplado, recordé algunas de las pautas de la autotortura supuestamente dirigida a la exaltación del espíritu a través de la propia estigmatización. Así lo proyectó José María Escrivá de Balaguer, nacido en Huesca, provincia de Aragón, en 1902, y fundador del Opus Dei que mereció el cobijo entrañable del papado. Escrivá aseguraba haber tenido una visión en la cual el Redentor le hizo una llamada universal para crear un nuevo "plan de vida", santificando el trabajo. El camino iniciaba con la laceración de la carne.

Aquello, dentro de la cabaña, parecía un rito. Los jóvenes comenzaron a azotarse contra las paredes hasta sangrarse y quedar extenuados. No pude más. Sigiloso, me acerqué a la salida, sin que nadie pareciera fijarse en mi presencia, acaso vencidos por las drogas —observé rastros de cocaína sobre la mesilla—, y salí corriendo, dando tumbos y arrastrando mis heridas, hasta perderme bajo la oscuridad. La noche refrescaba y sólo llevaba puesta la camisa empapada con mi sangre.

Caminé, tropecé, troté en medio de la espesura. Adolorido, disfrutaba de cierto sosiego interior. Vivía y ésta era una buena noticia. Me di tiempo para repasar, distrayéndome de las sendas inhóspitas, los acontecimientos recientes desde mi paso por Ciudad Juárez, el traspié que me reventó el hombro, el reencuentro con Candela y la persecución desde el Valle de los Caídos incluyendo, claro, el accidente. Pensé en ella y en Iñaki. Tenía necesidad de saber. ¿Nos habrían seguido los neonazis o nos colocamos en su ruta?¿Quiénes estaban detrás de ellos? Las interrogantes sólo cesaron cuando avisté un camino regional, con escasos acotamientos. Tuve suerte. Un minuto después los faros delanteros de un tráiler anunciaron que cesaría mi abandono.

—¿Qué te ha pasado? —preguntó sorprendido el chofer al observar mi deplorable estado, sobre todo mi ropa manchada y las vendas alrededor de la cabeza.

—Sufrí un accidente... hace dos días.

—Pero, ¿cómo es que ha pasado tanto tiempo?¿Estabas inconsciente?

Le expliqué lo sucedido, a grandes rasgos, sin mencionar las circunstancias que me habían permitido huir a través de los senderos arbolados.

—¿Dónde fue? —preguntó con curiosidad.

—Recuerdo que pasamos cerca de Las Navas del Marqués, camino a Ávila.

—Pues estás en otro sitio, amigo. A unos kilómetros de Solosancho. Ávila ha quedado atrás. Vamos sobre la carretera que lleva a Talavera de la Reina. De allí podrás tomar el autocar a Madrid. Pero, ¿no quieres antes que te vea un médico? Sobre todo por el golpe en la cabeza.

Me negué. Le di las gracias y le pedí que me dejara dormitar hasta llegar a la ciudad. De pronto fue como si la tensión acumulada funcionara como anestesia. Hasta que llegamos a Talavera descubrí que contaba con mis documentos y dinero en efectivo. No me habían robado. Antes de dejarme en la terminal de autobuses, el conductor me proporcionó una vieja chaqueta, muy maltratada, que tenía debajo del asiento. Sí, pensé entonces, había corrido con buen fario: amanecía.

Dos horas más tarde arribé a Madrid. Desde la estación de Méndez Álvaro hasta Sol, con las piernas adormecidas y los brazos casi insensibles; usé el metro para ganar tiempo. Cuando finalmente entré al hotel Liabeny, el conserje, don Paco, no pudo contener su asombro:

—Pero, ¡mire como viene usted, hombre!¿Dónde se había metido? Aquí hemos tenido un lío con la Guardia Civil que está buscándole. ¿Le avisamos?

—Si, claro. Pero antes dígame qué sabe usted de mis amigos. ¿Dónde están?

—Bueno, permítame usted. Lo he anotado en un papelito. Sí, aquí está. El señor Iñaki Azpiziarte está en el Hospital General Gregorio Marañón. Me han dicho que no tiene nada grave. ¿Sabe usted cómo llegar allí? Es muy sencillo.

–Antes voy a ducharme y cambiarme. Avise a la policía. Cuando baje de la habitación me da la dirección.

–Vale. Sólo que le hemos cambiado de cuarto. Verá usted... como no sabíamos si volverían. Pero le asigno otro de inmediato y le enviaré su equipaje enseguida.

–Una última pregunta, don Paco. ¿Tiene alguna información sobre Candela, Candela Rodríguez?

–¿La señora que les acompañó? Pues no. De ella no tengo ni idea.

La ansiedad no me permitió dilación alguna. Agobiado, permanecí sólo unos minutos bajo la regadera, los suficientes para limpiarme la cabeza que ya no sangraba, y me vestí precipitadamente. Cuando descendí por la escalera, recordé que también la había usado cuando, estimulado, más bien excitado, iba a reencontrarme con Candela. En el lobby ya aguardaban dos oficiales. Les solicité que habláramos rumbo al nosocomio y que entendieran mi urgencia por encontrarme con Iñaki... y Candela si es que estaba en el mismo sitio. Los agentes, al escuchar el nombre de ella, bajaron la mirada y aceptaron llevarme.

–Pero después –solicitó el oficial a cargo, el teniente Raygoza– voy a pedirle que nos acompañe hasta la demarcación de policía a presentar la denuncia. Ya avisamos a la embajada de su país que usted se encuentra a salvo. ¿Necesita que le examine un especialista?

–Todo a su tiempo. Lo mío no tiene importancia. Apenas me duele el hombro con tanta agitación que he tenido en las últimas horas. Lo demás es sólo cansancio.

Durante el trayecto respondí a las preguntas de rutina. Ellos insistieron en lo relacionado con el secuestro más que en el accidente mismo, pues daban por hecho que éste había sido provocado de acuerdo a la versión proporcionada por Iñaki.

–¿Y Candela qué ha dicho? –insistí–.

–Con ella... todavía no hemos podido hablar –informó, titubeante, el teniente.

En el hospital, sobre la calle del Doctor Esquerdo, a quinientos metros del Parque del Retiro, nos encontramos a un enjambre de reporteros avisados sobre el caso. Les rogué que me dieran tiempo. En la sala de reposo, preparándose para salir, encontré a Iñaki. Nos abrazamos. Él no pudo evitar que le brotaran las lágrimas.

–¿Y Candela? –pregunté, al fin.

Él me pasó la mano sobre los hombros y, sin decirme nada, caminó conmigo hacia los ascensores. Descendimos al nivel del sótano. Allí, me explicó, tenían los aparatos neurológicos más avanzados. Eso significaba que ella había sufrido daños en la cabeza. Me alarmé y no pude seguir interrogando a Iñaki. De pronto, él señaló a través de uno de los cristales. Y la vi tendida, exánime. La palidez extrema de su rostro era indicio de la tremenda gravedad en que se encontraba.

–Poco se pudo hacer, Julián. Le practicaron ya varias pruebas de resonancia magnética y, por desgracia, no reaccionó. Sólo respira artificialmente.

–¿Qué significa todo eso, Iñaki?

–Lo peor, Julián. Que le van a declarar la muerte cerebral. Es irreversible. Me lo han avisado hace poco más de una hora. Lo siento muchísimo.

–¡Maldita sea, Iñaki! Tú y yo sólo tenemos rasguños... y ella lo perdió todo. No tiene sentido. No lo tiene.

Iñaki volvió a abrazarme. No había respuestas a los porqués.

–Su vida no dejó de ser un infierno –referí–. Durante la dictadura y también al triunfo de/los socialistas. No conoció nunca la verdadera libertad, tan sólo la imaginó.

–¿Tuvo hijos, Julián? Habrá que avisar a alguien.

–Iñaki, ella no podía tenerlos. Consecuencias de la tortura. La destruyeron por dentro, físicamente porque su conciencia nunca claudicó. De verdad, fue una mujer excepcional. Y una gran española.

Guardamos silencio. Un médico se nos aproximó para decirnos que, el cerebro de Candela clínicamente ya no tenía vida.

–Hemos preguntado por sus familiares –alegó el profesional–. Y nos dicen que ustedes son quienes pueden decidir.

–¿Nosotros? –inquirí, trastornado–. ¿Decidir sobre qué asunto, doctor?

—Esto es, si ya la desconectamos del respirador artificial. Mi opinión es que sea de una vez.

—Nos pide ejercer el papel de Dios, entonces —repliqué.

—No, únicamente que actuemos como seres civilizados. Ella no regresará. Es duro, pero así es.

—Proceda entonces, doctor. Pero, ¿no hay nadie más que pueda determinarlo?¿Algún tío tal vez?¿Un primo o un sobrino?

—Sólo hemos encontrado a algunos amigos suyos que están trabajando en este momento. Los más cercanos son ustedes.

Me conmovió el drama personal de Candela, la rebelde y fogosa, la apasionada. Al final se había quedado sola, con un amor furtivo velando por ella. La historia de España parecía estrujarse en sus neuronas vencidas mientras su corazón seguía palpitando. Hasta que, definitivamente, recogiéramos su aliento postrero. Ya no habría mañana para ella y para nosotros comenzaba a ser pasado. Su tumba, claro, no podría ser monumental ni sería motivo de peregrinaje. Una más en el interminable océano de los epitafios. Pensé, entonces, que la última visita que hizo fue a Franco, a la sepultura del dictador, para zanjar, desfogándose, un diferendo eterno. Ex abrupto demencial por una parte; sencillez obligada por la otra.

Lo peor sobrevino en mi conciencia rota: de alguna manera, y me sacudí al meditarlo, Franco seguía matando a través de los fanáticos intransigentes como esos jóvenes que nos persiguieron y provocaron el desenlace brutal.

—Me duele, Iñaki, que nada más sea una nueva víctima de la dictadura, atorada en la noche del siglo XX. Y que ni siquiera podamos expresarlo así.

—Le haremos justicia denunciando los hechos. Es nuestro papel.

—Dime tú si crees que eso será suficiente para justificar su muerte. ¿Cómo explicar que el espíritu del tirano, y no los jóvenes fanáticos, fue el que nos persiguió por la carretera a Ávila, la ciudad de Santa Teresa cuyo brazo incorrupto guardó el caudillo en un relicario personal al pie de su propio lecho?

–Siniestro, sencillamente. Más parece una película de terror.

–Como ella dijo: la realidad es mucho más asfixiante que la ficción.

El teniente Raygoza sugirió que, antes de partir a la Comisaría, me hiciera un reconocimiento. La revisión fue exhaustiva y, para mi contrariedad, no me dieron de alta. Alegaron que era necesario realizar algunas placas y por ello debía permanecer internado hasta la mañana siguiente. Iñaki volvió al hotel porque él ya había rendido su declaración ministerial.

Después de la medianoche, aproveché un descuido de la asistenta de guardia para escabullirme hacia el sótano. La imagen de Candela me obsesionaba. Ya no estaba allí. Al volver, observé que en un espacio, detrás de las escaleras, refulgía un ataúd metálico. Me acerqué y, sin que nadie lo impidiera, abrí el catafalco suave y lentamente. Ni siquiera estaba cerrado de manera hermética. Así, la vi por última vez. Mentiría si les dijera que le di un beso. El color mortecino siempre me ha repelido. Sentí una tristeza enorme. Ni siquiera tenía fuerzas para sublevarme ante la contemplación de lo perdido. Sólo una noche pude amarla, pero su intensidad quedó en mí.

En la mañana, Iñaki estuvo puntual a recogerme. Todo estaba dispuesto para llevar el cuerpo de Candela al crematorio. No sabía que más hacer:

–Ni modo –le dije a Iñaki– que contratemos algún servicio religioso. Ella detestaba a la Iglesia porque la ligaba a la dictadura.

Fue entonces cuando una viejecita se nos acercó. Octogenaria, caminaba con dificultad.

–Soy María Rodríguez, la única hermana del padre de Candela. Sólo quería agradecerles las preocupaciones que todo esto les ha causado.

–¡Por favor, señora! No diga eso –clamó Iñaki–. Ella nos acompañaba y fue muy doloroso cuanto ocurrió. Pero bien podemos decir que murió sin bajar la guardia. Peleando su último combate.

–Así lo habría querido su padre.

—¿Ya le han dicho que van a incinerarla, señora?

—Ese era su deseo. Y después, si no tienen inconveniente, me llevaré sus cenizas para arrojarlas en el mar. Muchas veces le escuché decir que sólo la bravura del oleaje podría contenerla. Nada de funerales ni de responsos.

Nos despedimos de la anciana, a quien acompañaba un matrimonio amigo de ella. Nuestra presencia ya no era útil. Y salimos del hospital, paso a paso, sin hablar. Dábamos vuelta a la página.

Luego acudimos al edificio central de la Guardia Civil, en la Puerta del Sol. Allí mismo había sido llevada Candela y rapada en una celda de castigo luego de nuestra fugaz noche de pasión veinte años atrás. Ahora denunciaríamos su muerte. Buscaba parecer firme pero algo oprimía mi conciencia. ¿Podría perdonarme mi ligereza ante su sufrimiento, sobajada pero jamás claudicante? Hablamos, expusimos, denunciamos. Además, ubiqué el sitio en donde fui encontrado.

—¿Acusan a alguien en concreto, además de los jóvenes radicales? —preguntó el oficial.

—Sí —respondí automáticamente—. A Franco y la dictadura que todavía está viva.

—¿Qué quiere usted decir?

—Algo muy simple, señor. Mientras España no venza los radicalismos no podrá disfrutar del aire pleno de la libertad. Ni España ni ninguna otra nación. Candela es una víctima más de los intolerantes, de los bárbaros que pretenden imponer consignas sin atreverse a debatirlas.

Dos horas después, muy cerca de la Comisaría, en nuestra habitación con vista hacia la Plaza del Carmen, empezamos a ordenar el equipaje. Iñaki y yo comprendimos que no nos sería fácil asimilar el golpe recibido bajo el cielo inmaculado de Madrid.

—Antes de volver, Iñaki, pretendo hacer una escala en París. El itinerario lo permite.

—¿Para qué, Julián?¿No ha sido bastante el ajetreo?

—Quiero visitar la tumba de Porfirio en Montparnasse. Un viaje entre dos sepulcros, entre dos dictadores, Franco y Díaz. ¿Te acuerdas que alguna vez te hablé del Manto Sagrado?

Tenía, muy dentro de mí, sobrados motivos para intentar descifrar el enigma.

VII

Poder

Cuando Luis Donaldo Colosio, candidato del PRI a la presidencia de México, fue asesinado en Tijuana, el 23 de marzo de 1994, sus allegados y quienes mantenían cercanías y vínculos con las fuentes del poder, supieron que había sido víctima de una conjura fraguada desde el más alto nivel de la política. Fueron tiempos convulsos, amenazadores, en donde el cruzamiento de sospechas y la ventilación pública de acusaciones, incluso contra el mandatario en funciones, Carlos Salinas de Gortari, no fueron suficientes para provocar una crisis severa. La vida institucional del país ni siquiera se interrumpió. Con un abanderado sustituto, Ernesto Zedillo Ponce de León, el PRI ganó los comicios menos de cuatro meses después, sin perder siquiera la guía del gobierno de Washington.

Meses después, el fiscal especial designado para seguir las secuelas del magnicidio, Miguel Montes García, nacido en Jalisco y crecido en Guanajuato –en su currículo destaca haber presidido el Congreso local de la entidad que fue fragua y cuna de la Independencia Nacional–, llegó a una fantástica conclusión:

"Mario Aburto Martínez (el asesino material capturado en flagrancia), pudo haber actuado solo... o acompañado".

Sin duda, una de las precisiones jurídicas de mayor relieve a lo largo de la historia. Sólo en México, una nación acostumbrada a los simulacros –por algo es sede igualmente de la única "guerrilla pacifista" del mundo, la del EZLN–, tan solemne declaración no tuvo mayor repercusión, salvo la anecdótica. Pese a ello, pudo tratarse de la confirmación de una trama soterrada cuyo propósito consistía en desactivar el polvorín de la inestabilidad social, sobre todo porque plena bonanza económica de Estados Unidos, esto podría detonar una crisis financiera continental. Y era ésta, sin duda, la gran prioridad para la administración del presidente de la gran potencia, William J. Clinton.

Durante los días turbulentos de diciembre de 1944, después de la transición sexenal del Ejecutivo, se abrió un extenso abanico de hipótesis entre la realidad y la especulación, y prácticamente no había mexicano sin una versión personal sobre los hechos, cada quien autohabilitado como director técnico listo para el juego de la política en el campo de la barbarie; fue entonces cuando acudí a un almuerzo, en una residencia de la colonia Polanco del Distrito Federal, en compañía de colegas con acreditadas fuentes en los altos niveles del gobierno. También se presentó, como invitado especial, José Antonio González Fernández, quien había sido consejero de la embajada mexicana en Estados Unidos y desempeñaba el complejo cargo de procurador en la jurisdicción de la ciudad de México.

González Fernández, carismático y amiguero, de gran estatura para los estándares vernáculos, delgado y de fino trato, con una capacidad y talento especial para escuchar y desarrollar sus propias redes informativas, acentuó su carácter de funcionario con tal de no participar, directamente al menos, en una conversación políticamente inconveniente. Uno de los convocados, con la venia de González, deslizó una tesis temeraria:

"No me queda la menor duda de que detrás del crimen se observan las manos de Joseph-Marie Córdoba Montoya."

Considerado como la eminencia gris del régimen de Salinas, dejó su lugar como coordinador de la oficina de la presidencia (esto es como jefe de asesores), para aceptar ser el representante de México ante el Banco Interamericano de Desarrollo, debido al parecer a esa responsabilidad con el crimen político que le atribuía la opinión pública.

Córdoba Montoya, nacido en Francia y de origen español, de mediana estatura y siempre encorvado, con el rostro salpicado por las huellas del acné juvenil y una mirada escrutadora, congelada, guarecida detrás de sus anteojos redondos con finos armazones de marca, conoció a Salinas en Harvard y, desde entonces, se confabuló con él apostando por la conquista del poder. Sin acreditar jamás el doctorado del que hacía gala fue, el responsable de las estrategias generales del lapso salinista... y el mayor promotor de Ernesto Zedillo, quien al final de cuentas fue candidato del PRI ocupó la Primera Magistratura sobre la sangre derramada.

–Desde luego existe un argumento de fondo –intervine–. Se violentó una de las reglas fundamentales en toda indagatoria criminal: el mayor beneficiario debe ser considerado el primer sospechoso. Y, en este caso, quien alcanzó la presidencia, aprovechando la parafernalia oficial y los votos del miedo –la ciudadanía sufragó aterrorizada ante la perspectiva de una explosión incontrolable de violencia–, no ha sido ni siquiera considerado, porque es él quien impone las líneas a seguir a procuradores y fiscales.

Para ocultar su franca incomodidad, González Fernández optó por levantarse de su sitio, alegando que iba al baño. El convite fluyó después con abundancia de cecina, la carne seca que en Guerrero tiene carta de adopción, y una buena dotación de tequilas. Fueron tantas las tandas del aguardiente motivador que pude marcharme sin despedirme, un mutis discreto para no mancillar afectos, mientras la algarabía consumaba la tarde. Fue en esa ocasión, lo recuerdo bien, cuando, al revisar papeles, ya ubicado en mi despacho de la calle de Bartolache, enmarcada en mi ventana la fachada de la Parroquia de la Divina Providencia, caí en cuenta de una excepcional coincidencia: la conexión del BID con dos de las figuras claves para entender las secuencias siempre comprometedoras de la vida institucional del país.

–¡El Manto Sagrado! –exclamé sin que nadie me oyera–. Don Antonio Ortiz Mena fue quien consolidó al organismo a lo largo de diecisiete años –hasta 1987–, y Córdoba aterriza allí en 1994. No puede ser una simple casualidad.

Y vino a mi memoria la confidencia de una valiente colega, Marcela Beristain, durante varios lustros corresponsal en Estados Unidos:

–Con Córdoba es mejor ser prudente. Él es el hombre fuerte de la CIA en México. Por eso nadie puede tocarlo. Es inalcanzable para la clase política mexicana.

Sabía yo que dos elementos, igualmente de gran relieve, fueron reclutados por la inteligencia norteamericana en momentos especialmente delicados. Incluso tuve acceso a los expedientes de los mismos y a sus números de registro en la CIA:

–Gutiérrez Barrios, Fernando, Litempo 14.

–Echeverría Álvarez, Luis, Litempo 17.

El primero, convertido en una leyenda, fungió como secretario de Gobernación durante la administración de Salinas, desde donde se confrontó severamente con Córdoba; el segundo, alcanzó la presidencia de la República en 1970 y su desempeño derivó en la primera de las crisis económicas estructurales que benefició aún más a los grandes acreedores del país. El círculo parecía cerrado.

Sobre Córdoba ninguna sospecha es gratuita. Pocas semanas antes de la nominación del infortunado Colosio como candidato presidencial del PRI, fui testigo de un diálogo muy duro con su coterráneo, el gobernador de Sonora, Manlio Fabio Beltrones, quien también después intervendría en la trama siniestra del asesinato. El segundo preguntó al primero:

–Si llegas a la presidencia, ¿tendrás lugar para Córdoba Montoya en tu gabinete?

Luis Donaldo, quien devoraba una parrillada en El Rincón Argentino, uno de sus restaurantes favoritos en Polanco, se volvió bruscamente y encaró a Beltrones:

–Mira, cuando yo esté arriba, Córdoba no sólo no tendrá cargo alguno en mi gobierno sino que para él no habrá sitio en México.

Basta unir los cabos para extender las telarañas. Tras el drama de Colosio, uno de los informantes que con frecuencia tocaban a mi puerta para alertarme –fue él quien me comunicó sobre la incipiente insurrección en Chiapas dos semanas antes de que estallara en el amanecer de 1994–, Esteban Maldonado, solicitó que nos reuniéramos "en algún lugar seguro donde no llamáramos la atención". Lo cité en las afueras de la Plaza México en un día de corrida. El barullo nos envolvía cuando caminamos alrededor del inmenso coso, construido por cierto aprovechando las excavaciones de una antigua fábrica de ladrillo en donde ahora se asientan los tendidos numerados, porque los que sobresalen de la calle son sólo los generales, impregnados del ánimo festivo de los aficionados. Si alguien nos veía sólo pensaría que estaba en mi propia salsa.

Maldonado fue directo al asunto que parecía atragantársele:

—A Colosio lo mataron porque no era masón. ¿Usted no se había dado cuenta?

Aquello me pareció tan descabellado que no pude evitar una sonrisa irónica. Maldonado continuó:

—No se ría, Julián. Va en serio. Los masones, son quienes mueven los hilos del poder. Desde Juárez, pasando por Cárdenas y todos los demás. Unos entran al aro y no se confrontan. Es como un valor entendido.

—Esteban, no hay nada que nos conduzca hasta ese punto que usted sugiere.

—Precisamente por eso sé que es verdad. Ellos no son de los que dejan huellas ni señales. Tienen muchas maneras de limpiar las escenas de sus actos violentos. Acuérdese de Maximiliano de Habsburgo. ¿Usted es de quienes creen que fue ejecutado en Querétaro?

—Me remito a la historia y al carácter de Juárez. Además, el rubio barbado también era masón.

—Precisamente, Julián. No se matan entre ellos. Por ello Juárez no podía hacerlo.

La verdad, no le di mayor importancia a esta extraña conversación con mi informante. Pensé que Maldonado quería darse importancia fantaseando con un caso tan grave. Sólo me detuvo un hecho: Maldonado jamás había dejado de ser certero con sus informes.

Después del encuentro con los colegas que me abrió los ojos y despertó en mí la avidez investigadora, se presentaban dos vertientes que confluían hacia un mismo destino. Si Córdoba Montoya pertenecía al Manto Sagrado, clave secreta para sostener los equilibrios entre los dos Méxicos, el de los conservadores y los liberales, debíamos entender que Luis Donaldo podría haber comprometido esa compleja estabilidad y Zedillo, en cambio, la aseguraba. Y si daba crédito a la confidencia de Maldonado, la masonería habría optado por una salida semejante. Sólo que, en el fondo, una contradicción era evidente: se trataba de dos bandos enfrentados, en una guerra sorda de reacomodos permanentes. No era lógico que confluyeran a la par: uno debía ser el ejecutor y el otro la víctima propiciatoria.

En su momento, por supuesto, conocí algunas de las soberanas trampas que le pusieron al candidato asesinado. Como aquella jornada en la que, aprovechando el escaso control de Colosio sobre los esfínteres, sus "coordinadores", entre los cuales el principal era precisamente Zedillo; ellos le sugirieron relajarse en un rancho sinaloense donde le esperaba una familia de agricultores muy priístas y, por ende, rabiosamente partidarios suyos. Luis Donaldo se dejó querer y accedió.

No muy lejos de la ciudad de Culiacán, le dio la bienvenida un compacto comité de recepción encabezado por el próspero hacendado y una parvada de muñecas vivientes dispuestas a complacer al "futuro presidente", tal era su rango real en una democracia sin secretos, y a sus operadores que lo acompañaban. El hombre no dudó ni un momento y se entregó a la pasión circunstancial, libre, según suponía, de indiscreciones. Bebió y amó como un auténtico libertino de las antiguas cortes medievales. Después apareció la factura.

Fue también Maldonado quien me facilitó los testimonio y las pruebas de la francachela: sendas fotografías en las que Colosio aparecía sentado con una rubia espléndida sobre sus rodillas y al lado de su anfitrión, a quien acababa de conocer. Se había tratado de un desfogue entre las tormentas que enfrentaba, para validar su candidatura; las presiones no provenían del presidente Salinas sino, más bien, de los parientes de éste, sobre todo de Raúl, el "hermano incómodo", a quien se aprehendería en febrero de 1995 como presunto responsable intelectual de otro crimen político perpetrado en septiembre de 1994: el asesinato de Francisco Ruiz Massieu, ex gobernador de Guerrero y uno de los favoritos del del primer mandatario.

—¿Ya se dio usted cuenta quien es el acompañante del candidato? —preguntó Maldonado, señalando una de las fotografías.

—Su rostro me parece conocido, pero no le identifico.

—Fíjese bien. Los de la DEA ya saben de quién se trata: es, nada menos que Joaquín "El Chapo" Guzmán, el capo mayor de Sinaloa.

Quedé demudado. Era inconcebible que un aspirante presidencial cayera en una emboscada tan burda. Pero así fue. Y todo porque unas semanas atrás irritó a Raúl Salinas de Gortari, el hermano, cuando éste casi le exigió asegurar sus negocios convirtiéndole en cómplice.

Por tanto, las pistas señalaban a tres, y no sólo a dos, como posibles brazos ejecutores. O también podía tratarse de una combinación perversa de dos o de los tres. Sobre algo no tenía duda alguna: se había consumado una conjura que modificaría el perfil sociopolítico e histórico de México.

Todo esto era parte del bagaje que me llevó a España en aquel otoño de 1995. Si Iñaki Azpiziarte buscaba las fuentes del terrorismo resistente, que de ser una amenaza para la dictadura de Franco pasó también a serlo del contrapunto extremo, es decir el gobierno socialista con visos democráticos, a mí me seducía descubrir los vínculos soterrados del verdadero poder en las naciones latinas. Todo fue tan fugaz que, en el transcurrir de una semana, volábamos a París como última escala de la vuelta a casa. La realidad nos había noqueado. Dejábamos atrás un cadáver, el de Candela Rodríguez, y buena parte de nuestras audaces iniciativas. Pero no queríamos darnos por vencidos.

Permanecimos en silencio durante la mayor parte del viaje, en una persistente recapitulación, intentando justificar lo que hacíamos.

—¿Vale la pena, Iñaki? Detente, por un instante, en la paradoja. Quienes arriesgan sus vidas, como los toreros, por lo general son compensados. Una vez mi viejo me dijo: si hay tal amargura en tu corazón para acariciar la idea de la muerte, entonces ponte un traje de luces y sal a buscar la gloria en el ruedo. El corolario podría ser éste: si va en prenda la vida, cuanto mejor que dejar huella.

–Y nosotros nos la jugamos muchas veces sólo por vocación. ¿No es eso lo que quieres decirme? Nadie nos reditúa por las angustias que pasamos salvo nuestra propia conciencia.

–¿No te parece que el costo es muy elevado?¿Qué quizá tú y yo estemos locos de atar?

–Puede ser, Julián. Pero nadie puede quitarle la intensidad a nuestras existencias. Y eso es lo que de verdad cuenta. Por lo menos así lo creo. No todo es sufrimiento, aunque en este momento así nos lo parezca.

–Ojalá obtengamos el perdón cuando llegue la hora de rendir cuentas. ¿A cuántos habremos lastimado por ganar una primicia, Iñaki?

–Mejor piensa en cuánto podemos aportar a favor de la verdad y el conocimiento.

–Los males necesarios, otra vez. Hay que cortar lo podrido para que la humanidad madure y avance, ¿no? ¿Y si nosotros somos la mala yerba que crece y obstruye los equilibrios? El bien, el mal. Siempre lo mismo.

Al llegar a la capital de Francia, nos instalamos en el Hotel du Continent, en el número 30 de la Rue du Mont Thabor, a pocos metros de la Plaza de la Concordia y el Jardín de las Tullerías, un emplazamiento ideal y no muy caro. Dejamos el equipaje y salimos a caminar. Era el mediodía. Cruzamos el Sena por el Puente de la Concordia y por nuestro escaso presupuesto nos detuvimos en un pequeño kiosco para saciar el hambre: ingestión automática de crepas saladas de jamón. Queríamos aprovechar la luz.

Seguimos la ruta hasta el Hotel de los Inválidos, la aportación de Luis XVI a sus tropas desvalijadas —el monarca lo construyó, precisamente, para compensar con camas tibias a los mutilados por gracia de sus embestidas bélicas—, que reconstruido y rehabilitado salvaguarda, como uno de los mayores tesoros de la nación francesa, "la tumba del Emperador".

—Sabes que no puedo sustraerme a la tentación de visitar esa tumba —expliqué a Iñaki.

—Sí, ya sé que eres un necrófilo empedernido. Los vivos estamos a salvo contigo. ¿Cuántas veces has estado aquí?

—Tres, quizá cuatro. Y siempre encuentro algo fascinante y distinto. Por cierto, también don Porfirio Díaz, al inaugurar su exilio, pasó por este sitio. Y no sólo eso: aquí recibió un homenaje excepcional.

Cuando el responsable de la custodia de las armas imperiales, descubrió la presencia del dictador mexicano en la Église du Dôme, ya sin la aureola del poder, puso en sus manos la espada de Napoleón, una auténtica reliquia para el ejército francés y le dijo: "No puede estar en mejores manos que las suyas". Emocionado, acaso olvidó Díaz en ese momento, sublime para su egolatría, que él venció a los aceros franceses en la histórica batalla de Puebla el 2 de abril de 1867, cuando encabezó a las tropas republicanas, juaristas, repeliendo a los invasores de México. Los autócratas pueden navegar de un extremo a otro sin brindar explicaciones).

La rotonda es imponente. En el centro, un monumental túmulo de mármol guarda los restos del Emperador quien, como última gracia, pidió reposar cerca del Sena. En una capilla lateral se encuentran los restos de José Bonaparte, a quien llamaron "Pepe Botella" los españoles que jamás bajaron la cabeza ante el imperio arrasador. Quien fue considerado anticristo por sus contemporáneos todavía es reverenciado en el altar cívico de la nación francesa. El poder omnímodo, inescrutable, se extiende mucho después de la muerte.

—Lo mismo que Franco —reflexioné en voz alta—. Aunque el caudillo parezca haber perdido el juicio histórico, no hay español, rey o plebeyo, prócer o rico, que sea honrado en un mausoleo como el suyo. Nada menos que una Basílica cuya nave central es mayor a la de San Pedro. Igual Napoleón: proscrito, acaso envenenado por quienes le traicionaron en la fase final, volvió de Santa Elena, donde falleció en 1821, veinte años después de su muerte, para reconquistar el espacio imperial en el corazón de su amada París. Ahora es, sencillamente, "el emperador", con soberanía incluso sobre la cronología, aun cuando pasen ante él, por el filtro de los tiempos y del poder, presidentes, primeros ministros, caudillos y oportunistas.

Iñaki se quedó absorto. Luego me leyó la descripción de la magna sepultura, más bien de los seis catafalcos que protegen los despojos de quien no tuvo parangón en el mundo y se dio el lujo hasta de mandar sobre sus carceleros, los oficiales ingleses que tanto le temían. De pronto, Iñaki disparó un dardo venenoso:

—Bueno, no a todos les viene bien tu sentencia, Julián. Si Napoleón fue el gran conquistador europeo del siglo XIX, Adolfo Hitler, otro de los anticristos, debe ser considerado en los mismos términos desde la perspectiva de la centuria siguiente. ¿Por qué entonces se exalta a Napoleón, también vencido por las naciones a las que afrentó, y se incordia a Hitler?

—Quizá porque el segundo persiguió, reprimió y mató a millones de judíos. Y hoy son ellos quienes atesoran la riqueza mundial. La historia no la escriben los guerreros vencedores sino quienes detentan el verdadero poder. Napoleón fue un general excepcional, un estratega, que no modificó el modelo sociopolítico salvo para entronizarse sin menoscabo de los haberes de los demás. Lo mismo Franco: su tiempo fue el que le arrebató a don Juan de Borbón, su contemporáneo e hijo de Alfonso XIII, cancelándole los derechos dinásticos para que no pudiera exigir el trono mientras viviera el dictador. Y fue Juan Carlos, hijo de don Juan, quien resultó bendecido por la autocracia incólume. En el lapso, los aristócratas y los grandes oligarcas no sufrieron, simplemente se reacomodaron.

—El poder económico por delante, Julián. De una manera u otra siempre llegamos al mismo punto.

—A los grandes consorcios financieros no les interesa tener un buen presidente o un monarca justiciero; les preocupa, nada más, contar con un buen socio al frente del poder político. Lo demás les viene por añadidura, como reza la Biblia.

196

Salimos hacia la Avenue de Tourville para encontrarnos con el Boulevard des Invalides —no pude evitar una sonrisa al recordar a algunas urbes medianas de nuestro México cuyos alcaldes inauguran camellones sobre una calle y sólo por eso les llaman pomposamente "bulevares"—. Caminamos hacia el sur de París hasta incorporarnos al Boulevard du Montparnasse, llamado así por evocación del Parnaso griego en donde se exaltaban las bellas artes. En la Ciudad Luz el equivalente fue la bohemia alebrestada con la presencia de grandes genios, como Matisse y Picasso. Y precisamente desde la Plaza Pablo Picasso, desembocamos hacia la Rue Huyghens y cien metros más adelante al Boulevard Edgar Quinet.

Teníamos frente a nosotros la puerta principal del Cementerio de Montparnasse. Allí reposan escritores y artistas, entre ellos Jean Paul Sartre, Simone de Beauvoir y Baudelaire. También otros que se hicieron célebres a causa de las sinuosidades de la historia, como es el caso del capitán Alfred Dreyfus, el judío maliciosamente acusado de servir al gobierno alemán en 1814, degradado, desterrado a la Isla del Diablo, defendido por un joven Víctor Hugo y rehabilitado, al fin, en 1918 cuando se le admitió en la Legión de Honor.

Acudimos al vigilante de la blanca caseta, semioculta por las arboledas, y le preguntamos, en mal francés, por la tumba de Porfirio Díaz.

—¡Ah, el general! —exclamó para enseguida mostrarnos un plano del camposanto con la ubicación exacta de los difuntos célebres.

El general Díaz reposa en la tumba número dos del área quince del panteón, sobre la Avenue del´Ouest, al pie de una de las almenas. Detrás del muro, compiten cuatro de los locales de teatro y música más conocidos, incluyendo el de la Comedia Italiana. En esta zona el ruido y la animación no cesan nunca, a una hilera de sepulturas de mármol a la vista del visitante, no tiene grandes pretensiones, salvo una apretada capilla neoclásica, afrancesada claro, que se eleva hasta una cruz, como la de los pectorales de los jesuitas, encima de la imagen resaltada de un águila con las alas extendidas, devorando a la mítica serpiente de Tenochtitlán sobre dos hojas de laurel. Un símbolo con reminiscencias anglosajonas. En un semicírculo debajo del antiguo escudo nacional, con letras grabadas sobre la piedra, se lee el nombre: Porfirio Díaz.

Aquella tarde de cielo entoldado, todavía primaveral, de principios de junio no había más visitantes que nosotros. Chispeaba apenas. Iñaki sugirió tomarnos algunas fotografías y lo hicimos sin ningún pudor como todos los turistas. Entonces reparé en la gran cantidad de pequeños papeles que habían sido introducidos dentro del oratorio a través de las puertas cilíndricas de metal. Observé, también, varias postales con paisajes mexicanos y muchos ramos de flores muertas. La sensación era de abandono, pero no de olvido. Leí uno de los mensajes manuscritos:

—"Mi General: en México se le quiere, se le respeta y admira. Algún día volverá usted a su querida patria. Familia Iglesias".

Otro más:

—"Lejos están mejor los sátrapas". (Este sin firma al calce ni referente alguno).

Le dije a Iñaki:

—No cesa el debate histórico, siempre entre la satanización y la glorificación. Sin puntos medios ni el menor asomo de objetividad. Tendenciosos, como todos los fanatismos que perviven.

Miré hacia dentro de la capilla. Por el polvo impregnado en los cristales y el piso de mosaico y el gris intenso del mantelillo sobre el altar, era evidente que llevaba mucho tiempo sin ser aseada. La pátina era más evidente en los candelabros de metal, ya sin velas —de uno colgaban los últimos vestigios de la cera—, que comenzaban a poblarse de telarañas. El techo, angulado, ya casi había devorado la pintura. Demasiada suciedad y no pocos recordatorios de quienes vienen a disfrutar de la llamada "ciudad luz" y optan por entregar parte de su tiempo a las tinieblas de una historia todavía inconclusa.

—No creo que haya un caso igual, Iñaki. El de un militar que doblegó la soberbia del ejército francés, venciéndolo definitivamente, para después escoger morir en el suelo del enemigo, en París, el 2 de julio de 1915. Pero, además, enterrado con los honores de la reverencia pública y en un sepulcro más que digno.

–Es difícil que encontremos otro parecido, como tú dices. ¿Debieran volver sus restos a México?

–Te diré una cosa, Iñaki: mientras no se zanje esta controversia no podrá alegarse que terminó la era porfiriana. Así como la caída del muro de Berlín en 1989 fue considerada el verdadero finiquito de la Segunda Guerra Mundial a más de cuatro décadas después del armisticio, sólo cuando los prejuicios y fariseísmos no se opongan a que un mexicano descanse bajo su tierra, aunque para muchos haya sido un autócrata indefendible, se habrá puesto el punto final a la dictadura que oficialmente terminó en mayo de 1911 con la renuncia del general. Mientras el debate prosiga, el alma porfiriana seguirá volando sobre el águila de las alas abiertas.

Callamos los dos. Volví a mirar dentro de la capilla. Y entonces me percaté que debajo de una cruz con incrustaciones de cristales de colores, sucedáneos de las joyas que quizá debió poseer, podía verse un manto morado con una gran letra tejida: "S". Sí, el mismo símbolo que yo había descubierto en el mandil de Miguel Ángel Correa, puesto en mis manos por los emisarios del dictador de Rumania años atrás. También el que determinaba la presencia y unidad de los integrantes del Manto Sagrado, eje rector, desde los subterráneos de la vida institucional, de no pocos acontecimientos claves de México.

Perturbado, se la señalé a Iñaki:

–Fíjate en esa "S", Iñaki. Es bastante más de lo que yo pretendía encontrar. Se trataba de la "ese" que es la primera letra de las palabras "sagrado", "salvador" y "sangre", los pilares de eso de lo que ya te hablé: del Manto.

–¿Cómo puedes estar tan seguro? Recuerda que también forma parte de otro símbolo: Jesús Hostia Sagrada. Podría ser la señal de una congregación.

–Por supuesto, la de los jesuitas. Los más temidos combatientes de la fe. ¿Y sabes por qué lo son? La razón es sencilla: guerrean con la fuerza de las ideas, no con la brutalidad de la conquista. No fueron ellos quienes impusieron, a sangre y fuego, la ley de Dios en las tierras tomadas por España, la nuestra entre ellas, sino los soldados del Pontífice que insisten en mantener los equilibrios entre el bien y el mal para que la humanidad prevalezca y no sucumba bajo el estruendo de la soberbia terrenal. ¿Entiendes la diferencia?

Iñaki cerró los ojos, asimilando. Luego, respirando hondo, preguntó:

—Y en todo esto, ¿cuál es el papel de don Porfirio?

—El de todos los dictadores: la garantía de continuidad durante casi cuatro décadas. Esto es, un instrumento para repeler a ateos y fariseos cuyas corrientes modifican el camino de los pueblos. Por eso aún se le exalta. Por eso está aquí, en Francia, por encima de las contradicciones mundanas. Su sepulcro es también una clave.

Saqué una libreta. El tronco de un viejo abeto hacía las veces de guardia elevándose más allá del sepulcro. En la esquina, la tumba del jurista René Cassin, premio Nobel, y más allá la que guarda, uniéndolos, los despojos de Sartre y Simone de Beauvoir. Al anotar los nombres pude percatarme que un hombre, robusto y con medio siglo a cuestas, no dejaba de observarnos y también registraba cuanto veía en unas tarjetas blancas, de bolsillo. Llevaba un sombrero corto pasado de moda, muy al estilo de la lejana década de los cuarenta y de los viejos gángsters de Hollywood. Como para que la obviedad no pasara desapercibida.

—La pluma del periodista —sentenció Iñaki— es como una pistola en manos de un ajustador de cuentas. Y funciona mientras no nos embosquen. Así que mejor caminamos despacito hacia la salida.

Me hizo gracia la extremada preocupación de Iñaki, hasta que, como un relámpago, vinieron en cascada los recuerdos de nuestras jornadas recientes. ¿Nos habíamos vuelto demasiado vulnerables? Por deformación personal ya no creía en las casualidades.

—Es hora de ir pensando en una buena cena, Iñaki. ¿Tienes alguna sugerencia?

200

Nos escabullimos por las amplias avenidas de Montparnasse hasta llegar al barrio latino. El sujeto aquél nos siguió hasta el Boulevard Saint Michel. Luego dejamos de verlo. Iñaki recordaba con agrado un restaurante parisino, el Bofinger, muy cerca de la Plaza de La Bastille, el núcleo más revolucionario de la capital francesa. Antes me aclaró:

–El sitio no tiene nada que ver con las películas de bandidos y policías. Lo único reñido con el ámbito, profundamente francés y bajo una cúpula de cristal rodeada de vitrales luminosos, es el nombre. Ya lo verás.

Tomamos un taxi frente al antiguo casco de la Sorbona, la universidad tantas veces vanguardistaen aquel ámbito político, hasta la Rue de La Bastille número 5. Fue una estupenda elección. Las fuentes de mariscos, con abundancia de ostras frescas, y las delicias de pato, resultaron un auténtico bálsamo al paladar y al ánimo. De pronto, en un salón contiguo al principal, me pareció distinguir a un personaje conocido.

–Es don Silvio Zavala –informé a Iñaki al asegurarme que se trataba de él–, el gran historiador y diplomático. Vaya coincidencia: precisamente aquí le conocí, en París, cuando era embajador de México en Francia. Voy a saludarlo. Me viene como anillo al dedo: él puede confirmarme lo que hemos visto esta tarde.

–Ten prudencia. ¿Identificaste a la persona con quien está charlando?

–No. Pero don Silvio es hombre de una sola pieza, de absoluta confianza. Nuestras familias se conocen desde hace, cuando menos, tres generaciones. No tardaré.

El encuentro fue cordial. El respetado maestro Zavala, octogenario, hizo las presentaciones. Quien departía con él era un próspero empresario del centro de México, Felipe Castro Martínez,y que según yo sabía contaba con cierta representatividad en el sector patronal. Obviamente, no solté prenda sino hasta que éste, prudente y cortés, se excusó para ir a los servicios.

–Don Silvio, acabo de visitar la tumba de don Porfirio.

–¿Cómo?¿Usted también? Curioso, a fin de cuentas, como todo periodista. ¿Y qué fue hacer allí?

–Usted es quien ha formulado tres preguntas, con una habilidad envidiable. Lo señalo por aquello de las vocaciones. Jamás hubiera pensado que usted sería mejor reportero que yo.

El ambiente se dilató. don Silvio acercó a su barbilla el bastón, cuya empuñadura dorada tenía la forma de un halcón iniciando el vuelo.

–Vengo de ver al águila de las alas extendidas y me encuentro ahora con el halcón de las miradas abiertas –comenté–. Podría escribir una analogía.

–Pues hágalo, Julián. Sería muy interesante para los parques zoológicos –bromeó don Silvio–. Ahora, dígame, antes de que regrese nuestro amigo empresario, ¿qué le llevó a meter las narices en el cementerio? No voy a negarle que cuando viví en París con frecuencia sabía de personajes que realizaban la misma peregrinación. La figura de Díaz sigue impactando.

–Pues voy al grano, don Silvio. ¿Usted ha oído hablar del Manto Sagrado?

El historiador no se sorprendió. Sonrió levemente, alzó la mirada y con gran suavidad puso una mano sobre la mía y la palmeó.

–Siempre pensé que algún día usted se interesaría en este asunto. Mire, seré muy breve: el Manto existe... pero no sé quienes lo integran. Puedo decirle, eso sí, que detrás del misteriosoManto hay muchos millones de dólares respaldándolo. De dólares, ¿eh? Se lo digo para que se sitúe en el contexto. Y es todo cuanto sé. No me guardo nada. Se lo digo para que no me busque con el propósito de ampliar la información. Y como ya viene mi invitado, mejor cambiamos de tercio. ¿Le parece?

–Gracias, don Silvio. ¿Y usted qué hace por aquí?

–Pues vivo, que ya es bastante. Hay un viejo refrán que reza: de Madrid al cielo. Pero, para mí, la gloria ya está en París.

La despedida fue cortés. El empresario Castro Martínez volteó con detenimiento hacia un lado y otro de la mesa, y también del comedor, con curiosidad acentuada, como si quisiera localizar algo. Cuando llegué a la mesa en donde aguardaba Iñaki, Castro mantenía su atención sobre nosotros.

—¿Quién es ese? —preguntó Iñaki, al cruzar miradas.

—Felipe Castro Martínez, un empresario del Bajío. ¿Te suena?

—Por supuesto. Me han comentado que es muy amigo de Juan Sánchez Navarro. Algo así como uno de sus confidentes.

—Ahora entiendo, Iñaki. don Juan, quien es el alma de la dirigencia patronal en México, podría estar igualmente vinculado. Cuenta con una excepcional capacidad de maniobra y una notable influencia en los círculos del poder. Pero, ¿cuál sería el interés de Castro por un historiador como don Silvio? Me dio la impresión de que no son amigos. Su encuentro, guardadas las formalidades, puede estar relacionado con alguna investigación en concreto.

Reflexioné, sin comunicar nada a Iñaki, sobre las implicaciones. ¿Cómo es que surgían las piezas del rompecabezas con tanta casualidad?¿Suerte de reportero o una aviesa inducción para comprometerme? Si se trataba de lo segundo, ¿los incidentes de los últimos meses podrían estar ligados entre sí?¿No fue fortuita la persecución de los neonazis del Valle de los Caídos?¿Qué pretendieron al retenerme dejando abandonados a Candela, muy mal herida, y a Iñaki? Las dudas eran demasiadas para intentar la elaboración de una respuesta coherente.

—Seguro no resististe —advirtió Iñaki— y ya le informaste a Zavala lo que andas investigando. ¿O me equivoco?

—¿Sabes qué me dijo? Que el Manto existe pero no conoce las filiaciones de quienes lo dirigen. Una hábil manera de zafarse de un tema comprometedor.

—Pero podría haberte negado todo sencillamente. Y, lejos de eso, prefirió confirmar tus sospechas. ¿No es esto muy significativo?

—Desde luego. Agregó algo muy inquietante, Iñaki. Cuando fue embajador fueron muchos quienes se acercaron a él para visitar la tumba de don Porfirio. Lo desprendo de sus palabras. Casi como si se tratara de un misterio compartido sólo por unos cuantos privilegiados.

Retornamos al hotel, dejándonos seducir por la noche parisina: caminamos por la Rue St. Antoine que desemboca en la Rivoli, rebosante de aparadores que exibían sólo ropa de alta costura, y precios inalcanzables para un asalariado latinoamericano; también disfrutamos del alegre repiquetear de los tacones de las jóvenes inquietas, atizbando sus bellos cuerpos. Ya pesaban los años sobre nosotros y así lo sentíamos: al pasar a nuestro lado la coquetería innata de las estilizadas francesitas era más bien condescendencia y no seducción.

Instalados en la habitación, extenuados por las extensas caminatas de la jornada, pude apreciar desde la ventana que daba a la Rue Cambon, que aquel hombre que ya me era familiar salía del vestíbulo hacia la calle: sí, se trataba del mismo que nos siguió desde el cementerio luego de nuestro singular homenaje periodístico al general Díaz. Se lo mostré a Iñaki.

—Ya verás que en unos segundos nos traen un mensaje del tipo ese —pronosticó.

Así fue. Un hacendoso bellboy —o niño de la campana según la traducción literal—, puso en mis manos una discreta nota con un apretado texto en el anverso:

"Sabemos de su interés. Tenga cuidado. Regrese."

Inquietos, bajamos a la conserjería para solicitar una explicacion. La descripción de quien dejó el aviso coincidía, por supuesto, con la del sujeto que nos pisaba los talones.

—¿Por qué no nos llamó a la habitación? —pregunté al empleado—. Es lo normal, ¿no?

—Dijo que sólo se trataba de una reservación y que no quería importunarlos. Dejó el mensaje y salió casi a trote.

Subimos por el ascensor, en silencio. Luego, en la alcoba, Iñaki no se contuvo más:

—¡Nos han venido siguiendo desde México, cabrón!

—Y eso confirma que todo lo que nos ha pasado no es coincidencia sino una cadena de avisos y advertencias. ¿Por qué me mantuvieron sólo a mí aislado en la cabaña esa de la sierra?

—Habrán querido aleccionarte.

—Más bien me midieron. Ellos ya sabían que Candela no podría recuperarse y te dejaron a ti para que informaras a la embajada y a los medios lo sucedido. Serviste de enlace mientras alimentaban en mí la idea de que los fascistas, quizá ligados a La Falange, eran los responsables de haber provocado el accidente y mi secuestro. Los ladinos, sean de izquierda o derecha, suelen actuar así: fabricando escenarios ad hoc para que las sospechas caigan sobre el bando contrario. ¿Me entiendes?

—Es increíble, de novela. Y nosotros todo el tiempo hemos seguido sobre pistas falsas.

—No necesariamente. Iñaki. Las claves siguen estando en el Manto. Porque, finalmente, alguien ya sabe lo que he venido compilando desde hace años. A lo mejor, como parte de su estrategia, quieren que de una vez por todas haga público lo que sé como parte de su estrategia.

—Puede ser cualquiera de las hermandades, Julián. A los masones, por ejemplo, les vendría bien que lo del Manto se supiera para no tener que estar lidiando con fantasmas. Y a éstos les urge que divulgues cuanto sabes para protegerse de los otros.

—Lo mismo podríamos decir acerca de jesuitas y opusdeístas. Cada congregación juega extramuros y utiliza su capacidad inductiva. También creen contribuir así al mantenimiento de los equilibrios en un mundo que tiende hacia la globalización, favorecedora, claro, de los intereses estadunidenses. Ya no hay contrapesos porque la guerra fría terminó. Y ahora los reacomodos se dan de otra manera, más soterrada.

—Parece que tu cabeza, Julián, ya tiene precio. Y por consiguiente la mía. Deben creer que sabemos mucho más de lo que en realidad hemos descubierto. Vamos todavía de tumba en tumba...

—Mientras no topemos con las nuestras, Iñaki. De eso se trata el verdadero combate: no sirven los heroísmos si se pierde la vida. Conservar el pellejo es una prioridad estratégica. Es hora de irse.

Acudimos, por la mañana, a las oficinas de Aeroméxico en París, sobre la Avenue de L´Opera, con el propósito de adelantar nuestro vuelo previsto para dos días después. Pretendíamos que, cuando menos, fuera evidente que el mensaje había calado y no lo desestimábamos. Ya no teníamos dudas acerca de que nuestros pasos eran seguidos desde muy cerca.

—Oye, ¿no es ese el empresario que conociste en el restaurante? —preguntó Iñaki, de pronto—.

En un mostrador contiguo, Felipe Castro Martínez, impecablemente vestido con un traje azul oscuro de casimir inglés y corbata italiana de seda, acicalado con esmero hasta en el detalle de las finas mancuernillas que llamaban la atención de quienes le atendían, con manos muy suaves, características de los que no se afligen por el trabajo físico, y una expresión infantil, relajada y superficial, esperaba que le asignaran un nuevo lugar, en clase ejecutiva, para dos días después. Quería permanecer más tiempo en la capital de Francia. Al descubrirnos, nos extendió los brazos como si hubiera encontrado a dos camaradas en el desierto:

—¡Paisanos queridos! Qué pequeño es el mundo. ¿Puedo servirles en algo?

—Gracias, señor Castro —respondí, formalmente—. Regresamos ya. Mañana mismo. Por eso estamos aquí. Y, por lo visto, usted hará lo contrario: se queda.

—La verdad es que he encontrado un estupendo motivo para robarme unas horas —explicó recreando con las manos una silueta femenina—. Pero, por el momento, estoy libre hasta la tarde. ¿Comemos juntos? Tengo una reservación para La Tour d´Argent. ¿Conocen este lugar? Está muy de moda.

Iñaki iba a responder que no, inquieto, quizá asustado como estaba. Pero yo no resistí la tentación. La invitación era irresistible para un glotón como yo. Y en el restaurante elegido seguramente tendríamos una experiencia culinaria inolvidable Si algún riesgo entrañaba, valdría la pena correrlo sobradamente. Accedí, por los dos.

Nos vestimos, claro, formalmente. Tranquilicé a Iñaki le contándole una vieja anécdota relacionada con ese restaurante: un grupo de universitarios pertenecientes al jet set mexicano, encabezados por Miguelito Alemán, hijo del ex presidente del mismo nombre, trataron de ingresar, pero no fueron admitidos por no estar vestidos adecuadamente. Los jóvenes decidieron ir a cambiarse y regresaron ataviados con lo mejor de sus guardarropas. Impecables, relucientes, solicitaron al maitre el ansiado pasaporte hacia el interior. Y se los concedió. Dos horas más tarde, cuando habían bebido y comido hasta saciarse, con vinos y manjares de la más alta cotización, Miguelito exclamó:

—Ahora sí, ¡quítense sacos y corbatas! A ver si se atreven a sacarnos.

Iñaki pareció relajarse mientras le sugería que pidiera la especialidad del lugar: Le Canard a l´Orange.

—Este pato es tan espléndido que cada orden se vuelve única: medianteun certificado que te entregan con el número de la pieza que degustas. Vas a disfrutarlo.

Una vez instalados, esperamos al empresario durante quince minutos. Al arribar Castro Martínez apenas podía moverse debido a que cargaba unas enormes bolsas repletas con sus compras. "Tengo que hacer no sé cuantos obsequios, nos explicó. Dialogamos sobre asuntos amables, como la impresión que le causó el Centro Pompidou y los proyectos para ampliar y modernizar el Museo del Louvre. Luego comenzamos a adentrarnos en los pantanosos apartados de la política mexicana y la crisis económica heredada por la administración de Carlos Salinas:

—Zedillo es más hábil de lo que parece y no se atorará —sentenció, muy seguro—. Hay confianza en los mercados internacionales a pesar de la raquítica liquidez del gobierno mexicano. Pero está aplicando las medidas correctas.

—Luego de un año tan terrible, como fue 1994 —reconvení—, nos vende la tranquilidad. Y está ganando tiempo.

Castro Martínez dejó pasar el comentario mientras terminábamos el segundo tiempo denuestro espléndido almuerzo. Luego retomó la discusión.

—¿Cuál es su impresión sobre la transición del año pasado? —preguntó Castro Martínez—. El crimen contra Colosio y la irrupción de la guerrilla en Chiapas nos sacudieron pero no nos desviaron de lo fundamental. Creo que Pedro Aspe, el secretario de Hacienda, lo hizo bien. Puso en cintura a la comunidad judía y a los empresarios para que mantuviéramos los capitales en el país evitando una fuga tan ruinosa como la de 1982.

—Yo pienso, señor Castro, que el sistema ganó un periodo para reacomodarse. La muerte de Colosio hizo que la ciudadanía, por miedo, votara a favor de la continuidad. No era el momento para que se produjera una alternancia, entre sacudimientos, después de más de sesenta años de dominio priísta. Sólo así se explica que un candidato tan poco agraciado políticamente como Zedillo, apretado además en la campaña más breve de cuantas se han dado en México, fuera avalado por diecisiete millones de mexicanos hasta convertirse en el más votado de la historia.

El empresario sorbió su copa —disfrutábamos de un Rotschild de gran añada—, pausadamente, midiéndome.

—La suya es una tesis muy peligrosa, Julián. ¿Está usted sugiriendo que el crimen pudo obedecer a una conjura para evitar un mayor descalabro financiero?

—Usted conoce los asuntos económicos mucho mejor que yo, señor Castro. Dígame, aun con la oportuna intervención de Aspe, ¿tiene sentido que el asesinato de quien estaba destinado a ocupar la presidencia no haya causado el menor estrago en la estructura del poder, ni siquiera para complicar la transición sexenal? No esperará de mí que acepte una ingenuidad de ese tamaño.

Iñaki, inquieto, terció:

—Julián no deja de ver moros en la costa. ¿También vas a sostener que el alzamiento de los zapatistas obedeció al mismo plan perverso? —interrogó, guiñándome el ojo.

—Bueno, simplemente describo los hechos como los veo. Y respecto al subcomandante Marcos y sus guerrilleros "pacifistas", cabría preguntarse para qué sirvieron. ¿Acaso el miedo que engendraron en la sociedad no fue útil para el continuismo con todo y la tragedia de Colosio? Ni en enero con la sublevación, ni en marzo con el asesinato, temblaron los mercados. Y los grandes inversionistas ganaron. ¿A usted cómo le fue señor Castro?

—Cerramos el año con cierta normalidad a pesar de los nubarrones. Véalo desde otra perspectiva: ¿no cree usted que la reciedumbre del sistema y el correcto manejo de la economía, con una deuda externa renegociada y por ende manejable, permitieron solventar la emergencia sin que se diera una catástrofe?

—Lo que señala sucedió porque los factores financieros, y usted lo sabe, estaban perfectamente protegidos y pertrechados —respondí—. Lo trascendente, en todo caso, es que los grandes consorcios ganaron un sexenio para reubicarse y esperar lo que parece inevitable, aunque por ahora suene muy descabellado: el finiquito del PRI y una alternancia sabiamente conducida por la derecha.

—Amigo Julián, debo reconocerle que me tiene asombrado. Maneja usted los hechos y las circunstancias con tal pericia que nos envuelve a todos. Pero, insisto, todo lo ocurrido puede analizarse desde una perspectiva bastante distinta. Usted plantea una especie de alianza perversa en los sótanos; yo más bien veo una salida adecuada a las emergencias que se presentaron.

—¿Y Colosio?¿Fue un ingenuo o nada más la víctima de un asesino desquiciado?

—Podrían haber sido las dos cosas—subrayó el empresario—. Ahora dígame, Julián. ¿Por qué sospecha de personajes tan destacados como don Antonio Ortiz Mena y don Juan Sánchez Navarro?

De golpe esta pregunta me hizo sentir como si estuviera en la corriente innavegable de un riachuelo congelado. Al garete. En ningún momento había mencionado esos nombres ni expresado, fuera del círculo de mis colegas y de aquellos a los que había interrogado, nada que tuviera relación con lo que había averiguado sobre el poderoso clan de grandes capitalistas y políticos renombradosprestos a realizar una tarea reservada a los dioses: crear las circunstancias y conducirlas para garantizar los equilibrios. Exactamente lo que había sucedido en México, en 1994. Iñaki también se sobresaltó y, mirándome de reojo, exclamó:

—¡Jaque mate, don Felipe! Así que usted está enterado de todo. Y nosotros no sabemos nada.

Una fresca ironía adecuadamente expresada. Cualquiera otra cosa no habría sido políticamente bien vista. Y por ello me decidí , a fingir demencia:

—Sería incapaz de lanzar señalamientos temerarios sobre prohombres como los que usted mencionó. ¿De qué iba acusarlos si, como usted bien sabe, señor Castro, han aportado su inteligencia y talento a la noble causa de la estabilidad financiera?

—Entonces tendré que ser más directo. ¿Hacia dónde va con eso del Manto Sagrado? —insistió el empresario.

—Mucho me temo que mi amigo, el doctor Zavala, ha sido indiscreto sobre una conversación muy superficial que sostuvimos ayer mismo. La cuestión sería, en todo caso, ¿por qué le interesa a usted este tema?

—Porque, desde luego, se trata de una elucubración muy elaborada sobre el papel de los grandes financieros. Muy al estilo suyo, Julián. En la línea de lo que me ha dicho sobre la transición política en México.

—Señor Castro, creo que en todo caso es más importante garantizar una evolución política tranquila. Y eso no puede ser reprobable —comenté para desactivar la bomba recién prendida.

—Entonces, ¿los secretos de don Antonio...? —aventuró Iñaki.

—No soy quien los revelaría porque, sencillamente, no los conozco. Mejor disfrutemos de este encuentro recordando la epopeya de Gustave Eiffel y su prodigiosa torre.

Ya no hubo más referencias al comprometedor asunto, salvo al despedirnos a las puertas de la catedral culinaria. Unos segundos antes de abordar su taxi, Castro Martínez, me dijo, muy quedamente:

—No corra riesgos innecesarios, Julián.

—Eso me suena a advertencia —repliqué.

—Es nada más un buen consejo de amigos. Porque ya lo somos, ¿verdad?

—Por supuesto, señor Castro —mantuve la distancia—. Así lo considero.

Iñaki y yo decidimos, para agotar nuestro tiempo en París caminar por el Marais y evitar así las aglomeraciones. No teníamos ánimo de hacer visitas turísticas. Menos aún con las asechanzas que percibíamos en torno nuestro:

—Tengo la impresión —comenté a Iñaki—, que nos miran desde todos los ángulos. La paranoia es el gran amortiguador de la sed informativa.

—Ya verás que en México nos recuperamos.

En la noche optamos por ver la televisión. Habíamos comido y bebido muy bien y era suficiente. Los recuerdos y los agobios venían por oleadas. Nos inundaban y después se iban, alejando, no sin dejarnos la habitual sensación estomacal que produce el miedo. Por la mañana sólo contamos con el tiempo justo para un pequeño desayuno antes de salir hacia el aeropuerto Charles de Gaulle. Todo fue metódico, sin contratiempos.

Volábamos a mitad del océano cuando la aeronave se agitó más de la cuenta. Iñaki, quien dormía como un recién nacido, también se inquietó, despertándose. Fueron sólo unos minutos de vaivenes. Luego platicamos para reprimir el tedio:

—Hay algo que no te he preguntado, Iñaki. Tú procedes de una familia vasca y, por supuesto, estarás al tanto de las extorsiones a empresarios y familias pudientes que ETA perpetra en México. ¿Por qué no han sido más enérgicos con el gobierno?

—¿No lo hemos sido? Mira, yo acompañé a algunos de los inversionistas más fuertes, los picudos para que me entiendas, a una audiencia con el presidente Zedillo. Y nos salió con lo mismo. Que para el gobierno no existían indicios de la presencia de los etarras en territorio mexicano. ¡Por favor! Si ni siquiera hay dudas sobre sus enlaces con el EZLN en Chiapas y con algunas bandas de secuestradores que siguen pertrechándose gracias a los rescates millonarios. Insistimos hasta cansarnos: "señor, si usted quiere pruebas se las estamos dando; cada uno de nosotros paga una "cuota revolucionaria" que nos han fijado los etarras". Ni modo que sean fantasmas.

—¿Les respondió algo?

—La cantaleta de siempre: "vamos a investigar a fondo". Pero no pasó nada. Luego, el secretario de Gobernación, el niñato ese de Esteban Moctezuma, nos aseguró que no debíamos temer nada. Seguramente quienes nos pedían dinero eran unos embusteros "muy aventados", según sus palabras.

—Y, naturalmente tu familia y tú no tuvieron más remedio que seguir cubriendo las matrículas del terror.

La familia de Iñaki poseía una fortuna. Su padre, con muchas conexiones en el sureste del país, contaba con decenas de gasolineras y algunas otras concesiones derivadas de la industria de la petroquímica. Y, por supuesto, tantos haberes les convertían en blancos vulnerables de los ambiciosos planes de la célula mexicana de ETA, cuya presencia, acaso por causas de muy alta complicidad, era negada con vehemencia por los funcionarios responsables de la seguridad, incluyendo al secretario de Gobernación.

En el aeropuerto de México, el encuentro de Iñaki con los suyos, su esposa y sus tres hijos, dos niños y un adolescente, fue muy emotivo. A diferencia suya, a mí no me agradaban las bienvenidas, mucho menos después de un trance como el que habíamos pasado en España. Además, él había tenido buen cuidado de matizar los hechos para no tener que dar explicaciones, entre otras cosas sobre por qué nos acompañaba Candela el día de los "incidentes". Todo se cernía, de acuerdo a su versión, a las consabidas exageraciones de los colegas.

Beatriz Garza, la esposa de Iñaki, había nacido en Monterrey tres décadas atrás —la edad de las mujeres es un misterio inescrutable—; alta y muy inteligente, de piel muy blanca y fina, egresada del Tecnológico regiomontano para más señas, me reprochó amablemente:

—¡Tú te lo llevas nada más a pasar peligros! Acuérdate que tiene hijos. Y tú también deberías pensar en los tuyos. ¿Estás bien?

—Como dicen los toreros después de un revolcón, Beatriz: sólo fue el susto —respondí con cierta desgana.

Los niños, en escalerita, abrazaron a mi colega con entusiasmo. Para no alterar la escena, yo me escurrí, un poco envidioso, y me fui a casa. Paloma, mi mujer desde hacía seis años, me aguardaba entre las sábanas tibias. La amé intensamente toda la noche. Las palabras, salvo las de la pasión, sobraron. Así pasamos el fin de semana.

El lunes, todavía con los rigores del cambio de horario y las desveladas ardientes, me levanté tarde, a eso de las nueve de la mañana. Por lo general despierto a las siete y escribo dos horas antes de desayunar. Por ahora, primero debía sosegarme por dentro. Paloma me preparó, con su habitual buena mano para la cocina, unos huevitos rancheros ahogados en salsa roja. Leí, con desgano, la prensa del día:

—Es curioso —le comenté a mi mujer—, siempre que retomo la lectura de los diarios mexicanos, luego de un largo viaje por el exterior, tengo la impresión de no haber salido. Están estacionados, siempre, en lo mismo. No hay nada nuevo... ¡cuando en realidad muchas cosas están sucediendo!

—Pero no pasa nada, Julián —sentenció ella con su acento norteño.

—No se me olvida el titular de un vespertino de la capital varios días después de consumarse el secuestro de Julio Hirchsfeld Almada, entonces director de Aeropuertos y Servicios Aéreos Especiales: "No hay Noticias" se leía a ocho columnas. Imagínate. Es como si en una panadería colocas un letrero que diga: "no tenemos harina". ¿Cómo vas a vender lo que no tienes? Y con estas tonterías navegamos cada día.

Me resistía a salir a la calle. Tampoco era indispensable que me presentara en la editorial donde escribía. Opté por permanecer en casa revisando apuntes y cintas. Poco antes de las tres de la tarde, cuando nos disponíamos a comer unas carnitas de cerdo que Paloma compró en "Zinapécuaro, un Rinconcito de Michoacán", sonó el teléfono. Ella contestó. Escuché su voz alterada antes de solicitarme que cogiera el auricular. Del otro lado de la línea, Iñaki, entre sollozos incontenibles, me puso al tanto:

—¡Se los han llevado, Julián! No sé nada de ellos. Beatriz fue a buscar a los muchachos a la una y cuando mi hijo Iñaki abordó el coche, dos tipos se metieron dentro del vehículo, la amagaron y la obligaron a dejar el volante en manos de uno de ellos. Luego se marcharon a gran velocidad. Y nada más.

—¿Y los dos niños? —pregunté, angustiado.

—Están aquí conmigo. La directora del colegio me llamó y ella me puso al tanto. Por fortuna se retrasaron.

Fui al encuentro de mi amigo. El denso tránsito de la ciudad me obligó a buscar atajos que no sirvieron de nada, tapadas como estaban todas las calles por no sé cuantos automóviles detenidos. Tardé cuarenta y cinco minutos. Cuando Iñaki me vio, lanzó una pregunta que le quemaba por dentro:

—¿Fueron ellos, Julián? Dímelo, por favor. No van a hacerles daño, ¿verdad? Sólo quieren asustarnos. Habla, por lo que más quieras.

Le respondí que sí. Pero no tenía idea siquiera de quién estaba al cargo y por qué procedía de esta manera. Para colmo, sabía de antemano cuál sería la respuesta de la policía, siempre lista a desdeñar este tipo de hechos, ubicándolos en el contexto de la violencia "normal" en una urbe tan complicada. Así fue:

—No se preocupe, mi buen —pidió el comandante Flores, mal rasurado y con la corbata desanudada—. Son cosas que pasan. Seguro se trata de un secuestro exprés. Van a sacarle dinero a la señora y luego la soltarán. ¿Ella tiene tarjetas de crédito?

Iñaki confirmó que su esposa llevaba dos plásticos habilitados para los inefables cajeros automáticos. El oficial sonrió, tranquilo:

—Menos mal. Cuando les dé lo que quieren la dejarán libre.

—¿Y qué es lo que quieren? —preguntó, alarmado, Iñaki—. ¿No van a...?

—No diga eso —pidió el comandante Flores—. ¿Es guapa la señora?

Lo tomé del brazo apartándolo de Iñaki. El oficial pareció entender, acostumbrado a las confidencias. Y preguntó:

—¿Puede haber algún lío de faldas de por medio?

Le contesté con aspereza:

—Mire usted: no se trata de nada de eso que usted plantea. Este caso no es igual. Iñaki, el esposo de la señora y padre del jovencito que también se llevaron, y yo, hemos sido amenazados. Somos periodistas y tememos...

–No, no –interrumpió–. Ustedes siempre piensan que son especiales. Le digo que el asunto tiene todas las características de un secuestro exprés. Hay que esperar.

Así estuvimos hasta que cayó la noche. No hubo comunicación alguna. Desesperado, Iñaki telefoneaba a todos sus conocidos en el gobierno y en el mundo empresarial. Los amigos de su padre le ofrecieron, claro, dinero, mientras los funcionarios insistían en que intervendrían "ante el presidente", para asegurar la celeridad de las pesquisas. La realidad es que, hasta ese momento, doce horas después de los hechos, pasada ya la una de la madrugada, carecíamos del menor rastro. Fue imposible dormir:

–¿Cómo voy a descansar si no sé cómo estarán ellos? –se castigaba, una y otra vez, Iñaki–. Esto es más grave de lo que parece, Julián. Tiene que ver con toda esa historia del Manto.

–En ese caso me habrían golpeado a mí, no a ti.

–No, si lo que quieren es amenazarte, asustarte, golpeando por donde más te duele. Y ellos saben que somos como hermanos.

Ninguna llamada hasta las siete de la mañana. El comandante Flores, simplón y torpe, preguntó:

–Oiga, señor periodista, ¿ya se solucionó todo?¿Regresó la señora?

–No sea usted impertinente, oficial –respondí con muy mal talante–. ¿Qué no tiene a varios elementos de guardia?¿O nos está tomando el pelo?

–¡No me falte al respeto! Hacemos lo que podemos.

Colgué de mala gana. Iñaki había mandado a sus hijos menores a casa de los abuelos, y a las once arribaron a su domicilio cuatro elementos de la policía federal, quienes dijeron tener instrucciones precisas de la superioridad para atender el caso. Otra vez debió hacerse el escueto relato. Con una agravante: no había retiros en la cuenta mancomunada del matrimonio. Eso descartaba, por supuesto, la línea del delito "exprés".

Por la tarde, sin que se estableciera contacto alguno con quienes retenían a Beatriz y su hijo, a Iñaki y a mí nos pidieron acudir a la Secretaría de Gobernación. Nos llevamos una sorpresa: el titular hasta entonces, Esteban Moctezuma, acababa de dimitir y aquello parecía un corral de comedias con la estampida de funcionarios cargados de papeles. El responsable de la dirección de Comunicación Social, el reacomodado Alfonso Durazo Montaño, ex secretario privado del malogrado Colosio hasta su asesinato también había presentado su renuncia. Pude alcanzarlo cuando abandonaba su oficina, apresurado. Y sólo me dijo:

—En dónde yo esté, cuenta conmigo. Dile a Iñaki que lamento mucho lo que está pasando.

Y se fue. En tal maremágnum no hubo manera de encontrar a un interlocutor válido. Dejamos mensajes, insistimos, pretendimos conocer a quienes podrían atendernos al día siguiente. Nada. Retornamos con las manos vacías y un creciente malestar. Nos sentíamos abandonados a nuestra suerte. Lo estábamos.

—Los únicos que permanecen en su lugar, Julián, son los mafiosos. A ellos no los remueve nadie —expresó, sarcástico, Iñaki—.

—En este país, Iñaki, a los líderes como Colosio los entrampan o los matan mientras a los narcos sólo los exilian o los "aseguran", con todas las comodidades, en los penales. Como si estuvieran en hoteles de cinco estrellas. La balanza de la justicia nunca se inclina a favor de la sociedad.

—El mal le ha ganado al bien, como dices. ¿Te imaginas cómo deben estar Bety y mi chamaco en manos de esos hijos de puta?¿Qué culpa tienen ellos?

Paloma y yo decidimos permanecer a lado de Iñaki. Ella servía de enlace entre la casa de los abuelos y la de él con todo lo relacionado con los niños, desde luego, dejaron de ir a la escuela. El jueves, setenta y dos horas después de los raptos, tuvimos el primer contacto, esto es un siniestro testimonio, con los criminales. Bajo el dosel de la puerta de entrada, apareció un paquete,envuelto en papel manila, dirigido a Iñaki y sin remitente. Él lo abrió y, horrorizado, descubrió un dedo anular...

con el anillo matrimonial alrededor. Beatriz había sido mutilada y no sabíamos, todavía, que querían los bárbaros que la retenían. Iñaki, demudado y vencido, únicamente pudo llorar hasta el amanecer.

Fue hasta el domingo, a las cuatro de la mañana, cuando escuchamos que tocaban, débilmente, a la puerta. Yo descansaba en la sala y de un salto me levanté para abrir. Sucio, sangrando por la frente y con un solo zapato sin agujeta, temblando de miedo, encontré acurrucado al joven Iñaki. Le abracé y le conduje hacia dentro. Ahí llamé a su padre, quien bajó sin decir palabra y al verlo, con el dolor ahogado en la garganta, lo abrazó. No sé cuanto tiempo pasó hasta que llegó la policía. Sólo entonces, como si despertara a una nueva pesadilla, Iñaki preguntó a su hijo:

–Dime lo que puedas, campeón. Y, sobre todo, ¿dónde está tu madre?

Él volvió a convulsionarse. Ya no tenía lágrimas pero sí era presa de una tremenda angustia:

–Sólo escuchaba sus gritos, papá. Desde que subieron al coche me vendaron los ojos. Luego me amarraron. Nunca supe donde estábamos. Era lejos, creo. Me daban de comer una vez al día. Fue horrible, papá. No podía ni siquiera ir al baño.

–¿Y tu mamá?

–Gritaba mucho, papá. Que no la tocaran, que la dejaran en paz. Luego lloraba. Yo le gritaba que estaba bien para que se tranquilizara. Ayer ya no la oí, papá. No quiero que le pase nada malo. Pero no la oí.

Iñaki crispó los puños y trató de calmarse. Le pidió a su hijo que fuera a descansar, aunque los agentes insistían en que siguiera hablando. Entonces se volteó, furioso, encarando a los policías:

–¡Váyanse de aquí! Son todos ustedes una mierda. ¡Lárguense!

Y, sin decir nada, los oficiales optaron por alejarse. En ese momento, Iñaki pasó su brazo sobre mis hombros y me susurró:

–Ella está muerta, ¿no es así? Y sólo tú y yo sabemos porqué.

217

–Todavía no lo sabemos, Iñaki. Te ruego que intentes calmarte. Sé que es muy difícil pero si no lo haces todo será más complicado.

–Es el poder, el maldito poder que nos asfixia, Julián. Siempre el poder. ¿Le encuentras algún sentido a todo esto?

–No lo tiene, Iñaki. Es un rompecabezas, una locura.

Luego, me miró con un irrenunciable agobio y me dijo:

–Ya tienes otra tumba a donde acudir, Julián.

Caí sobre el sillón contiguo al suyo. No tenía defensa ni escapatoria. La sentencia de mi amigo, doblegado por la impotencia, había sido lapidaria... como los epitafios que solía leer con avidez en busca de historias que contar. Por mi mente pasó el rostro jovial de Beatriz, el de los días felices. Parecía que todo giraba alrededor mío, también los recuerdos.

Iñaki, entonces, sin saber, sin poder, sin entender, sólo alcanzó a musitar, como si rezara:

–¿Sabes, Julián? Esto es bastante peor que la muerte.

VIII

Misterios

¿Quién ejerce el papel de Dios en la tierra? Esto es una voluntad capaz de mantener los equilibrios, incluso dentro de las instituciones más sólidas como el papado, insondable en sus dos mil años de existencia a pesar de sus graves pecados históricos, y también siempre encima de reyes, caudillos y dictadores. ¿Es una sociedad secreta, una congregación, alguna hermandad vigorosa o simplemente se trata de una pequeña elite con excepcional capacidad de movilización bajo el liderazgo de un "maestro" o un "general" de carácter vitalicio y a la par con el representante de Cristo en la tierra que está obligado a mantener la luz de la esperanza, y de las apariencias, en un mundo convulso, en tinieblas?

¡Hay tantas preguntas por responder bajo los tremendos efectos de la incredulidad pública que lesiona a la conciencia universal y exalta el conformismo y la resignación como fundamentos para la convivencia "civilizada"! En esta mañana de diciembre de 2007, leo y repaso la segunda encíclica del Papa Benedicto XVI, quien ni siquiera intenta desprenderse de la sombra de su antecesor, Juan Pablo el Magno, y me detengo en una sentencia que exalta dos condiciones: la esperanza, con el estímulo del encuentro con Dios después de la muerte, y la fatalidad planteada por los misteriosos designios de la fe. Joseph Ratzinger, el alemán en el trono de San Pedro, escribió en su *Spe Salvi*:

"Dios existe y sabe crear la justicia de un modo que nosotros no somos capaces de concebir".

O sea que el "cómo" es lo incomprensible, el misterio que sirve como camuflaje a lo inexplicable. Como el Manto Sagrado, inalcanzable para las mentes comunes y de cuyos veneros me alejé en 1995 cuando los forenses confirmaron que el cadáver, desnudo y con huellas de tortura, encontrado en el túnel del Metro de la ciudad de México, cerca de la estación Balderas, era el de Beatriz Garza, la esposa de Iñaki Aspiziarte, mi compañero y colega, a quien la noticia también asesinó en vida: se desentendió de su vocación periodística para ganarse un lugar en el despacho de su padre. Ya han pasado doce años y los tormentos no cesan. ¿Es ésta la insondable justicia divina?

Pienso en los rastros que han dejado tantos crímenes impunes, en los ex mandatarios bendecidos por las fortunas a la sombra del poder perentorio, en los religiosos que esconden bajo las sotanas sus deleznables apetencias, en cuantos construyen la historia vendiéndoselas a los fariseos contemporáneos, en las mafias que se creen —acaso porque lo son— dueñas del mundo, en los genocidios que penden de las interpretaciones manipuladas para suavizar los horrores de las dictaduras, en la ignominia de las guerras planteadas como "males necesarios" para proveer a los poderosos de los recursos del subsuelo ajeno, en los asesinatos de género que van extendiéndose por la geografía universal por efecto de las hondas descomposiciones y deformaciones sociales, en la exaltación de la comodidad por encima de la verdad; y concluyo que tanta vileza, tan descarnada injusticia, no puede ser prohijada por la mano de Dios. ¿Tal es el "modo" que no podemos siquiera concebir?

Repaso también algunos hechos de los que he sido testigo o cronista. Las autocracias, como la de Franco en España, que justificaban matar con tal de asegurar la paz y la falsa estabilidad de la resignación por miedo; las democracias simuladas, como la del PRI en México, caracterizadas por la recurrente defraudación electoral; los homicidios para reprimir a quienes creyeron en la libertad; el terrorismo implacable que horroriza a los inocentes pero se explica por la brutal desigualdad entre las potencias de Occidente y los avasallados pueblos de oriente; el desarrollo de los cárteles animados por sus profundas conexiones con el poder público; la ambición sin medida de multinacionales y prestanombres; el dolor de los humildes y la suficiencia de los poderosos. Y todas las secuelas abominables.

En los haberes de lo supuestamente "positivo" se encuentran algunos de los valores que la sociedad considera prioritarios sobre los del espíritu: la venta permanente de buenas noticias financieras como fundamento para atemperar las crisis políticas; la paz que surge del avasallamiento de los contrarios y no de la conciliación marcada por el respeto a las opiniones diversas; el progreso vendido con la fuerza del materialismo que basa el bienestar en el ocio inútil; el deporte-espectáculo convertido en el mayor amortiguador de los pueblos que se desentienden del destino de sus naciones para concentrarse en la ruidosa simplicidad de los encuentros de futbol, beisbol o baloncesto; y la enajenación permanente por las inducciones del mercantilismo triunfador. La vida, en fin, a través de los espejismos.

El análisis duele. Me duele. También las preguntas que no puedo responder, aunque habiliten mi sed reporteril. Puedo ensayar las respuestas pero algunas de ellas son aterradoras. ¿Los padrinos estadunidenses de los cárteles del narcotráfico son los mismos que supieron beneficiarse con el horror del 11 de septiembre de 2001, cuando colapsaron las Torres Gemelas de Nueva York por mandato islámico, mientras se consolidaba el liderazgo de los Bush en Washington?¿El mayor beneficiario del crimen contra Colosio obtuvo por ello el respaldo de los consorcios a los que ahora sirve en la Unión Americana?¿La dictadura en España no cesará hasta que todas sus vertientes, orientadas post mortem por el tirano, sean exhibidas y anuladas?¿Los magnicidios responden al propósito de garantizar los equilibrios entre el bien y el mal?¿Igualmente las ejecuciones, físicas y morales, con las que se impone la ley del más fuerte?¿Puede, en fin, el Sumo Pontífice, vicario de Cristo, negociar políticamente sobre la sangre de un príncipe de la Iglesia, el cardenal Juan Jesús Posadas Ocampo, acribillado a mansalva en Guadalajara, la de Jalisco, en mayo de 1993?

Sí, las respuestas pueden resultar brutalmente corrosivas. Pero a fin de cuentas soy periodista, y debo buscarlas. Quizá por ello me animé hace dos semanas a viajar a Nueva York, en donde, dicen, pasan todas las cosas y se filman todas las películas. Voy solo, sin más compañía que las ideas. Pasado el medio siglo de existencia hace ya tiempo, hay lujos que puedo darme aunque jamás haya sido capaz de ahorrar un centavo. Y decido instalarme en el Waldorf Astoria, arropado en el cursi dorado del lujo extravagante.

De nuevo veo Broadway. Camino por la Quinta Avenida, desde Central Park hasta más allá de Times Square, y llego, sin reserva previa, al Ruth Chris Steak House, la catedral de la carne de bovino, dispuesto a rendirle culto. El carácter de los pueblos se refleja a la hora de comer. En Yucatán, por ejemplo, se vuelve todo un rito para exaltar el espíritu. En la llamada "Babel de hierro", en cambio, las grandes voces, las carcajadas estentóreas, son el condimento de la superficialidad de los poderosos ante el requisito ineludible de alimentarse en abundancia, es decir dejando sobre los platos suficientes vitaminas que pudieran servir a los desnutridos de otras latitudes para sobrevivir. Aquí, en inglés, se devora; allá, en la lengua vernácula —sea español o maya—, se sublima la materia.

—¿Es usted Julián Rivera? —escucho detrás de mí en un castellano apenas afectado por el acento sureño.

—Desde hace cincuenta y tantos años —respondo—. Prefiero no contabilizar cuantos me faltan para los sesenta.

Una joven mujer, blanca y no muy alta, no mayor de veinticinco, de grandes ojos negros y apretada cintura, bien vestida, sonríe al cruzarse nuestras miradas. Lleva una blusa que rememora el color del vino de Burdeos y cuyo escote obliga a volar la imaginación.

—Le descubrí —explica— porque hace tiempo leí una obra suya. Un reportaje sobre Ciudad Juárez. Me gustó porque nunca cae en los lugares comunes.

—Pues, muchas gracias. Pero usted no es mexicana. ¿Me equivoco?

—No lo soy. Debo decirle que usted conoció a mi madre. Me llamo Elena Medina, aunque quizá mi apellido, que también fue el de ella, no le diga gran cosa. Pero si le hablo de Vanesa quizá usted la identifique.

—¿Vanesa Medina?¡Por supuesto! La recuerdo perfectamente. No supe más de ella desde que nos despedimos en Bucarest hace ya... no sé cuanto. Casi treinta años. Cuando cayó la dictadura de Ceausescu pensé en buscarla pero no pasé de allí. ¿Qué fue de ella?

—Volvió a Argentina meses después del golpe. Yo acababa de cumplir siete años. Y murió hace dos.

Su rostro se ensombrece por el recuerdo. Yo anhelo que continúe su relato:

—Bueno, le dejo. No quiero interrumpirle —pretende despedirse dándome la mano.

—Por favor, Elena. Si está usted sola me encantaría invitarla.

—¿De verdad no le molesto? Lo que pasa es que alguien me citó aquí y parece que me ha plantado. Sucede mucho en Nueva York. ¿Puedo sentarme entonces?

—Se lo ruego. Para mí es un verdadero placer. Lamento mucho las malas nuevas sobre su madre. Era una mujer de un vigor extraordinario.

—Usted también la impresionó mucho. Alguna vez me dijo que le habría gustado, pues... intimar más. Pero, según sé, no tenía usted la menor intención de hacerlo.

—Bueno, no por falta de ganas. Era muy bella con una vida, digamos, muy complicada. Entre dos fuegos siempre. ¡Pero qué le digo! Eso ya debe usted saberlo, Elena.

—Sólo en parte. También me contó la historia de su amigo, al que mataron en Bucarest.

Me agito por dentro. La seguridad de la chica resulta una verdadera revelación sobre lo sucedido a Miguel Ángel Correa, supuestamente atropellado a las puertas del hotel de la doctora Aslan hace ya más de seis lustros.

—¿Lo mataron ha dicho usted?¿Así se lo confió su madre?

—Sí, Julián. No fue un accidente como le dijeron. Al parecer pretendió chantajear al jefe de la mafia georgiana. Él no era sólo un periodista. Me imagino que, después de tanto tiempo, usted ya lo habrá descubierto.

—Lo supe apenas unas horas después de depositar su cadáver en Ciudad Juárez. Usted, Elena, me ha aportado la pieza del rompecabezas que faltaba. Y se lo agradezco mucho. Pero, eres demasiado niña para dirigirme a ti con tanta solemnidad. ¿Puedo hacerlo más coloquialmente con la condición de que tú también me concedas el privilegio del tuteo?

Sonríe, concediendo. Es una jovencita que, por lo visto, no suele reprimir sus ansiedades. La discreción, en definitiva, no es su fuerte. Le gana la audacia, las ansias de beberse al mundo.

—Ahora, Elena, háblame de ti. ¿Estás estudiando en Nueva York?

—Cuando murió mi madre, mi... bueno, él, me trajo aquí. Me da todo cuanto necesito. No tengo queja ninguna. Pero es extremadamente celoso. No le gusta que yo conviva con nadie.

—¿Me hablas de tu novio o de tu padre tal vez? Me intriga porque, según expresaste, no usas el apellido paterno.

—Es usted buenísimo para sacar conclusiones. Por algo ha vivido usted del periodismo. Digamos que es el punto medio entre mi padre y mi novio.

—¡Caramba! Eso sí que es un acertijo y no tengo ninguna clave, salvo lo que tú me digas, para resolverlo.

—Bueno, él vivió con mi madre en Argentina. Fue quien la rescató del infierno rumano. Debe usted saber que no podíamos salir de allí luego de que Ceausescu fue fusilado. Decían que ella había sido colaboricionista y no sé cuantas cosas más. Estuvo presa, la torturaron y hasta la condenaron a muerte. Y él la salvó.

—¿Quién es él si puede saberse?

Antes de que pueda responder, una mano, con moretones en el dorso, inflamada, se posa sobre su hombro y ella, sobresaltada, se levanta. Alcanzo a escuchar lo que el recién llegado le susurra al oído:

—¿Cuántas veces voy a decirte que no alternes con desconocidos?

Elena besa sus mejillas, con fruición, atemorizada. Y entrelaza su mano a la suya.

–Mira, Bob. Él es Julián Rivera, el periodista que fue amigo de mi mamá.

El rostro ajado de un hombre regordete y de facciones alteradas por las inocultables cirugías, cincuentón, se contrae como si hubiera sido salpicado con ácido sulfúrico. Y me observa con detenimiento:

–¡Ah, sí! Me da gusto conocerlo –concede antes de tomar del brazo a Elena–. ¿Nos vamos pequeña? Dejemos al señor Rivera en paz.

No hay posibilidad alguna de replicar, porque los dos se alejan rápidamente hacia el fondo del restaurante. La voz de Bob no me es desconocida. La he escuchado en alguna parte, calando mi ánimo. La recuerdo pero no puedo precisar en donde se cruzaron nuestros caminos. El timbre y la forma de expresarse, cortante y directa, además del gesto autoritario de por medio, alebrestan mis neuronas. Se trata, por supuesto, de un personaje poderoso pero sin vida pública notable. Quizá pueda estar situado al margen del sector político y del financiero. Con la riqueza rebosándole –un gran anillo de brillantes da fe de la abundancia–, no ostenta el perfil del empresario que suele ser extremadamente cuidadoso, entre más encumbrado esté, de su entorno y de la cortesía.

–Quizá lo conocí –cavilo–, cuando metía las narices en donde era peligroso hacerlo.

De pronto viene a mí la imagen de Magdalena Zambrano, la viuda de Miguel Ángel, en aquella espléndida casona de El Paso. Y evoco cuando fui llevado al encuentro de...

–¡Qué barbaridad! –exclamo en voz alta despertando la curiosidad de los comensales de otras mesas.

El recuerdo corresponde a aquel que ante mí se presentó como Cipriano, el hermano de Amado Carrillo Fuentes, el Señor de los Cielos. Pero no era él sino Amado mismo. Lo supe porque así lo filtró el propio capo, entonces intocable y oficialmente muerto en julio de 1997. A más de una década de distancia.

Sin contener mi curiosidad, me vuelvo hacia donde se encuentran Bob y Elena, en el fondo del local, recargado de tapices rojos entre arbotantes dorados. Al reparar que lo estoy viendo, me saluda, inclinando levemente la cabeza y colocándose el índice sobre los labios como indicándome que guarde silencio. En ese momento, por el lado contrario, el camarero se acerca, y me dice:

—El señor Nava le ruega aceptar, de parte suya, una copa de coñac. Y me pide comunicarle que su cuenta ya está cubierta... por si desea acompañarle en su mesa.

Acepto, sin pronunciar palabra. Y dando traspiés como si hubiera bebido de más, camino hacia ellos, concentrado en mis pensamientos.

—Así que usted es Bob Nava —vuelvo a cumplimentarlo tratando de aparentar la mayor calma posible.

—Entonces, se conocen —tercia Elena, inoportuna.

—No precisamente —continúo—. Sólo lo deduzco porque tú le llamaste Bob y el mesero se refirió al señor Nava.

Reímos. Bob solicita la botella de XO porque quiere ser él quien sirva las copas, evitando la impertinencia habitual de los hosteleros. Y brindamos:

—Por un encuentro que espero sea feliz —expresa él con evidente doble intención.

Bebemos, sin dejar de observarnos, midiéndonos. Es evidente que él busca confirmar si ya lo he identificado. Y yo daría cualquier cosa por demostrarme lo contrario, esto es que mi mente está jugando conmigo como tantas otras veces. La memoria es un excelente archivo, pero no infalible.

—¡Miradas que matan! —ironiza Elena, casi divertida por el duelo sin palabras del que está siendo testigo—. ¿Me permiten? Voy al tocador.

Se levanta con un solo movimiento, ágil. Él intenta imitarla para retirarle la silla en un tardío ademán de caballerosidad. Y luego pasa su palma, con descaro, sobre la provocadora curva que termina en las caderas de la bella muchacha. Ella sólo le guiña el ojo. La niña, naturalmente, se ha convertido en mujer, en la mujer del muerto viviente más célebre en los entretelones de la mafia internacional.

—Así que volvemos a encontrarnos —afirma Bob Nava, sin dejar ya cabos sueltos—. Han pasado muchos años, Julián.

—Y muchas historias. Y tengo la impresión de que ahora mismo voy a conocer otra.

—No seas ansioso, Julián. Te mandé avisar que... estabas demasiado cerca.

Comprendo. De nuevo está presente el mensaje electrónico, con características de ultimátum, que me aguijoneó apenas en septiembre, es decir hace dos meses. En ese momento estaban disponiendo de mí como si sólo fuera un zorro habilitado para la cacería. Y así, todas las casualidades cobran sentido y coherencia.

—Entonces —inquiero—, ¿nada ha sido casual? Elena es una actriz consumada, a pesar de su edad, y usted ni se diga.

—Sólo que mis máscaras, Julián, son reales, hechas con mi piel.

En todo caso, lo más surrealista de esta historia es aquella escena que ni siquiera me hubiera atrevido a incluir en una obra de ficción. No puedo apartarla de mi recuerdo: los gestos de los funcionarios de la Procuraduría refutando, casi indignados, las razonadas sospechas de los periodistas sobre el supuesto cadáver de Amado, el jefe del cártel de Ciudad Juárez y ejecutor de algunas conjuras de enorme relieve en el derrotero "institucional" de México y otras naciones. El crimen contra Colosio, entre ellas, y acaso también las conexiones con los terroristas de ETA que se sostienen sobre la marea de los chantajes.

—¿Por qué estoy aquí, Bob? ¿O debo llamarle de otra manera?

—Ni siquiera se te ocurra mencionarlo, Julián. Es un valor entendido entre tú y yo. Porque tú ya estás adentro, lo quieras o no.

El tono imperativo, como si nada pudiera oponérsele a su voluntad, me disgusta. No reacciono porque, conociendo la densa fama de mi interlocutor, Sé muy bién que las consecuencias de un desaire inoportuno podrían ser fatales.

–Puedo rehusarme, creo yo –replico, midiendo las palabras–. Lo mío es otra cosa, la información. Y, en este caso, es evidente que no podré usarla, si entiendo bien el contexto.

–¿Tú crees que cambiarían las cosas si revelaras mi identidad? No seas ingenuo. No va bien con tu oficio. La cosa es bastante sencilla: si me golpeas con tus armas, te respondo con las mías. Es muy claro, ¿no te parece?

–Es como si usted me pusiera a elegir entre mi vocación y mi vida. Sin lo segundo no hay lo primero. Esto es innegable.

–Lo dicho: aprendes rápido y nos vamos a entender. Porque está claro que si te pusiste tan cerca es porque querías un desenlace. Pues bien, te llegó la hora de escoger.

Sí, la clave que tan ansiosamente busqué semanas atrás cuando, en mi e-mail, surgió lo que yo consideré una advertencia criminal, acaba de serme confirmada:

"Proverbio: cada vez estás más cerca y cuanto más te acerques estarás más cerca de tu muerte".

Ahora las amenazas son otras. El raciocinio de un mafioso lo deforma todo, hasta nuestra capacidad de asombro. En su lógica puede esperarse hasta la aceptación de las soluciones más infelices sin el menor rastro de alivio interior. Morir en vida, por ejemplo, con otro rostro y otra personalidad, con tal de evadir a quienes lo persiguen, desapareciendo por completo de los escenarios públicos y de los aparadores policíacos. Muy conveniente para todos.

Reviví entonces el encuentro que tuve en abril de 2001, apenas unos meses después de consumarse la primera alternancia en el gobierno mexicano, tras la hegemonía del PRI durante más de siete décadas, cuando ya estaba instalado en el Palacio Nacional Vicente Fox Quesada, de origen vasco –su madre, doña Mercedes, nació en San Sebastián– y demagogo por antonomasia; el encuentro fue con el procurador que había designado el nuevo presidente, el general Rafael Macedo de la Concha, a quien interrogué acerca de si seguía abierto el expediente contra Amado Carrillo. Sin perder la compostura y muy seguro de sí, me contestó:

—¿Cómo vamos a perseguir a un muerto? Ni siquiera tiene sentido alguno considerarlo porque su defunción no da lugar a réplica. Se hicieron pruebas de ADN, dactilares, una necropsia a fondo. Y, además, el gobierno estadunidense avaló cada paso y llegó a la misma conclusión. ¿Para qué perder el tiempo en infiernitos simulados?

El general Macedo, incorporado a la administración del derechista Fox como parte de las cuotas que debía pagar para asegurar la estabilidad de su gobierno y la suya propia seis años atrás, durante el periodo del priísta Ernesto Zedillo —el último de este origen en ocupar la presidencia—, había sido el procurador militar y el "hombre fuerte" del general Enrique Cervantes Aguirre, titular de la secretaría de la Defensa en ese sexenio. Tiempo después, Cervantes Aguirre fue señalado como responsable de haber protegido los encuentros entre Amado Carrillo y sus rivales del cártel de Tijuana, los hermanos Arellano Félix, a cambio de carretadas con millones de dólares.

En vías de ser descubierta esta trama, que involucraba al presidente Zedillo pues el botín fue transportado en una patrulla de la Policía Federal de Caminos adscrita al servicio de la familia del mandatario en la residencia oficial de Los Pinos, el gobierno resolvió encarcelar al general Jesús Gutiérrez Rebollo, quien investigaba el asunto, ¡acusándole de estar vinculado al cártel de Ciudad Juárez! Todavía purga sentencia por ello en uno de los penales de "alta seguridad" de México.

Con la venia oficial y el permiso consiguiente para ingresar a la célebre prisión de Almoloya de Juárez, reducto de los criminales de mayor peligrosidad —incluso el asesino confeso de Colosio, Mario Aburto—, pude dialogar, por espacio de más de una hora, con el defenestrado general Gutiérrez Rebollo:

—Tómese su tiempo —me dijo— que al cabo yo tengo todo el tiempo del mundo.

Fornido, pese a los rigores del aislamiento carcelario, de manos y brazos fuertes, anteojos redondos, y un tono áspero aun cuando hiciera esfuerzos por parecer cordial, el militar, con una gruesa bufanda alrededor del cuello color caqui —el tono asfixiante de los reos–, sostuvo ante mí su pretendida inocencia y fue contundente al explicar las verdaderas causas de su confinamiento en febrero de 1997, cinco meses antes de la "defunción" oficial de Carrillo Fuentes.

–Yo estaba realizando mi tarea —en la que sólo duró unos meses–, como comisionado del Instituto Nacional para el Combate contra las Drogas —le llamaban el "zar antinarcóticos"–, cuando descubrimos que el nombre del general Cervantes Aguirre saltaba por todos lados. A él le entregaron 60 millones de dólares por haber acercado a Ramón y Benjamín Arellano Félix con Amado Carrillo. Lo sabíamos. Y me cargaron a mí.

–¿Tiene usted pruebas, general?

–Todas las que usted quiera. Mire, en la zona militar de Culiacán, Sinaloa, yo tuve bajo mi custodia al mismísimo Amado. Y lo entregué a la Procuraduría. Yo no fui quien lo dejó ir. ¿Me entiende? Estoy acusado por lo mismo que yo los acusé a ellos. Al general Cervantes y a quien estaba arriba de él.

–No parece haber salida, general Gutiérrez Rebollo. ¿La tiene usted?

–Es gracioso. Se me señala por tener vínculos con Amado y el cártel de Juárez, pero no tengo propiedades y ni un centavo. Debo ser el único narcotraficante filántropo de la historia. Y muy tarugo, además.

A diferencia de lo acontecido con Gutiérrez Rebollo, a Cervantes Aguirre se le premió con la impunidad y algo más: luego de los comicios presidenciales en los que, al fin, perdió el PRI, el prometido cambio significó integrar dentro del gabinete de Fox al elemento clave en el riesgoso entramado entre las mafias de las drogas y la estructura oficial: el general Macedo de la Concha. Círculo cerrado en plena eclosión de falacias y demagogia para prohijar al cártel de los intocables: el del "paraíso", oculto en los cementerios hipotéticos de la complicidad política.

Casi siempre debemos esperar a que pasen varios años para poder hilvanar los testimonios, confirmándolos. Es la agreste ta-

230

rea de aquellos periodistas que lo son de verdad, cuya dedicación resulta incomprensible para quienes entienden el éxito por la acumulación de riquezas y no por la realización personal. No sé si valga la pena pero así es.

Mi desasosiego interior hace escala, otra vez, en Nueva York después del relampagueante periplo mental a lo largo de una década. Observo a Bob Nava, flamante tras la máscara de una nueva cirugía. Ataja mis pensamientos:

—Pareces una estatua de piedra —comenta Bob—. Como si estuvieras muerto. Dicen que cuando nos vamos al otro mundo, en un segundo, uno solo, pasa frente a cada quien toda su vida. Y a ti eso te está ocurriendo. ¿O vas a negarlo?

—No. Estoy uniendo cabos. Y no me gusta nada, la verdad, lo que voy descubriendo.

—Pues míralo por el lado amable: los dos estamos en este mundo todavía. Vieras que yo no creo en la vida eterna. Todo comienza y se acaba aquí. Porque si Dios existiera no habría tantas marranadas en el mundo.

—¿Entonces, por qué me quiere meter en la zahúrda, Bob? —él me tutea, yo no.

—Porque estamos en la tierra, cabrón. ¿Qué no entiendes? Hay dos clases de seres humanos: los que están arriba y los de abajo. Ya va siendo hora de que tú te subas y te vengas al lado de los buenos.

—Pero, ¿de qué se trata? No puedo creer que, siendo insignificante, los mundanos dioses se preocupen por mí.

—No empieces, Julián, porque no estás en condiciones de ponerte moños. Te propongo que nos acompañes. No tarda en aparecer Elena.

Y allí está. Como si su presencia dependiera de un cronómetro accionado a distancia. Llevábamos más de una hora conversando, Bob y yo, y la intensidad me había apartado, por completo, del entorno. Elena, más sonriente y despreocupada, con la cabellera sacudiéndosele levemente y un armonioso movimiento de brazos, igual que si desfilara sobre una pasarela, se incorpora en el momento exacto en que él lo dispone.

—¿Ya se han puesto de acuerdo los señores? —interroga—. ¿Podrás perdonarme, Julián? —voltea hacia mí con un ligero aire de coquetería.

—No tengo ninguna cuenta pendiente contigo, Elena. Al contrario: me colocaste en el sitio exacto, como hacen los toreros con los toros bravos.

—Algún día me encantará ir contigo a una corrida —comenta—. Porque, la verdad, me dan mucha pena esos animalitos.

Pretendo decir algo sobre la conmiseración frívola que no llega a los seres humanos, pero me contengo. En este ruedo en donde estoy situado mi única prioridad es alcanzar el indulto.

—Cuando quieras —cumplimento, al fin—. Así podrás observar que las vidas de los toreros también van en prenda. Es el tremendo costo de la creatividad.

Bob asiente. También a él le agrada el espectáculo taurino, aunque acepta no ser aficionado. Le gustan más los caballos, según expresa, aunque se había limitado a asistir a algunos festejos de rejoneadores, con el navarro Pablo Hermoso de Mendoza a la cabeza. Por cierto, alguna vez el jinete, en su rancho San Javier, en la guanajuatense San Miguel de Allende, me confió:

—Una vez un hombre muy poderoso, más bien creo que era "narco", me extendió un cheque en blanco para que yo le pusiera precio, el que quisiera, a "Cagancho" —la jaca torera más famosa de todos los tiempos—. Era como si pusiera en venta parte de mi alma y no acepté.

Le cuento la anécdota a Bob y éste no puede contenerse:

—Yo siempre estoy comprando conciencias, Julián. Así que no entiendo el pudor del caballero ese. Me gustaba el caballo, es todo.

—Así que fue usted, también. ¿Habrá algo en donde no aparezca su mano, Bob?

—Bueno, yo no monto... sólo cabalgo en avión. Siempre habrá nuevas rutas por explorar.

Elena mueve sus ojos de un lado a otro. Parece divertida con nuestro pugilato verbal. Hasta que interrumpe:

—¿Nos vamos ya? Me imagino que Julián ya está enterado —añade, dirigiéndose a Bob.

–Pues no. Vamos por las ramas y no llegamos al tronco. Te decía, Julián, que quiero presentarte a un cuate muy interesante. En tus trabajos sobre las fronteras siempre mencionas que debe haber alguien, del otro lado, esperando cargamentos y asegurando operativos. Pues bien, vas a conocer a uno de ellos: Ralph Power. Naturalmente tiene su residencia en Manhattan... como todos los que son importantes en este mundo.

–Te va a encantar, Julián –tercia Elena– Es muy divertido y además culto. Se las sabe todas. No hay tema que ignore ni asunto que se le escape de las manos.

–Oye, pequeña –ataja Bob–, son demasiados elogios y yo estoy presente.

–Pero tú eres un cielo, un señor de los cielos.

–¡Cállate, por Dios! No sea que vayan a oírte. Es hora de irse. Vienes con nosotros, ¿verdad?

Acepto para salvarme. Es entonces cuando noto que, desde tres mesas distintas, se levantan unos comensales bien trajeados. La caravana de Bob se ha puesto en marcha para envidia de los potentados que, de reojo, deben aceptar su derrota ante el latino esnob que les deslumbra. Elena se deja conducir por la lascivia de su protector. Es la síntesis, según decía, del progenitor con el amante, una amalgama imposible para los estándares de la sociedad visible. Pero en los sótanos todo es factible.

Nos vamos. Abordamos una limusina que cuenta con todo lo apetecible: un bar, televisión, teléfono y hasta un pequeño clóset con prendas sin estrenar. No pregunto si en el pequeño recipiente dorado, que está a la derecha del pasajero principal, se dispone de cocaína. Pero me imagino que sí. Impresionado por los lujos del vehículo, tratando además de no tropezar con las escenas cargadas de febriles escarceos entre mis anfitriones circunstanciales –él, sin el menor pudor, introduce su índice debajo de la blusa de Elena, quien, claro, le facilita la "excursión" desabotonándose–, no reparo en la ruta. Unas cuantas vueltas, dos o tres retenciones soportables, y arribamos al pie de un rascacielos que me resulta familiar:

—¿No era éste el Hotel Americana? —pregunto, curioso—. No lo olvido porque es muy parecido a la Torre Latinoamericana de la ciudad de México, una esbelta edificación que va adelgazándose a cada piso hasta rematar en una antena en la parte superior.

—Pues sí, Julián —acepta Bob—. Tienes muy buena memoria. Otra de tus monerías peligrosas.

Hacia arriba, la perspectiva se pierde entre las nubes. En la superficie, humeantes las alcantarillas en cada crucero como si de polvorines encendidos se tratara, el correteo imparable de la gente "con prisa" contrasta con el pausado andar de Bob y Elena, quienes parecen estar en un mundo aparte, en una burbuja impenetrable en donde todo, salvo ellos, es parte de una escenografía necesaria.

(Reflexiono: sin las masas integrando los frenéticos mercados de consumo no habría almas para vender y comprar bajo el eficaz estímulo a las ambiciones permanentes. Esto es, si el vecino no tuviera de qué presumir, ¿habría lugar para la envidia o estaríamos más conformes y menos inquietos?)

Una palmada sobre mi hombro me aleja de estas cavilaciones. Hay que subir al elevador para "viajar" hasta el piso número cincuenta y seis, el del penthouse por supuesto, para avizorar una de las cumbres del poder tangible. Algo así como el Himalaya, territorio exclusivo para los alpinistas audaces. Elena se acurruca entre los brazos y las piernas de Bob. Éste no deja de tocarla como si con ello quisiera divulgar, gritar, su potencia sexual, su dominio de la escena, su capacidad para gobernar sobre la piel más joven, recreándose en la egolatría desmedida que resulta de concebirse superior por haber alcanzado el techo de la impunidad. Un "muerto", que inventa su tumba como coartada insuperable, no es motivo de persecución; y después de lograr esto, no hay nada que pueda parecer inalcanzable.

Y yo en medio. Atrapado por la realidad. Alguna vez, un inteligente sobrino mío —detesto hablar de mis afectos más íntimos, acaso por mi tendencia a sobreprotegerlos—, me planteó un dilema existencial profundo:

–¿Es posible transitar entre la corrupción y los corruptos sin ensuciarse? Es como si un águila tuviera que remojarse en un pantano y pretendiera salir sin haberse enlodado las alas...

Tardé en responderle. Y lo hice marginalmente. Para muchos la inteligencia consiste en aparentar saberlo todo cuando el interlocutor nos pone en aprietos y nos obliga a evadirnos de lo fundamental:

–Bueno, hay que tratar de sobrevolar las inmundicias sin caer en la tentación de darse un chapuzón en ellas –le respondí a mi sobrino con acento pontifical.

Desde luego, no hay salidas en un mundo profundamente contaminado. ¿Quien tiene demasiado dinero puede gritar a los cuatro vientos que es honrado? Y aquel que atesora información, ¿está libre de medrar con su propia conciencia?¿Cuántas veces me he planteado guardarme algo, como si mi silencio fuese suficiente para que no existiera aquello que no deseo contar, sea por temor o por dejar un puente libre por si requiero atravesarlo para ponerme a salvo? Esta tarde, en la que es considerada como la capital del mundo, centro neurálgico del poder, sé muy bien que el reportaje soy yo mismo y que, por lo tanto, no podré narrarlo. La vocación tiene límites... la vida también.

Las puertas del ascensor se abren. Ante nosotros, una espléndida oficina, amplísima, con el irrenunciable ventanal hacia Wall Street. Ya no están las Torres Gemelas desafiando al intangible fiel de la balanza que creemos está más allá del firmamento. Y desde aquí la Estatua de la Libertad parece un puerto tan lejano como imperceptible a simple vista. Como la libertad, digo. En la pared, a un costado del sólido escritorio de caoba, todavía impregnado del olor a la naturaleza vencida, la fotografía de George Bush junior en su espléndido refugio de la Casa Blanca. En el panel opuesto, una jocosa figurilla de Mickey Mouse ataviado con un modelo decorado de barras y estrellas, un original, sí, con la firma de su creador, Walt Disney, el genio que incluso después de su muerte sigue aumentando su capital de millones de dólares. Se trata de un digno escenario para sentirnos, claro, en el corazón de Estados

Unidos, la mayor potencia militar y política, –aunque ya no sé si también financiera– de nuestra era. Porque, desde luego, ahora la fuerza económica trasciende la ribera del Hudson.

Aguardamos. Elena y Bob han dejado, por fin, de juguetear entre ellos, lo que apacigua mis inquietudes íntimas. Sigo observando el entorno. Dos sillones acojinados de cuero, de los llamados "love-seat", otro reclinable, individual, y una mesa antiquísima con incrustaciones de piedras preciosas, fragmentadas, que forman un círculo.

–Recuerdo haber visto una mesa semejante en el Palacio de Buckingham, en Londres –comento–. ¡Ah! Y ahora que recuerdo, también hay otra en el Museo del Vaticano. Debe valer algo, por supuesto.

–¿Y para qué diablos sirve? –refunfuña Bob–. Con eso no se come, ni se bebe ni se coge. Yo prefiero gastar en alimentos, alcoholes y mujeres que son los que te dan vigor y juventud.

–Puede ser una buena inversión, Bob –propongo–. Para el futuro o para quienes te hereden.

–Por eso me vale madres –vuelve a berrear Bob–. Yo no tengo mañana ni a quien dejarle nada. Bueno, salvo a ti, nena.

Y Elena hace una mueca de reproche. La suya es, desde luego, una sumisión muy redituable en términos de comodidad pasajera. Como si lo importante en la vida pudiera concentrarse en un mercado para intercambiar miserias y ambiciones sin el menor rubor. El cuerpo de una niña a cambio de la seguridad que otorga el dinero. Bob interrumpe mis divagaciones.

–¿Cómo crees que la conquisté, Julián? Fue muy fácil. Le pregunté: ¿Qué prefieres ser? ¿La esclava de un joven o la reina de un viejo? Y aquí la tengo.

Elena sonríe y, muy discretamente, cierra los ojos, y con ello quizá también su capacidad de razonamiento, para así dejarse llevar. ¿No podría haber aspirado, por ejemplo, a ser la reina de un joven y no ser, por eliminación, sólo la esclava de un viejo oficialmente fallecido? La imagen se repite ante mí. Pasadas las formalidades del principio, Bob se siente en su casa y hasta en confianza. Y con la cabeza le ordena a Elena colocarse entre sus rodillas. Luego, como en un arrebato, pasea sus manos sobre las caderas de la chica, debajo de la falda, mientras ella se desliza de un lado a otro.

–Si quieren –intervengo, francamente incómodo–, los dejo solos. Para que estén a gusto.

–Para nada –replica Bob mientras aleja a Elena–. Sólo es una botanita. ¿A poco ya te indigestaste?

El misterio de la resignación, aceptando la realidad como es y sin pretender alterarla, tomando únicamente lo que sea posible aunque no satisfaga las necesidades básicas, es decir el mismo sustento de la doctrina que defiende un amplio sector de la Iglesia católica. Como Elena que se deja manosear porque así garantiza su porvenir, millones de creyentes asimilan las peores afrentas ante el espejismo de la vida eterna, el mayor de los misterios entre los hombres de fe. Si el alma no descansa después de la muerte y va en pos de lo intangible, liberada del cuerpo maltrecho, ¡cuán terrible será la eternidad para los perversos! Pero si todo es un espejismo, entonces quienes imponen su ley, las mafias por ejemplo, podrán seguir desarrollando el papel de dioses mientras subsistan.

Quizá ello explica el significado real de ese hermoso crucifijo de marfil que resplandece en el despacho neoyorquino de Ralph Power, el hombre a quien esperamos mientras en el exterior comienza a caer aguanieve, muy fina.

"Igual que al pie de los Cárpatos, recuerdo para mis adentros, cuando conocí a El Sakro. Como si estuviera situado en el mismo paralelo, entre los polos de las mafias que se tocan, de oriente a occidente. Similar el ámbito frío por fuera, idéntica la sensación de opresión en el interior".

Bob Nava, bajo el antifaz de una personalidad inventada, se pone de pie. Detrás de mi, por la lateral que creía yo conducía al sanitario, aparece el personaje a quien aguardamos, como si saliera de una película de gángsters. De Chicago a Nueva York, en fin, sólo hay un paso. De mediana estatura, pelo entrecano, de piel muy blanca y uñas sometidas al "manicure" diario, luciendo un brillante como sujetador de corbata que hace juego con las mancuernillas, y una camisa de seda con el holograma de sus iniciales tejido en el bolsillo, más parece un figurín salido de alguno de los magazines del corazón. A mí me recuerda al villano de la cinta de Oliver Stone sobre Kennedy.

–Me alegro –dice al saludar– que hayan tomado posesión de su casa. Ahora sí, querido Julián, el "cártel del paraíso" está al completo.

Una estentórea carcajada de Bob rubrica la ocurrencia. El cártel del paraíso, así había nombrado, en uno de los reportajes comprometedores que publiqué dos años después de la supuesta "muerte" de Amado, a quienes, detrás de bambalinas, burlaban pesquisas y persecuciones policíacas simulando haber desaparecido. Una fórmula por demás ideal para interrumpir la acción de la justicia, si la hubo en algún momento, colapsando a la ingenua opinión pública.

–Bueno, yo aún no estoy en el otro mundo –intento forzar una broma–. Y, que yo sepa, tampoco usted, señor Power.

–Quien sabe, Julián. Lo mejor es parecerlo... siempre que no seamos muertos... de hambre.

–Eso no va con el poder, señor Power. No sería de buen gusto.

Power se sienta detrás de su escritorio, poniendo distancia. Siempre he sospechado que los ejecutivos lo usan como una especie de parapeto para reducir la potencialidad de quienes los visitan. Revisa, o simula hacerlo, algunos papeles, provocando el silencio expectante. De pronto, alza la vista y me encara:

–Vamos a hablar de Dios. ¿Le molesta?

La sugerencia me saca de contexto. "Una vez más", registro para mis adentros. También El Sakro se había presentado como un místico, casi un redentor, cuando intentó reclutarme y terminó enviándome el cadáver de mi amigo Miguel Ángel. Ahora, aprendida la lección, estoy completamente solo.

–No me diga que me han traído hasta aquí para una sesión de catequesis –respondo, sarcástico–. Si he sabido, hubiera escogido como sede la Catedral de San Patricio, cuyas torres observo desde aquí. ¿Son las alturas de este monumento al capitalismo lo que le induce a hablar del Creador? ¿Será porque lo percibe más cerca?

—Seamos serios —interviene Power, ansioso—. Si el Dios bueno de la Biblia no existiera, ¿cómo y con quién lo sustituiríamos?

—Contestar a esa interrogante —apuro— es creernos con derecho a desempeñar el rol divino. Y yo con eso, la verdad, soy muy cuidadoso.

—No sea evasivo, Julián. ¿Acaso el Señor no le devolvió la vida a Lázaro para exhibir su aureola de redentor?¿Y qué he hecho yo? También logré el milagro de resucitar a Bob Nava. ¡Y nadie me ha acusado por las malas cirugías!

—¿Entonces usted es Dios?¿Un todopoderoso terrenal que maneja el destino de la humanidad a su antojo?

—No he llegado a tanto, por favor. Ni lo pretendo. Sólo que, para mí, el verdadero Dios es otro, no el que exaltan las religiones. ¿Le aburro, Julián?

—En absoluto. Estoy siguiéndole aunque esta discusión no estaba en mi agenda del día.

—La economía, Julián, ha desplazado al poder político. Eso lo sabemos de sobra. Pero también rebasa a esa gran contenedora social que es la Iglesia. Sin ella los hombres no conocerían la línea existente entre el bien y el mal; así serían incontrolables. ¿No se ha fijado en la inscripción que tiene cada dólar que circula en el mundo? Reza: "In God We Trust". "Nosotros confiamos en Dios".En esta terminología Dios es el dinero, la divisa de la nación más poderosa del mundo.

—Un simbolismo y una interpretación muy particular es, sin duda, señor Power. Como su apellido, que en castellano significa "poder". Si usted lo ostenta, ¿eso significa que por ese mero designio manda en el mundo?

—No es una mala deducción, Julián. Como también es cierto que el patronímico lo pude escoger yo. Como el de "Nava" para situar a Bob más allá del "filo de la navaja". ¿Ha leído usted a Max Weber? A principios del siglo XX él hizo una aguda diferenciación entre el católico y el protestante: el primero reza y espera resignado el fin de la vida terrena; el segundo trabaja y siembra para quienes vienen detrás.

–¿El trabajo como verdadero Dios? –pregunto, intrigado.

–Mejor que la resignación ante la fatalidad de un destino preconcebido. Pero no. Weber justificó al capitalismo y aseguró que la acumulación de la riqueza era el fruto del trabajo; pero puso una limitante: evitar el disfrute, esto es la ostentación, porque la riqueza debe servir para honrar a Dios y no para endiosar a los hombres.

–No me gusta el planteamiento, señor Power. Sobre todo porque niega los valores del espíritu. ¿Cómo explicar que los más inteligentes, los grandes pensadores por ejemplo, no sean los más ricos?

–Quizá, Julián, porque temen desarrollar el rol de los poderosos. Sólo proponen, no ejecutan. Y el mundo es de los audaces. Un siglo después de Weber, Frédéric Beigbeder planteó otra visión: la del mercado de consumo que juega el papel de dios. Somos y crecemos para poseer, y en la medida en que acaparemos bienes tendremos mayor jerarquía social. De allí que lo que usted llama mafias sean tan sólo las grandes proveedoras de las nuevas virtudes materiales.

Elena, recostada sobre Bob, bosteza. Y éste, de un leve empellón, la conmina a guardar compostura. En presencia de esta voluntad superior se comportan de otra manera, igual que los hombres que se arrodillan ante el misterio de la cruz inalcanzable.

–Entonces, para usted señor Power, ¿sólo el poder conduce a la divinidad?

–Otra vez el poder, en masculino. Como el dinero, el consumo y el gobierno. ¿No podríamos considerar a alguna deidad con rostro de mujer?¿Una diosa que sea capaz de equilibrar al mundo o convulsionarlo si así lo desea? Por ejemplo, la droga, palabra de género femenino.

Bob Nava aplaude frenético, del mismo modo que lo haría sentado en la butaca de un estadio de futbol. Sólo le hace falta la banderola para vitorear a su equipo.

–La droga, Julián –continúa Power–, nos hace soñar, apartándonos de los dolores humanos.

—Más bien las drogas destruyen, señor Power. Y corrompen. Matan. Lo que usted dice es la mayor falacia que he escuchado en mi vida.

—Vida, muerte, siempre atrapado en este círculo fatídico, Julián. ¿Y si piensa usted un poco en la humanidad y no únicamente en su acotado espacio? Piense en ese Dios del que le he hablado, esa divinidad que sostiene y construye la historia del mundo.

—Jamás admitiré que la droga sea Dios, por favor. Es absolutamente ridículo.

—No dije que lo sea... sino que lo ha reemplazado. Primero fue el dinero, después el mercado de consumo, y finalmente llegamos al actual nudo gordiano que ha ubicado a la droga en la cúspide.

—Y ustedes, entonces, son los oficiantes de este nuevo culto.

No quiero continuar con este diálogo. Observo una vez más, a mi alrededor y me doy cuenta de la vulnerable situación, casi sin escapatoria posible. ¿Para qué tanta palabrería? Con el tiempo se cree que el disco duro del intelecto está saturado, pero no hay manera de sustituirlo ni de borrar episodios enteros para dejar espacios libres. También se alega que nuestro cerebro apenas es utilizado ínfimamente, si consideramos su capacidad real y el escaso trabajo que exigimos a nuestras células grises. Lo que nos vence, más bien, es el hastío, el peso terrible de la condición humana que, al fin, se libera... cuando llega la muerte. Alguna vez Jorge Luis Borges, el escritor universal, alegó su derecho a morirse porque estaba cansado de ser quien era. Ahora le comprendo. Sólo que él se pronunció así al filo de su cumpleaños número noventa.

Ralph Power se pone muy serio. Durante la larga, extenuante perorata sobre su teología particular me había mostrado su lado amable, el accesible. Y parece tener prisa por exhibir el talante opuesto, en donde acaso radica su mayor fortaleza.

—Mire, Julián. No nos alarguemos: sin el narcotráfico la economía mundial se desplomaría... y también la política. ¿O usted cree que las cosas ocurren por casualidad? Es curioso: siempre se culpa a la CIA, al terror o al comunismo de los ajustes necesarios. Y no se piensa en el brazo fuerte de nuestras organizaciones.

—Me temo, señor Power, que en este punto se equivoca. Por algo a los grandes padrinos no se les molesta en territorio norteamericano. Es un valor entendido, ¿verdad?

—No es a mí a quien toca decirlo. Ni a usted, Julián. Eso lo rebasa. Tenga claro que no podrá salir de aquí sin un compromiso. Y no se trata de un simple lugar común, sino de todo lo que usted ya sabe. Ninguno de los secretos que en estas horas se han develado ante usted es noticia. ¿Nos queda claro? Su porvenir, por si le interesa, está en prenda.

A veces, tantas veces, se desea la muerte hasta que la tocamos con la mano. Es demasiado fría. Aunque no nos preocupe, porque nos creemos vacunados en salud, o también por habernos acostumbrado a ella al verla tan de cerca tantas veces, la sensación de su inminencia congela por dentro y nos agita de manera inevitable. Quizá por el temor a descubrir lo que el conocimiento no es capaz de descorrer todavía. El misterio detrás de las huellas de la implacable guadaña.

—Ustedes mueven los hilos, yo sólo soy testigo —intento beberme el sorbo amargo.

—Pero también puede ser actor y muy importante. No andemos más por las ramas, Julián. Lo necesitamos. Y usted no puede rehusarse. Se ha puesto tantas veces de blanco que es un milagro que haya llegado hasta aquí. Si fuera usted, este sería para mí el misterio que más me interesaría develar.

—¿Qué quiere decirme, señor Power?¿Lo que valgo en estos momentos? Me parece que ni una monedita de diez centavos, un "dime".

—Obviemos eso. Usted sabe que siempre es necesario preparar los escenarios. Pues bien. Hemos llegado a un punto en el que, sencillamente, es necesaria una salida drástica para todo el continente. En ocasiones se hace necesario matar a diez para salvar a millones y estos millones, naturalmente, nos interesan como parte del mercado de consumo.

—¿Está usted sugiriéndome la posibilidad de un atentado?¿En México quizá?

—Trato de explicarle que, primero, es indispensable crear el clima propicio para ello. Cuando Colosio murió, por ejemplo, no hubo sacudimientos; ni siquiera se alteraron las rutinas institucionales. ¿Por casualidad? No, señor. La respuesta es bastante simple: porque los mercados financieros estaban preparados. Y así podría ir eslabonándole sucesos de la historia. Franco murió y su ausencia ya no precipitó a España al caos. El símil se da aunque uno falleciera por viejo y el otro fuese asesinado. De eso se trata todo esto, Julián. De oportunidad.

—Y yo he sido elegido como emisario del mal. O algo por el estilo. Pareciera que estoy entrando al infierno del Dante. Hasta me suena cursi.

—No divague por favor. Los políticos ya no funcionan, sólo discuten ambigüedades. Mienten siempre para protegerse unos a otros. Lo único real, tangible, es la fuerza de nuestras redes multinacionales. Éstas son las que garantizan los equilibrios en la perspectiva del mundo contemporáneo.

Opto por el silencio. De nuevo el agobio ante la terrible disyuntiva del bien derrotado por el mal. Un simplismo, si se quiere, que reduce todas las controversias al mismo punto. No encuentro siquiera alguna rendija para la paz interior.

—Estaremos en comunicación con usted —ordena Ralph Power al extenderme la mano.

No pregunto porque no quiero escuchar respuestas. Tengo la sensación de estar dentro de uno de esos modernos juegos que plantean "la realidad virtual" como desfogue para el estrés cotidiano. Miro hacia donde Bob Nava y Elena Medina, de pie, atestiguan la situación. Sale Power y Bob me toma del brazo:

—Una cosa más, Julián. Tú y yo jamás nos hemos visto. Esto no ha ocurrido. Cuando sea necesario, Elena te buscará en México. Atiéndela muy bien.

Los tres nos dirigimos al ascensor, pero Bob se detiene ante la puerta. No se despide, simplemente se queda ahí con Elena. Bajo sin compañía. Dos, tres minutos que parecen eternos desde el piso cincuenta y seis. En el décimo el elebador se detiene. Entra una viejecilla con un french poddle peinado con gracia. Algo me dice en inglés y como respuesta afirmo con la cabeza. Ella agradece. Ya estoy en el lobby.

Cae la noche sobre Nueva York. La escarcha invernal se intensifica. Camino sin poder concentrarme entre las rías humanas habituales. Observo, de pronto, la marquesina de Radio City, el corazón de las esplendentes Rockets, las chicas robotizadas que son emblemas del capitalismo triunfante que, sabemos, a eso reduce a todos los seres humanos. Podría ser un pretexto para distraerme. Pero no. Más allá, entre las brumas y el aguanieve, alcanzo a descubrir las agujas de la catedral. Son las únicas que no sobresalen entre las edificaciones cercanas como ocurre en todas las demás ciudades. Aquí, las albas torres del templo de San Patricio, están atrapadas, sin remedio, enmedio de una decena de rascacielos erigidos sobre la Quinta Avenida. Es como si en esta magna metrópoli del globo el espíritu sucumbiera ante la aplastante exhibición de grandeza física. La puerta está abierta, vibrante. Me conmueve la perspectiva pero algo me conforta: pese a la agria convocatoria del dinero reflejado en cada piso de los edificios que se alzan por encima de las nubes, persiste la llamada a la oración. Porque, acaso, "las puertas del infierno jamás prevalecerán contra ella". Quiero creer en la palabra divina. Entro.

Por la nave central se accede al remanso: en la pequeña capilla de la Virgen de Guadalupe, cuya venerada imagen siempre nos sale al encuentro. Lo mismo en Notre Dame, en París, que en la Basílica de la Macarena, en Sevilla, o incluso en Viena en la iglesia que Maximiliano de Habsburgo, que el enajenado de Miramar, construyó para su hermano, el emperador Francisco José, luego de que este monarca pudo librarse de un asesino. Enciendo una veladora no de cera sino de luz eléctrica, que se activa al depositar el óbolo. No pienso más que en las primeras letanías del Ave María. Pasan quince, quizá veinte minutos. Luego vuelvo a la rutina, a las calles rebosantes, a la agitación. Pero llevo el infierno por dentro.

Es enero de 2008. Tres semanas después de mi viaje a Nueva York, ya en la Ciudad de México, no he dejado de pensar en las sentencias acumuladas. Empezando por la pregunta crucial: ¿por qué todavía estoy vivo? Ni siquiera tuve ocasión de escribir, en la libreta en donde guardo los secretos no difundidos —yo le llamo el "pudridero", como el del monasterio de El Escorial que es recipiente de los despojos de los monarcas mientras les encuentran sitio para fusionarse con las piedras de sus lápidas y convertirse en solaz de turistas irrespetuosos—, aquellas crónicas particulares, que no puedo ni debo compartir, todas ellas acerca del sinuoso recorrido que amarga mi carácter. Quiero pensar en ello lo menos posible, como si se tratara de una pesadilla. Pero cada vez que despierto no puedo evitar impregnarme de esas vivencias oscuras.

Suena el teléfono y lo dejo repiquetear tres veces. Contesto y escucho:

—¿Aló?¿Eres Julián? De este lado, Elena Medina. ¿Podemos vernos?

De nuevo la ansiedad. Respondo que sí y fijamos un lugar reservado para la hora de la comida, "El Campanario" de Coyoacán, en donde presumen conservar las recetas legadas por Salvador Novo, quien fuera cronista de la ciudad de México y poeta de las alegorías de la existencia. Le conocí. No olvidaré su disgusto, tremendo, cuando varios comensales se jactaban de sus conquistas femeninas soslayando las delicias culinarias que les había servido. Hasta que estalló:

—Muy machos, ¿no? Presumen por seducir a niñas inocentes, tiernas y débiles. ¡Caramba! Lo viril por difícil... lo de hombres duros, bragados, ¡es enamorar soldados!

Con la anécdota recibo a Elena. El invierno primaveral del Distrito Federal —sólo ocasionalmente, durante el primer mes del año, estamos bajo cero—, le permite lucir una breve chaqueta de pieles que hace juego con su apretada minifalda. A algunos se les corta la respiración al verla pasar.

–Suerte la mía –le digo–. Te veo más pronto de lo que imaginé y sin testigos. Bueno, en apariencia.

–Vaya, voy a llamarte el seductor tardío. No quieres perder el tiempo como lo hiciste con mi madre. No se me olvida, garañón.

La crema de avellanas con uvas y el pollo en pepitoria, excelentes, no admiten distracciones durante el almuerzo aunque, de reojo, no deje de observar la fina figura de Elena que tiene eco en la envidia de los contertulios de otras mesas. La suerte del feo, dirán. Relajados, como si estar así fuera uno de los requisitos a llenar, ella plantea:

–Ralph quiere verte de nuevo. Le dejaste muy inquieto y con muchos pendientes. No está seguro de haberte convencido.

–Porque, Elena, no lo hizo. Dicen que un hombre es verdaderamente peligroso cuando le pierde el miedo a la muerte. Yo ya lo hice.

–Hablas tanto de ella que parece lo contrario, Julián. Es como si fuera una relación de amor y odio. Por momentos la quieres y por otros la detestas. Depende mucho de tu estado de ánimo.

–Pudiera ser. Ahora mismo, la verdad, no encuentro incentivos vitales. Todo este juego ha comenzado a fastidiarme.

–¿No tienes motivos, eh?¿Ni siquiera cuando estás en compañía de una chica hermosa que no te ha puesto límites? –expresa con histriónica coquetería, obligándome a clavar la mirada en el hermoso collar de rubíes que pende sobre su cuello inmaculado y al que acaricia lenta, pausadamente.

–Me sorprendes. ¿No eres demasiado joven para atormentar de esa manera a los hombres?

–¿Te lo parecí al lado de Bob? Realmente no me conoces. No soy una ingenua, Julián. Y, por supuesto, conozco muy bien los riesgos de convivir con él. A cambio puedo disponer de mi libertad cuando yo quiera. Entre quienes estoy todo se resuelve así.

–Entonces quizá tengas algunas respuesta. Por ejemplo, si tus amigos creen que soy un riesgo, ¿por qué no me han matado?

–¿Y quién te ha dicho eso? Bob te considera útil. Cuando le pregunté la razón, él alegó que si todos le creyeran muerto ya no podría atemorizar a nadie. Y a eso has contribuido tú.

—Es decir, me han usado. Cuando yo creía estar colectando confidencias sólo era un filtro de desechos. Imagínate si me seduce la idea de seguir...

—Claro que sí. ¡Si me estás desnudando con los ojos, bribón! Mientras haya en tu mirada esos relámpagos de deseo estarás más de este lado que en el de tus tumbas.

—¿Y tú que sabes de mis tumbas, Elena?

—¿Ves cómo no me conoces? Cuando viajemos juntos, porque iremos a Mérida, la de Yucatán, espero que aprendas a valorarme un poquito más.

—Vamos a ver, criatura hermosa —con el piropo intento acercarme a ella mientras tomo entre mi mano su barbilla—. ¿A Mérida?¿Por qué allí, precisamente?

—Tú lo sabrás mejor que yo. Quizá porque es un lugar lleno de mensajes encriptados o porque allí tienes familiares y amigos. Te toca resolver el acertijo.

—¿Y si me niego?

—Te rogaría que no lo hicieras... porque estarías comprometiendo no sólo tu vida sino también la mía. Así son las cosas. ¿No querrás que yo pague por ti?

Una vez más sin salidas. Pienso en la tremenda vulnerabilidad del periodista y en las constantes tentaciones que le salen al encuentro y a las que, casi con seguridad, no renunciarían cuantos los descalifican por caer en ellas.

—Ahora soy yo quien debe protegerte —recrimino, concediendo, a Elena—. La novia del capo más célebre de una historia todavía no escrita, que trasciende a su propia "muerte" oficial, se convierte en fruta apetecible pero prohibida.

—Nada de prohibiciones, Julián. Estoy en zona libre. Lo que no puedes hacer es bajarte del tren. Yo tampoco.

—En fin, mujer. ¿Qué debo esperar en Mérida? Algo podrás adelantarme, digo, para no llegar con la vista perdida.

—Te aguardan muchas sorpresas. Y vas a entender la importancia de esa región, la de Yucatán, en todo esto de las redes.

—Hablas como una experta, Elena.

—Soy la compañera de Bob Nava, no se te olvide... bueno, salvo cuando estemos a gusto tú y yo. Porque vamos a estarlo, ¿verdad?

—Nos queda un largo viaje por delante. ¿Cuándo salimos?

—Mañana temprano. Aquí tengo las claves de las reservaciones. ¿Listo?

—Sólo una cosa más, Elena. Como precaución elemental, voy a cambiar de horario y línea. Es una costumbre muy vieja que tengo desde que un "chamán" –un brujo con enorme influencia en las etnias del sur de este país–, me pidió hacerlo para confundir a quienes pretenden acortarme la existencia. Ya he pasado muchos años con este agobio.

—Allí tienes. No quieres morirte para nada.

—No, desde luego, si es para darle gusto a cuantos me desean mal. Lo otro es íntimo, personal.

—Pues sí que será un viaje divertido... ahora en manos de un ser viviente. Lo contrario de Bob –Elena bromea y se ríe con estruendo–.

—Y yo iré, contigo, en busca de otro misterio.

Modifico los pasajes para el vuelo, a través de la acostumbrada vía electrónica. El nuevo itinerario arranca a las seis y quince minutos de la madrugada con la salida del primero de los vuelos que siempre sale medio vacío porque el sueño y el tráfico sorprenden a la mitad de los pasajeros. Aviso a Elena por teléfono y ella protesta pero acepta, al fin. Me dice que prefiere dormirse con la ropa puesta. Una lástima, naturalmente, pienso. ¿Seré capaz de devorarme esa frutilla madura? Los esfínteres no se aquietan en toda la noche.

A las cuatro de la mañana salgo con rumbo al aeropuerto. Conduzco una camioneta Explorer matriculada en 2004. Está al día porque apenas anteayer me la entregaron luego de su acostumbrada revisión trimestral. Me sorprende encontrar ya en el mostrador, a las cuatro y cuarenta minutos, lista a pasar las desagradables pruebas de seguridad, habituales desde las turbulencias de 2001, a una soñolienta Elena que apenas puede con su alma. Pero, tengo lista para ella otra ligera sorpresa:

—Gracias por tu puntualidad, preciosa. Pero no hay necesidad de ponerse en la fila. Vamos por tierra. Ya está listo el vehículo.

—¿Qué dices?¿No te estás pasando un poco de la raya?

—Tengo dos vidas por cuidar, según me dijiste: la tuya y la mía. Es mi privilegio, además.

—¡Pero es que vamos a tardar una barbaridad en llegar...!

—Quince horas justas. A las ocho de la noche estaremos en Mérida. Ya lo verás. Es una ruta maravillosa. Y yo soy un espléndido conductor.

Arrastro su maleta, nada discreta, y en cuestión de minutos, sin darle ocasión para quejarse, nos enfilamos hacia Puebla, al sur de la capital del país. Elena refunfuña, se cruza de brazos y se queda profundamente dormida. Yo enciendo el radio y me coloco los audífonos para no molestarla. Los impulsos electrónicos de la verborrea noticiosa me obligan a mantenerme sobre el asfalto. No es una hora de mucho tránsito y pronto salimos de la inmensa urbe.

Tres horas y media después, habiendo dejado atrás Puebla, Córdoba y Orizaba, creo prudente detenerme a estirar piernas y llenar el estómago. Elijo para ello una fonda, Las Tinajas, el sitio exacto en donde inicia la autopista hacia el sureste, una de las construidas "en solidaridad" por la administración del presidente Salinas para dejarlas en manos del capital privado aliado... o cómplice, según quiera leerse. Despierto a Elena con calculada precaución porque, descuidada, tiene la falda casi a media cintura y eso significa un riesgo agregado para el conductor. Son las nueve menos veinte.

¡Qué sabrosos son los huevos a la mexicana con tortillas de maíz, humeantes, hechas a pie del fogón! Los devoro, pero ella, en plan de anémica, prefiere el consabido plato con cereales y un "lechero" —café veracruzano con leche caliente—. No deja de llevarse la mano a la cabeza en señal de cansancio:

—Menos mal que éste no es un viaje de novios —se anima al fin—. Porque ¡ya te habría mandado al diablo! Me siento fatal.

—Anímate, preciosa. Mira, con un poco de miel de abeja en tu café te sentirás mejor.

El sitio, al lado de la gasolinera, está repleto de "traileros" somnolientos y sin afeitar, y de pasajeros de autobuses cuyos conductores tienen derecho a almorzar gratis mientras provean de clientelas.

—Ahora sí puedo asegurarte —comento— que no nos ha seguido nadie. Siéntete tranquila.

—Estaría mejor en un avión aunque se hubiera caído. Lo juro. Lo único positivo es que hoy estás muy de buenas. Espero que así sigas durante las mil horas que nos faltan de trayecto.

—No son tantas. Un poco más de once. A buen ritmo. Así que pago y nos vamos.

Pasamos a los servicios, compramos los inevitables envoltorios con "churritos" de harina y chile, la dotación de refrescos de cola y un frasco de aspirinas para la jaqueca. Nos marchamos.

Ella se coloca en el asiento del copiloto. Pero cambia de decisión:

—¿Te molesta si voy atrás para que pueda dormir otro poco? ¡Falta tanto...!

Observo el mapa, aunque lo conozco, por vicio. De pronto, al momento de cerrar la portezuela trasera, ella, muy asustada, no puede reprimir un grito al ser empujada violentamente por tres sujetos, de aspecto centroamericano, mulatos, de pelo ensortijado negro, como si estuvieran clonados, vestidos con camisetas holgadas y toscos tatuajes cubriéndoles los brazos, que se introducen en el vehículo. Yo intento darme vuelta para defenderla, pero uno de ellos coloca sobre mi cabeza una escuadra .45, de las de uso exclusivo del ejército mexicano:

—¡Qué miras, pendejo!¡Arranca de una vez!¡Si te paras te mueres y se muere ella!

Conduzco bajo presión. Por el retrovisor observo como a ella le ponen una venda sobre los ojos y una mordaza aprisionándole los labios. Sólo gime, angustiada. Me fijo en los músculos del sujeto que me encañona, mancillados por las agujas: las insignias mal formadas son como un resumen, en carne viva, de su propia historia. Los tres las tienen. Con ellas se identifican, ya lo sabía, los integrantes de una de las pandillas de mayor peligrosidad: los llamados "mara-salva-truchas" —mara, por la marabunta que los inspira; salva, por El Salvador, su país de origen; y truchas porque así se les dice a los "listos".

—¿Te gusto, güey? —pregunta, insolente, quien mantiene su arma sobre mi sien, al sorprenderme mirándole el bíceps cargado de referentes rústicos como si fueran sanguijuelas voraces—. Si quieres te doy pa´dentro.

—Dobla a la derecha —ordena otro—. Por aquella pinche vereda...

Vamos hacia un manglar. El sol deslumbra por lo intenso y ni siquiera puedo ponerme los lentes polarizados. Quien me apunta da un tirón al volante y no puedo eludir el recio tronco de una palmera repleta de cocos. La camioneta se quiebra. Me sacan, empujándome. A ella la llevan, manoseándola, hacia un pequeño claro cubierto de hojas. Me amarran con fuerza contra el árbol; a ella le ordenan recostarse a punta de pistola. Uno de los sujetos se desabrocha el pantalón.

—¿Qué van a hacer, hijos de la chingada? —exclamo antes de recibir un fuerte golpe con la cacha del arma que me hace perder el sentido unos instantes.

Cuando salgo del marasmo comienza la pesadilla. Los tres tipos desnudos se alternan para penetrar el cuerpo de Elena, como animales en celo.

—¡Ya llevo tres!¡Soy un chingón...! —presume uno de ellos—.

Alcanzo a ver a Elena, postrada. Está inerte mientras uno de los asaltantes la viola por detrás y otro la obliga a colocar su boca sobre el miembro viril, escarneciéndola.

—¿Ya despertaste, cabrón? —pregunta el tercero—. Lástima que no puedas participar en nuestro jolgorio. ¡Vénganse pa´cá! —llama a los otros mientras me fijo en Elena que no se mueve—.

Uno de ellos, saca un puñal de entre sus ropas. Y, antes de hendirlo en mi costado, me sacude la cabeza y me grita al oído:

—"Cada vez estás más cerca..."

Siento el desgarramiento de la piel. El segundo viene a mí y clama también:

—"Y cuanto más te acerques..."

Me hiere por el bajo vientre, hundiendo un cuchillo en mí. El tercero se acerca y culmina la letanía:

—"Estarás más cerca de tu muerte..."

Y clava su navaja cerca de mi pecho. La advertencia, la que fue formulada en septiembre a través de un breve "proverbio" cibernético, está por consumarse sin que yo entienda cómo aquellos rufianes, quienes actúan en manada, fueron escogidos como ejecutores. Nada detiene al verdadero poder. Pero, ¿por qué se ensañan con Elena? Antes de entrar en la inconsciencia, vencido, sangrante, brutalmente herido, percibo que los misterios inescrutables, al fin, me han ganado la partida.

Pero todavía respiro, así sea convertido en un despojo, que yace enmedio de la vegetación exuberante del trópico. Ahora yo mismo soy un misterio.

IX

Ultimátum

En la delgada línea que separà la vida de la muerte, el archivo de la memoria se abre. No es infalible, no, ya que también integra nuestras propias fantasías, las cuales terminan por confundir lo cierto con aquello que suponemos ocurrió porque así lo recordamos. Mis amigos de mayor edad suelen ofuscarse ante esta realidad, si bien ahora cuentan con un refugio, el diagnóstico clínico, del "mal de Alzeheimer", que les permite ser respetados y mejor tratados en la inevitable fase terminal. Pienso en ellos mientras los espasmos sacuden mi adolorida humanidad, sin poder librarme de la oscuridad que envuelve mi seminconciencia. Si mi mente no está en blanco es porque, desde luego, no me he desprendido del mundo terrenal. No veo a Elena, pero la imagino. Me estremezco al concebirla como carroña abandonada a su suerte sin que yo pueda hacer nada. ¿Por qué a ella y por qué ahora? No tengo capacidad para resolver el enigma ni fuerza para sostener un debate interior. Primero, debo superar el trance. ¿Podré? No lo sé porque siento las heridas muy cerca de las zonas que señalan como mortales los expertos; y, además, nadie viene por nosotros. Ellos, los maras, escogieron bien el lugar, aunque no entiendo cómo pudieron preparar el golpe cuando nadie, absolutamente nadie, sabía de mi decisión de viajar por carretera. La oculté, pese a ser muy comunicativo, hasta de mi propia sed de reportero.

Estoy cerca del final. Lo intuyo. Y los recuerdos, como me habían dicho quienes han podido asomarse al último balcón, llegan en cascada, como un torrente desordenado de interrogantes que eludí responder en su momento. Duelen más en esta hora las heridas del alma, también enferma tras un andar de casi seis décadas por los barruntos de la información. De cuando María José, la hacendosa mujer de un gran amigo mío, disgustada porque cuestioné a su jefe al hacerse evidente su apego a la inmoralidad pública, lanzó contra mí un venenoso dardo cargado de inquina, como maldición gitana:

—¡Qué fácil es criticar, Julián! Muy fácil.

—Por lo visto —le respondí muy desde dentro— mucho menos sencillo que corromperse tan a la ligera.

No volví a verles. Él hizo fortuna en los cargos públicos y ella lo siguió, tratando de ocultar sus propias huellas. Quiero olvidarme de sus nombres para aliviar mi camino por esta senda que parece no tener retorno. ¿Fácil? Si supieran que estoy aquí, abandonado, sin contar siquiera con una salida.

—Si sigues así —sentenció aquel amigo—, vas a quedarte solo, clamando en el desierto.

El sitio en donde estoy no tiene dunas de arena a la vista; pero de lo único que estoy seguro es de que sí estoy abandonado. ¿Le dará alguna satisfacción a mi amigo saber que al fin se cumplió su advertencia? ¿O habrá sido una sentencia? Algún día las sombras sobre su espíritu lo pondrán sobre el dilema de resolver su propia encrucijada para intentar redimirse en la hora final. Pero hoy, el trago es mío y no quiero ni puedo compartirlo.

Sí, los recuerdos se precipitan. Debo estar cerca del minuto postrero o quizá éste ya se produjo y comienza mi camino hacia el mayor de los misterios, el de la vida del espíritu. ¿Dónde estarán mis verdaderos amigos, los del alma? Algunos se desprendieron para transitar por el amargo sendero de las ingratitudes; otros, acaso, sintieron que no había sido suficiente mi afecto para compensar el suyo; los menos pasaron colmando sólo un apretado lapso, esto es un episodio nada más; los más estarán esperando noticias mías.

¿Qué habrá sucedido con Eduardo García Valseca, el hijo del célebre coronel, quien fue el mayor fundador de diarios en América Latina, secuestrado desde junio a unos cuantos metros de su rancho en San Miguel de Allende? Sé que está en manos de supuestos revolucionarios, quienes mantienen comunicación únicamente por vía cibernética y cuyas actividades no se hacen públicas para evitar el pánico colectivo. Uno de los familiares de Eduardo me confió:

—Sabemos que está vivo porque los raptores nos mandan claves para acceder a sus mensajes, por internet, a partir de preguntas confidenciales, concretas, sobre sucesos muy íntimos, personales, sólo conocidos por él y su esposa.

Un aprovechamiento por demás efectivo de la tecnología como camuflaje perfecto. A partir de esta información, pregunté al teniente coronel Melquíades Morales si sabía el paradero de Eduardo. Y respondió, seguro:

—Lo tiene el Ejército Popular Revolucionario —radicales con pasamontañas rojos que desarrollan su activismo guerrillero partiendo de Oaxaca hacia una decena de estados mexicanos, aunque carecen de proyección mediática—. No es el único caso.

—¿Eso quiere decir que se están pertrechando para asumir tareas de desestabilización mayores?

—Pudiera ser. O sencillamente es una forma de delinquir asumiendo el papel de luchadores sociales.

Lo mismo que los etarras en España y Francia —en diciembre de 2007 acribillaron y asesinaron, por la espalda, a dos guardias civiles españoles muy cerca de Bayona, cuando salían de una cafetería en Capbreton—, quienes extienden, con galanura, cartas de seguridad a quienes les retribuyen lo que ellos llaman "impuestos revolucionarios". Y únicamente atentan contra quienes, por confiar en las corporaciones policíacas, se niegan a pagar. Alguien me decía, socarrón, que la mejor manera de eludir las amenazas es sumándose a quienes las profieren. Si hubiera seguido el consejo tal vez tendría hoy alguna escapatoria.

Candela Rodríguez, a quien dejaron tirada en la carretera a Ávila los extremistas de la ultraderecha, sin que pudiera identificarlos como alguna célula radical de la nueva Falange que insiste en ir a contracorriente, me confió lo que ella calificó como uno de sus mayores agobios en el entorno de la agresión sufrida por José María Aznar, a unos quinientos metros de su residencia, cuando voló por efecto de una bomba que no dio de lleno en su automóvil blindado, en la mañana del 19 de abril de 1995, a diferencia de lo ocurrido con el vehículo del almirante Luis Carrero Blanco, veintiún años antes, que no estaba habilitado contra las explosiones. Candela, mi inolvidable pasión de una sola noche, me advirtió:

—Sólo falta que, a partir de ahora, los atentados marquen las pautas políticas.

Y así sucedió en el caso de Aznar. Cuando en 1996 ganó la presidencia del gobierno dijeron que "entró en la Moncloa a bordo de un Audi blanco —la marca de su vehículo— debidamente blindado", subrayando así el tremendo efecto causado por la barbarie sin sentido, como si los terroristas quisieran forzar la vuelta al pasado. Ocho años después, ocurrió otro atentado, el de mayor calado en la opinión española, brutal y sin otro propósito que la venganza ciega de los fundamentalistas del Islam: el 11 de marzo de 2004, en Madrid varias bombas fueron detonadas en los trenes repletos de usuarios alrededor de la estación de Atocha, desperdigando cientos de cadáveres; este hecho terrible determinó, apenas tres días antes de la celebración de los comicios generales, el vuelco de la opinión pública a favor de los socialistas como sanción al frívolo engaño del gobierno derechista porque pretendió adjudicar la autoría a los etarras y de esta manera comprometer a sus adversarios del PSOE con larga tradición negociadora, bastante infecunda, con los anarquistas vascos.

El ciclo de Aznar comenzó y terminó bajo el fuego del terrorismo. Y algo más: apenas en noviembre de 2007, más de doce años después, en Saint-Martin-d´Arrosa, Francia, fue detenida María Jesús Arriaga, la primera sospechosa vinculada con aquel intento de asesinato contra quien, en ese momento, se desempeñaba como secretario general del Partido Popular y posible candidato presidencial. Y no ha podido darse vuelta a la hoja aunque Aznar alcanzara la jefatura del gobierno y la retuviera tras una reelección, en 2000, que además le otorgó mayoría absoluta en el Congreso, sin requerir de pactos poselectorales siempre viciados y comprometedores. Los analgésicos políticos no curan los males de fondo: únicamente alivian el dolor social de modo pasajero.

Me detengo a pensar en esto y en la violencia convertida en factor de contención para lograr los equilibrios colectivos. Sólo ganan los grandes operadores detrás de bambalinas, como es el caso de quienes dispusieron este final para mí. Desangrado, sin ayuda ni posibilidad alguna de avisar a alguien. Esto es real. No como lo que ocurrió en aquella jornada, en Los Altos de Chiapas, de la llamada zona de conflicto que mantiene un extraño estado de excepción dentro de otro y en donde prevalecen múltiples contubernios políticos; en dicha jornada los "turistas revolucionarios", atraídos por la historia de la guerrilla pacifista, atravesaron la selva para acudir al reclamo del subcomandante Marcos en el campamento "Aguascalientes" fundado por él.

Allí observé a un relator de certeros sarcasmos, andar a pie entre los altos matorrales, escuchando el cascabeleo de las víboras, y llevando sobre sus hombros no sé cuántos libros para iniciar la biblioteca de la subversión... al amparo de los clásicos. Con escasa condición física y más de seis décadas de plenitud intelectual, el escritor rebasó sus límites luego de varias horas de excursión extenuante. Fue como si tratara de ejercitarse, al igual que los demás miembros del tour, en los deportes llamados extremos. En fin, creyéndose libre de las miradas curiosas, se despojó del acervo trashumante y lo depositó a la sombra de un árbol; y comenzó a alejarse del sitio con sigilo... hasta que lo alcanzó el viajero que le seguía para decirle:

—¡Maestro Monsiváis! Está usted olvidando sus libros.

Y sin ofrecerle sus propios hombros para la mudanza cultural, ayudó al generoso transportista a colocárselos de nuevo, haciendo balanza con el dorso y los brazos; así, los volúmenes quedaron otra vez sobre su atenaceada humanidad. La misión estaba a salvo. Él no.

El dolor, intenso, no me impide sonreír. Al contrario, cuando acrecienta, acompañado de espasmos corporales, me confirma que sigo vivo. ¡Cuán falsario debí sonar tantas veces al clamar por la muerte para darme importancia! Hoy estoy asido al dolor para prolongar mi existencia. Y los recuerdos continuan agitándose adentro. Alguna vez, a alguien muy cercano que me había ofendido gravemente con su traición –se sobajó, por interés pecuniario, ante uno de los grandes predadores denunciados en mis testimonios–llegué a decirle:

–Puedo perdonarte, pero no me pidas que olvide.

No entendió y se fue con el gesto agrio de la soberbia. ¡Si supiera, como yo sé ahora, que en el tramo terminal las poses son irrelevantes! Me siento confortado por no haber traicionado a nadie, pues sin duda ésta es la afrenta personal más ruin. Pobres de todos aquellos que lleguen al final sabiéndose desleales por sus complejos acomodaticios que escarnecen la conciencia. No podrán aspirar al dulce y sosegado sentimiento de la serenidad. Me convulsiono, me agito. ¿He dicho serenidad? Tampoco puedo tenerla, pero por una causa muy distinta: la terrible y amarga percepción de que cincuenta y seis años están a punto de irse al traste sin haber conseguido nada.

Es más intenso el flagelo del alma. Asimilar dentro de mí la imagen de la xenofobia que vindica a los peores tiranos de todos los tiempos, duele. El fascismo, con calado profundo hasta en quienes presumen de demócratas e instalan un estado policía como ha hecho el clan Bush en la Norteamérica "casi" todopoderosa, es el gran habilitador de las autocracias. Hitler, Mussolini, Franco. Y de allí a la segregación racial hay sólo un peldaño. Los "ultras", ahora se les dice "skinheads", se disfrazan de vengadores para zanjar agravios contra los débiles y los feos, quienes sólo pretenden una rebanada del atractivo pastel de la globalización, el cual es en sí una realidad pero también un espejismo. Ahora lo veo claro.

Tiempos de racistas al alza, en el escenario de los fanatismos en pugna, como aquel bárbaro de San Diego que disparó contra un inmigrante mexicano de dieciséis años –etiquetado con las infamantes calificaciones de "indocumentado" e "ilegal"–, por el solo delito de circular por las ajardinadas avenidas de un barrio residencial sin tener las blancas facciones de quienes concentran en el color de la piel toda su estrecha percepción de la belleza física. Lo acribilló disparándole por detrás, naturalmente. ¿Y qué decir del intratable jovenzuelo de Barcelona que, recientemente manoseó, infamó y pateó en el rostro a una chica ecuatoriana, sin posibilidad alguna de defenderse, en un semivacío vagón del Metro? Es la vuelta a la sinrazón, la evidencia más clara de que el mal va ganándole todas las batallas al bien.

Pero yo mismo me cuestiono sobre cuantos alteran, violentan o pretenden usurpar nuestra forma de vida. La defensa apasionada del entorno, al fin y al cabo, siempre ha sido baluarte de las sublevaciones. ¿Podré volver a ver de la misma manera a quienes tengan el tipo, estilo y lenguaje de mis agresores centroamericanos? Pero, ¿tendré oportunidad para ello?¿Si pudiera prolongar la existencia que se me escapa, sería capaz de superar la fobia extendiendo la mano a tantos a quienes se infama por lo que han hecho sus coterráneos o sus hermanos? Malditos sean los maras. ¿Olvidaría? Todavía hay espacio para el odio dentro de mí. Estoy vivo... aún.

Ahora llega una oleada de opresión sobre el corazón. Y con ella viene también la tristeza. ¿Significa algo permanecer sin trascender?¿Y morir como un perdedor, al igual que los miles de republicanos españoles que no pudieron retornar a su patria o lo hicieron decrépitos cuando, finalmente el oligarca falleció sin conocer la justicia? La historia los rehabilitó, es cierto, pero el tardío reconocimiento, sobre todo a su derecho a disentir, de bien poco les sirvió para aliviar su pálpito final.

¿Qué me importa ahora si en diez, veinte o cincuenta años aquello a lo que dediqué mi existencia cobra sentido?¿No es éste un pensamiento tremendamente egoísta? Pero, ¿acaso ahora no estoy completamente solo, sin el cobijo de los afectos ni el amparo del amor? Me estoy muriendo, carajo.

Frente a cualquier propósito noble siempre habrá necios que proclamen lo contrario, hasta la ignominia, para anular así toda rendija de buena fe por parte de quienes no comulgan con ellos. En una ocasión, imposible de soslayar, Jaime Mayor Oreja, quien fuera Ministro del Interior en el gobierno de España bajo la conducción de Aznar, se atrevió a decirme:

–Mire usted, yo no entiendo a quienes tanto hablan de glorificar la memoria histórica para renunciar al pasado. La verdad es que no podemos eludir un hecho incontrovertible: en la dictadura vivimos apaciblemente.

Cualquier aristócrata podrá aseverar lo mismo. Pero ¿y los familiares de los miles de partisanos enterrados clandestinamente en las afueras de tantos pueblos y villas usando rocas en vez de tumbas y en muchos casos ni siquiera éso? Todo por disentir y perder, claro. Porque también hubo atrocidades y ejecuciones sumarias por parte de los "rojos" antes de que los valores bonancibles, felices, los marcara Franco. Quienes le secundaron, disfrutaron lo suyo y hoy todavía lo gritan a los cuatro vientos. Ni Mayor Oreja ni la familia Aznar la pasaron mal durante esos tiempos que hoy no pueden defender, salvo veladamente y en privado, aferrándose a sus propias experiencias. Aznar, no lo olvidemos, inició su carrera política formando parte del Frente de Estudiantes Sindicalistas, una fracción de La Falange que sigue entonando el "Cara al Sol" cada aniversario luctuoso de Franco en el Valle de los Caídos.

¡Ay, de allí partí, hacia las rutas de Castilla y con las vendas de la ingenuidad apretándome, para iniciar la escalada turbulenta que viene a terminar aquí! El padre de Aznar, Manuel Aznar Acevedo, no yace en el monumento de las alegorías bélicas, las de los arcángeles guerreros, aunque fuese un privilegiado en los tiempos de la tiranía. Nada menos que uno de los difusores radiofónicos del ejército franquista. En esa fuente abrevó el mayor de los líderes de la derecha española contemporánea.

Y enfrente, en el extremo izquierdo, los odios que engendran las estirpes confrontadas, mantienen la polarización. El capitán Juan Rodríguez Lozano, abuelo de José Luis Rodríguez Zapatero, quien sustituyó a Aznar en el gobierno, como si con ello también reemplazara a media España y la cercenara –la necia ceguera del sectarismo conduce, sin remedio, a la crispación–, fue fusilado por los "nacionales", el 18 de agosto de 1936, al negarse a formar parte de la sublevación militar en León contra la República. Las afrentas son interminables. ¿Será por eso que existen quienes pretenden asumir el papel de Dios para asegurar los equilibrios?

Sufro por las tres puñaladas que rajaron mi cuerpo. Y entiendo que sigo vivo pues el repaso de mi propia crónica, la personal, no se detiene. ¡Hay tanto que quisiera cambiar para sentirme mejor! Pero los hechos perviven aunque la memoria se adapte a las conveniencias y muchas veces los tergiverse. Creo que cumplir con el deber ha significado, para mí, romper la existencia de otros seres a los que señalé a veces con virulencia. ¿Y si yo no hubiera tenido razón? Pienso en una pareja a la que cuestioné con exaltada severidad: los Fox, ella y él, Marta y Vicente, quienes a partir de su desempeño presidencial entre 2000 y 2006 alcanzaron la cúspide de la aristocracia e imitando a los reyes católicos, monarcas de Castilla y Aragón, extendieron el antiguo blasón: "Monta tanto, tanto monta".

Ocurrieron cosas que no se difundieron. El 19 de noviembre de 2005, un día antes de la celebración anual de la Revolución Mexicana y fecha en la que en España se recuerda por las muertes de Franco y Primo de Rivera, dos guardias presidenciales, encargados de vigilar y proteger el rancho "La Estancia" que es extensión de la antigua heredad familiar de los Fox llamada San Cristóbal, en Guanajuato, murieron ahogados en un estanque en condiciones nunca aclaradas. Indagué, corroboré, pregunté. Uno de los jóvenes muertos tuvo también otras funciones en el séquito privado de la señora. Lo demás fue complementario: un intento torpe de chantaje y la vendetta desde el poder al estilo siciliano. El ejército guardó silencio y no pasó factura cuando menos hasta hoy. En cuestiones de revancha no hay plazos perentorios. ¡Cuánto me guardé por pudor y también por cansancio!

El corazón, no sé porqué, mantiene sus latidos. Alguna de sus cavidades atesora todavía lo que puede quedarme de místico. Pero no siento los vasos sanguíneos para hacer fluir mi antigua devoción por todas las células corpóreas. ¿Tengo miedo a la muerte? Si sigo colgado a la vida, ahora que podría fácilmente desprenderme de ella, es porque mi presunción está confirmada. No me he dejado llevar por la fatalidad pero quisiera que mi debilitada fe no estuviera marcada por la información acumulada en todos mis años de labor profesional, consecuencia del profundo agobio por confrontar mis creencias con los intereses soterrados de quienes manejan en forma exclusiva los valores espirituales para volcarlos hacia las prioridades mercantilistas, al mercado de consumo, convertido en la nueva deidad contemporánea, según me explicó Ralph Power, el moderno padrino amanerado, desde su intocable aposento de Nueva York.

Paloma, mi compañera de los últimos años, y yo, visitamos Tierra Santa en el Año del Jubileo, el 2000. Fue estremecedor. Cuando recorrimos la Vía Dolorosa, ella, casi fuera de sí, ante los cientos de puestos con souvenirs y el acoso impertinente de mil venteros y otros tantos embusteros, estalló:

—Esta es una feria, Julián, no un lugar sagrado para meditar y orar sobre las huellas de Jesús. Hemos convertido en un tianguis, en un mercadillo, el mayor testimonio de nuestra fe. Lo mismo hicieron los centuriones romanos cuando despojaron al Señor de sus túnicas para sortearlas entre ellos. Todos estamos escupiendo sobre los rastros divinos.

Horas más tarde, en Nazaret, en la Basílica de la Anunciación, nos dijeron que se conservaba, casi intacta, la choza donde María recibió al arcángel con su mensaje. Todo lo demás fue borrado al paso de los tiempos. La precisión obliga a la sospecha, si no se quiere ofender la inteligencia. Y así todo lo demás. Es cierto, se vibra ante lo que suponemos reverencial pero después desembocamos en el frenesí de la mercadotecnia como sucedánea de Dios. La materia, otra vez, impuesta al espíritu.

¿Qué será de ella, de Paloma? Mi Paloma, Paloma Moreno. ¿Sabrá algo de mí o estará esperando el telefonema habitual? Hace meses dejamos de vernos. Dijo que no podía soportar más mis ausencias, incluso las mentales en su presencia, porque no quería desempeñar un papel insignificante en mi entorno sino el fundamental. Traté de seducirla de nuevo pero fue inútil. En un arrebato incontenible intenté poseerla contra su voluntad. Fueron dos segundos que significaron todo para ella, el fin del respeto y el prosaico inicio de unas relaciones enfermas. Le dije que no era así: no podía juzgarse a un hombre por arder de pasión y ubicarse por encima del raciocinio calculador y siempre frío. No lo entendió y se fue. Pero ella quedó en mí, y yo arraigado a la esperanza.

La paradoja es que la luz y la oscuridad se conjugan en cada perspectiva. En la iglesia de los jesuitas en Madrid, llamada San Francisco de Borja en honor del clérigo descendiente de los Borgia, cuyo tronco se extiende a partir del pontificado de Alejandro VI, el Papa al que la historia fustiga como uno de los reyes del incesto, esto es padre y amante de Lucrecia, la legendaria, encontré en la sencillez del altar mayor la imagen austera y heroica del Cristo crucificado

"Venid a Mí –se lee en semicírculo–, Aquellos que Anden Agobiados".

Y hasta allí fue, en su última escala, el almirante Carrero Blanco antes de pasar a ser reo de la historia del terror en el preámbulo de la España democrática. Voló veinte metros, tras el estallido de un artefacto mortífero, pero no sabemos si alcanzó el cielo al llevarse consigo el peso agobiante de la dictadura que heredó y protegió.

En Roma alguna vez conversé con el cardenal Sebastiano Baggio, quien durante mucho tiempo fuera uno de los hombres fuertes en el Vaticano y hasta llegó a ser mencionado como posible sucesor de Juan Pablo I, el de la sonrisa que se borró en un mes. Un despacho informativo erróneo adelantó su nombre como el elegido tras la fumarola clásica de la chimenea de la Capilla Sixtina, anunciando el fin del cónclave en octubre de 1978. Le cuestioné sobre el papel histórico de la Iglesia:

–¿Por qué, en distintas épocas y bajo condiciones diversas, la Santa Sede ha apoyado siempre a las tiranías de derecha?

–Los tiranos van y vienen –replicó–, y la Iglesia es eterna, persevera. Y más bien sucede al revés de lo que usted sugiere: algunos autócratas se apoyan en la Iglesia porque saben la influencia que tiene sobre los pueblos.

No salí tranquilo de la fugaz reunión. El argumento, casi una evasiva, poco significaba ante las evidencias de la intervención del alto clero, o parte de éste si se quiere ser prudente, a favor de los autócratas. Durante las cuatro décadas que duró su dictadura en España, el generalísimo impulsó con vehemencia a las grandes congregaciones religiosas.

No es casualidad que durante el mismo periodo, el padre Pedro Arrupe, nacido en Bilbao en noviembre de 1907, fuese nombrado "general" de la Compañía de Jesús –a partir de 1965 y hasta que sufrió una trombosis en 1981–, con enorme calado en los programas sociales; y en el otro extremo, el padre José María Escrivá de Balaguer, nacido en Huesca, en enero de 1902, quien luego de fundar el Opus Dei impulsado por la ultraderecha recibió del generalísimo el apoyo necesario para extenderse por el mundo. Escrivá ya fue canonizado en octubre de 2002 y Arrupe ya está en camino hacia su beatificación. Gracias a estos dos personajes, por supuesto, pudieron suavizarse las tensiones de la dictadura ibérica, sobre todo las que existían con el gobierno estadunidense, al final de la II Guerra Mundial, a pesar de las manifiestas simpatías de Franco hacia Hitler. ¿Nada más coincidencias?

Es el archivo de la memoria, vulnerable porque se pierde en el suspiro final, el que me sacude. Soy católico y no deseo perder, en esta hora que creo la última, la fe que nos lleva a aceptar la muerte como un mero trámite hacia la plenitud de la eternidad "en la contemplación de Dios". ¿Debo callar y olvidarme de cuanto sé acerca de los sórdidos combates subterráneos entre opusdeístas y jesuitas para ganar la vanguardia en los tiempos revueltos que se caracterizan por la represión gubernamental?

No son meras coincidencias, sino una realidad oculta detrás de enormes bambalinas, los vasos comunicantes entre unos y otros, es decir de todo el abanico de una institución universal –de allí el término católico– desde extremos que se tocan sin remedio, y sus cercanías, no sólo espirituales, con las sociedades secretas que han delineado la historia del mundo. El Manto Sagrado entre ellas.

Iñaki Azpiziarte, cuya precipitada e injusta viudez también ensombreció mi proverbial capacidad de asimilación, mantuvo un apasionado seguimiento, hasta su claudicación profesional, respecto a los vínculos entre algunos notables empresarios con capacidad operativa en dos o más continentes. Y siempre encontró detrás, así me lo expresó, una "mano santa", intocable.

–Fíjate más en los cómplices que en quienes ejercen el poder –comentó en una ocasión–. Allí están las verdaderas claves.

"Dime con quien andas y te diré quien eres", sentencia el refranero a través del cual se ejerce, en serio, la soberanía popular. Todos esos demócratas de pacotilla debieran acercarse siquiera a este apretado caudal de sabiduría colectiva que prodiga sentencias y marca existencias. No hay casualidades sino complicidades. Los golpes sobre el pecho, tan usuales para mitigar los conflictos existenciales reclamando absoluciones y bendiciones, resultan un espléndido camuflaje para atemperar las alianzas soterradas.

El Manto Sagrado cubre las expectativas de dominio hasta en su bautizo. Franco, en la España sometida, ni siquiera requirió de maquillaje y optó por salir a la calle bajo los palios como si pretendiera competir con el Cristo del Gran Poder. Y los jerarcas eclesiásticos le arroparon aunque fuera un sacrílego.

Conciencia: te exijo conservar mi fe. No te atrevas a desampararme ahora que comienzo a no sentir dolor mientras el frío atrapa mis extremidades. Ya estoy entumeciéndome. Tiene que haber alguna posibilidad de redención. De otra manera nada tendría sentido, mucho menos la visión última de un mundo avasallado por los perversos sin líderes renovadores a la vista. Perdido. ¿Pero cómo saberlo? La única certidumbre que me queda es la de la muerte, porque todo lo demás es cuestionable.

Alrededor del poder no creo en los encuentros fortuitos. Por eso me dejé atrapar cuando más pretendía cuidarme. ¿Cómo prever que tres "maras" aguardarían por mí en una fonda de Las Tinajas?¿Y qué serían mis ejecutores a cambio de quien sabe cuantas cosas? Cuando creí correr riesgos nada pasó; en cambio, durante la última jornada, seguro en apariencia, fui tremendamente vulnerable. Y además se llevaron en prenda a la pobre de Elena. Un relámpago en la vista la sitúa frente a mí, a unos diez metros. Imposible alcanzarla. ¿Respira o es sólo una ilusión?

Otra vez la oscuridad. Y los recuerdos. Hay tantas interrogantes que no logro contestar. ¿Cómo entender la permanencia estratégica del Manto Sagrado, a partir de Antonio Ortiz Mena hasta la senda trazada por Joseph Marie Córdoba Montoya, en México, con desfogues hacia la barbarie y una crisis política que, de manera paradójica, estabilizó a los grandes inversionistas mientras se depreciaban los ingresos de los asalariados?¿Es simplemente un hecho fortuito que Ortiz Mena, el poderoso financiero que delineó el proyecto estabilizador que sostuvo a toda una nación bajo severas convulsiones políticas, hubiese coincidido en el gabinete presidencial de Adolfo López Mateos, hace medio siglo, desde 1958, con Raúl Salinas Lozano, padre de Carlos, el mandatario mexicano que renegoció la deuda externa de su país a principios de la década de los noventa? Don Antonio en calidad de secretario de Hacienda, Salinas Lozano como secretario de Economía. Una mancuerna perfecta en la planificación del futuro mexicano. Con el cobijo del Manto.

Un candado en el archivo de la memoria acaba de romperse. Reflexiono sobre la gestión de López Mateos, en la que surgió la alianza de Ortiz y Salinas, y en su vocación internacionalista que le impulsó a buscar la diversidad cultural, acaso para contrarrestar la inevitable y paulatina asimilación de una nación dependiente y geográficamente unida a la mayor potencia universal.

Ahora, ante el rompecabezas terminado la memoria no falla. A finales de 1959, la representación soviética en México, como una aportación a la ciencia y, desde luego, a los vínculos fraternos que otrora pocos ponderaban, montó una espectacular exposición sobre el mayor orgullo que ostentaba la URSS de cara al mundo: su indiscutible liderazgo en la carrera espacial. Los soberbios herederos de Lenin y Stalin presentaron al público mexicano algunos de los prototipos más notables, incluyendo la sonda satelital conocida como "Lunik".

Cuando al final los técnicos desmontaron las salas de exhibición en el Auditorio Nacional de la ciudad de México, lo hicieron con cierta premura porque, ansiosos, querían celebrar el éxito de la misión. Correría el vodka a raudales. Sólo que, camino hacia las bodegas del aeropuerto desde donde cargarían sus naves y despegarían al amanecer del día siguiente, uno de los treinta vehículos de alta tracción que realizaban la mudanza, precisamente el que transportaba la sonda "Lunik", se averió cerca de la avenida Camarones.

Contrariados, los visitantes optaron por estacionar el vehículo y no perderse el festejo. ¿Qué podría pasar en unas cuantas horas? Y fue este descuido el que cambiaría el curso de los acontecimientos, obviamente con la complicidad de las autoridades mexicanas.

Durante ese lapso, detenida la trascendente carga por causas de "fuerza mayor", tratándose evidentemente de un sabotaje, los espías, tan extendidos entonces, en un operativo relámpago, se apoderaron del aparato espacial y lo trasladaron a una maderería cercana, acondicionada previamente; ahí lo esperaban los más calificados técnicos espaciales norteamericanos. Así pudieron acceder a los modelos que habían sido expuestos con evidentes restricciones de seguridad. ¿Cuestión de suerte o de pericia extrema?¿O del valor entendido que surgió de la complicidad entre la Casa Blanca y muy altos funcionarios del gobierno mexicano, quienes proveyeron las condiciones necesarias para el asalto científico y el consiguiente robo descarado del selecto combustible, de enorme valor estratégico, y de la alta tecnología soviética?

Nunca hubo aclaración alguna. La administración de López Mateos, sencillamente agradeció la "buena voluntad" del régimen soviético y de sus representantes, quienes, obviamente, después de libar como mandan los cánones, repararon el desperfecto y llevaron a buen puerto sus valiosos artefactos todavía bajo los efectos de la resaca matutina. Meses más tarde, los estadunidenses emparejaron el marcador de la era espacial, hasta que finalmente tomaron la vanguardia y con ello el control del espacio extraterrestre. Así, en 1969 llegaron a la Luna los primeros astronautas, los norteamericanos Armstrong y Aldrin.

A López Mateos no le fue nada mal en cuanto a su proyección personal. Fue invitado a accionar el botón para el lanzamiento de una de las primeras naves no tripuladas financiadas por los Estados Unidos, desde Cabo Cañaveral, en la Florida. ¿Por qué se reservó ese honor a un mandatario mexicano? Sólo para cerrar el círculo de los compromisos reconocidos. Y don Adolfo terminó su periodo anunciando que los Juegos Olímpicos de 1968 se realizarían sobre suelo azteca. Amén.

He visto detrás de la cortina de humo. De una, cuando menos. Si sólo una pequeña hebra de la madeja es suficiente para reconstruir los hechos soslayados, ya que si no los conocemos siempre estaremos en tinieblas. La historia universal no es la que nos cuentan aquellos que mantienen los equilibrios basados en la ignorancia colectiva. Somos títeres sujetos a los hilos del verdadero poder. ¿Merece la pena continuar?

Escucho un murmullo. Una voz dice que he perdido mucha sangre. Siento una mano explorando mis heridas. Veo. Una camilla se lleva, envuelta hasta la cabeza, en una bolsa de plástico, a Elena Medina. Comprendo. Escucho el ulular de una sirena. Egoísta, evito reflexionar sobre el porqué.

La catarata de vivencias parece haberse detenido dentro de mí. Apenas tengo sensaciones. Estoy tremendamente confuso, situado en la frontera entre vivir y morir, como en tantas ocasiones. No, no quiero ser yo quien decida. ¿Otra vez defender la existencia de cuantos buscan quitármela?¿De nuevo ante el dilema permanente de la vocación que se impone al instinto de conservación? Por favor, no.

Respiro. Siento. La mente se adormece y no recuerdo más. Parece que me han dado un ultimátum. Estoy vivo. Sobreviví.

Madrid, 2008.

Las Tumbas y Yo, de Rafael Loret de Mola
se terminó de imprimir en julio de 2008 en
Quebecor World, S.A. de C.V.
Fracc. Agro Industrial La Cruz
El Marqués, Querétaro
México